O TESTE DO MARSHMALLOW

Walter Mischel

O Teste do Marshmallow
Por que a força de vontade é a chave do sucesso

TRADUÇÃO
Afonso Celso da Cunha

5ª reimpressão

Copyright © 2014 by Walter Mischel

Grafia atualizada segundo o Acordo Ortográfico da Língua Portuguesa de 1990, que entrou em vigor no Brasil em 2009.

Título original
The Marshmallow Test: Mastering Self-Control

Capa
Eduardo Foresti e Filipa Pinto

Foto de capa
keiichihiki/iStock

Preparação
Thais Pahl

Índice remissivo
Probo Poletti

Revisão
Adriana Bairrada
Huendel Viana

Dados Internacionais de Catalogação na Publicação (CIP)
(Câmara Brasileira do Livro, SP, Brasil)

Mischel, Walter
  O teste do marshmallow : Por que a força de
vontade é a chave do sucesso / Walter Mischel. – 1ª
ed. – Rio de Janeiro : Editora Objetiva, 2016.

  Título original: The Marshmallow Test :
  Mastering Self-Control
  ISBN 978-85-470-0009-7

  1. Autocontrole 2. Comportamento (Psicologia)
3. Força de vontade I. Título.

16-02632   CDD-155.25

Índice para catálogo sistemático:
1. Autocontrole : Psicologia do desenvolvimento   155.25

Todos os direitos desta edição reservados à
EDITORA SCHWARCZ S.A.
Praça Floriano, 19 — Sala 3001
20031-050 — Rio de Janeiro — RJ
Telefone: (21) 3993-7510
www.companhiadasletras.com.br
www.blogdacompanhia.com.br
facebook.com/editoraobjetiva
instagram.com/editora_objetiva
twitter.com/edobjetiva

Para Judy, Rebecca, Linda

Sumário

Introdução   9

PARTE I
SOBRE A CAPACIDADE DE ESPERAR:
DESENVOLVENDO O AUTOCONTROLE

1.	Na Sala de Surpresas da Universidade Stanford	19
2.	Como eles conseguem	31
3.	Quente e frio: Duas formas de pensar	42
4.	As raízes do autocontrole	49
5.	Os melhores planos	57
6.	As cigarras indolentes e as formigas diligentes	64
7.	Será que é inato? A nova genética	71

PARTE II
DO MARSHMALLOW NA CRECHE
AO DINHEIRO NA POUPANÇA

8.	O motor do sucesso: "Acho que posso!"	89
9.	O eu futuro	105

10.	Além do aqui e agora	111
11.	Protegendo o eu magoado: Autodistanciamento	123
12.	Esfriando as emoções dolorosas	132
13.	O sistema imunitário psicológico	141
14.	Quando pessoas inteligentes parecem estúpidas	155
15.	Assinaturas de personalidade *Se-Então*	162
16.	Paralisia da vontade	171
17.	Fadiga da vontade	178

PARTE III

DO LABORATÓRIO PARA A VIDA

18.	Marshmallows e políticas públicas	193
19.	Aplicando estratégias centrais	209
20.	Natureza humana	224

Agradecimentos	229
Notas	231
Índice remissivo	257

Introdução

Como meus alunos e minhas filhas podem atestar, o autocontrole nunca foi algo natural para mim. Sou conhecido por telefonar para os alunos altas horas da noite com o único objetivo de perguntar pela última análise de dados, embora eles só tenham começado a prepará-la naquela noite. Nos jantares com amigos, fico sem graça ao perceber que meu prato é o único vazio, quando os outros ainda estão cheios. Minha própria impaciência e a descoberta de que as estratégias de autocontrole podem ser aprendidas me levaram a estudar esses recursos durante toda a vida.

A ideia básica que impulsionou meu trabalho e me motivou a escrever este livro foi, primeiro, a crença e, depois, a comprovação de que a capacidade de retardar a satisfação imediata em nome de benefícios futuros é uma habilidade cognitiva adquirível. Em estudos iniciados meio século atrás, e ainda em andamento, mostramos que esse conjunto de habilidades é visível e mensurável desde o começo da vida e produz consequências duradouras para o bem-estar e para a saúde mental e física ao longo dos anos. Ainda mais importante e empolgante, pelas implicações para a formação e a educação de crianças, é o fato de o autocontrole ser uma habilidade que pode ser cultivada e modificada por meio de estratégias cognitivas.

Nos últimos cinquenta anos, o Teste do Marshmallow e os experimentos subsequentes desencadearam uma onda de pesquisas sobre autocontrole, com cinco vezes mais trabalhos científicos publicados só na primeira década deste século.[1] Neste livro, conto a história dessas pesquisas, de que modo elas explicam os mecanismos que reforçam o autocontrole e a maneira como esses recursos podem ser usados com eficácia na vida cotidiana.

Tudo começou na década de 1960, com crianças em idade pré-escolar, na Bing Nursery School da Universidade Stanford, em estudo simples que as submeteu a um dilema árduo. Meus alunos e eu propusemos às crianças uma escolha difícil entre uma recompensa (por exemplo, um marshmallow) a ser desfrutada imediatamente ou outra recompensa maior (dois marshmallows) pela qual teriam de esperar, sozinhas, por até vinte minutos. Deixamos que as crianças escolhessem o prêmio que elas preferissem de uma variedade que incluía marshmallows, biscoitos, sorvetes, doces, e assim por diante. "Amy",[2] por exemplo, escolheu marshmallows. Sentou-se a uma mesa, encarando o marshmallow isolado, que ela poderia comer imediatamente, e os dois marshmallows a que teria direito se esperasse. Ao lado das guloseimas, havia uma campainha de mesa, que ela poderia tocar para chamar o pesquisador e comer o marshmallow imediatamente. Havia também a opção de esperar a volta do pesquisador e comer os dois marshmallows, caso não tivesse levantado da cadeira nem mordido o marshmallow que estava à sua disposição. As lutas que observamos, enquanto as crianças tentavam resistir à tentação de tocar a campainha, era de encher os olhos de lágrimas, levando-nos a aplaudir a perseverança e a torcer para que persistissem. De lá, saíamos cheios de novas esperanças, sensibilizados pela capacidade de ver mesmo crianças pequenas não ceder ao prêmio imediato e persistir na busca de ganhos maiores.

Para nossa surpresa, o comportamento daquelas crianças em idade pré--escolar, enquanto se esforçavam para esperar, e a maneira como conseguiam ou não retardar a satisfação se revelaram um previsor confiável de como seria a vida delas no futuro. Quanto mais conseguiam esperar pelo prêmio, aos quatro ou cinco anos, mais se destacaram nos testes de aptidão escolar (ou SAT, Scholastic Aptitude Test) e de funções cognitivas na adolescência.[3] Entre os 27 e os 32 anos, aquelas crianças que haviam conseguido resistir ao Teste do Marshmallow na pré-escola apresentavam índice de massa corporal mais baixo e autoestima mais elevada, perseguiam os objetivos com mais eficácia e enfrentavam a frustração e o estresse com mais resiliência. Na meia-idade, os que conseguiram retardar o prêmio ("alta espera"), em comparação aos que não resistiram à tentação ("baixa espera"), se caracterizavam por imagens de tomografia computadorizada diferentes em áreas ligadas a vícios e obesidade.

O que de fato aponta o Teste do Marshmallow? Seria a capacidade de retardar a satisfação algo inata ao ser humano? Como ensiná-la? Quais são suas desvantagens? Este livro trata dessas questões, e as respostas são na maioria das vezes absolutamente surpreendentes. Em *O Teste do Marshmallow*, analiso o que é e o que não é "força de vontade", as condições que a destroem, as habilidades cognitivas e as motivações que a constroem, e as consequências de cultivá-la e de explorá-la. Também examino as implicações dessas descobertas para repensarmos quem somos, o que podemos ser, como funciona a mente humana, como podemos — ou não — controlar os impulsos, emoções e propensões, como mudar, e como criar e educar nossos filhos.

Todo mundo quer saber como atua a força de vontade, e todo mundo gostaria de ter mais força de vontade, com menos esforço, a bem de si mesmos, dos filhos e dos familiares que, por exemplo, fumam cigarros.

A capacidade de retardar a satisfação e de resistir às tentações é um desafio fundamental desde a aurora da civilização. É o cerne da história da queda de Adão e Eva, no Gênese, no Jardim do Éden, e tema dos filósofos gregos, que denominaram de *akrasia* a falta de força de vontade. Ao longo de milênios, a força de vontade foi considerada traço imutável — ou a pessoa tinha ou não tinha — tornando os fracos vítimas de suas próprias histórias biológicas e sociais e da atuação dos fatores do momento. O autocontrole é essencial para a realização dos objetivos de longo prazo. Também é fundamental para o desenvolvimento da autocontenção e da empatia necessárias à criação de relacionamentos mutuamente produtivos. Também ajuda as pessoas a não cair desde cedo nas armadilhas da vida, abandonando a escola, insensibilizando-se às consequências e ficando presas em trabalhos que odeiam. É a "atitude básica",[4] subjacente à inteligência emocional, essencial para a construção de uma vida de realizações. No entanto, apesar de sua importância fundamental, a força de vontade não tinha sido objeto de estudos científicos até que meus alunos e eu desmistificamos o conceito, elaboramos um método para analisá-la, demonstramos seu papel crítico no comportamento adaptativo e dissecamos os processos psicológicos que a reforçam.

O interesse do público pelo Teste do Marshmallow aumentou no começo deste século e continua crescendo. Em 2006, David Brooks dedicou-lhe um artigo no *New York Times* de domingo.[5] Anos depois, em entrevista com o presidente Obama, este perguntou a Brooks se ele queria falar sobre marshmallows.[6] O teste foi destaque em um artigo da revista *New Yorker*, em 2009.[7] A pesquisa é muito debatida em programas de televisão, em revistas e em jornais de todo o mundo. Está inclusive orientando os esforços do Come-Come, da *Vila Sésamo*, no intuito de controlar o impulso de devorar biscoitos com voracidade, como condição para entrar no Clube de Degustadores de Biscoitos. As pesquisas referentes ao Teste do Marshmallow estão influenciando o currículo de muitas escolas que acolhem ampla variedade de crianças, desde as que vivem em condições de pobreza até as pertencentes a famílias de elite.[8] Bancos de investimento internacionais recorrem a essas pesquisas para estimular o planejamento da aposentadoria.[9] E a imagem de um marshmallow passou a ser associada imediatamente ao diferimento da satisfação para qualquer público. Na cidade de Nova York, vejo crianças saírem de escolas vestindo camisetas nas quais se lê *Don't Eat the Marshmallow* [Não coma o marshmallow] e *I Passed the Marshmallow Test* [Eu passei no Teste do Marshmallow]. Felizmente, à medida que o interesse do público pelo tema "força de vontade" cresce, também aumentam a quantidade e a profundidade das informações científicas sobre como adiar a gratificação e reforçar o autocontrole dos pontos de vista psicológico e biológico.

Para compreender o autocontrole e o adiamento da satisfação, precisamos entender não só o que os estimula, mas também o que os debilita. Como na parábola de Adão e Eva, temos visto sucessivas notícias na imprensa que mostram como as mais notáveis celebridades — um presidente, um governador, outro governador, um juiz reverenciado e pilar moral da sociedade, um financista internacional e político influente, um herói dos esportes e um astro do cinema — não conseguem se controlar diante de uma jovem estagiária, uma camareira ou drogas ilegais. São pessoas brilhantes não só em termos de QI, mas também no que diz respeito à inteligência emocional e social — do contrário não teriam alcançado tais postos. Mas por que agiram de maneira tão insensata? E por que essas figuras públicas não estão sozinhas, apenas destacando-se entre tantos outros homens e mulheres comuns, que agem da mesma maneira, embora nunca tenham chegado às manchetes?

Recorro às descobertas científicas de vanguarda para explicar a tendência. No cerne da história encontram-se dois sistemas em estreita interação que atuam no cérebro humano, um "quente" — emocional, reativo e inconsciente — e o outro "frio" — cognitivo, ponderado, lento e diligente.[10] A maneira como os dois sistemas interagem em face de fortes tentações explica como as crianças em idade pré-escolar lidam com marshmallows e como a força de vontade funciona — ou não. O que aprendi mudou por completo minhas premissas tradicionais sobre quem somos, sobre a natureza e as manifestações do caráter, e sobre as possibilidades da mudança autoinduzida.

A Parte I — *Sobre a capacidade de esperar: Desenvolvendo o autocontrole* — conta a história do Teste do Marshmallow e dos experimentos que mostraram crianças em idade pré-escolar fazendo o que Adão e Eva não conseguiram fazer no Jardim do Éden. Os resultados mostram os processos e estratégias mentais através dos quais podemos esfriar tentações quentes, retardar a satisfação e exercer o autocontrole. Também apontam para possíveis mecanismos mentais que possibilitam essas realizações. Décadas depois, uma enxurrada de pesquisas sobre o cérebro está usando as mais avançadas tecnologias de imagem para sondar as conexões mente-cérebro e nos ajudar a compreender o autocontrole das crianças em idade pré-escolar.

As constatações do Teste do Marshmallow sempre nos levam à indagação "Seria o autocontrole uma capacidade inata?". Descobertas recentes em genética fornecem novas respostas ao revelarem a surpreendente plasticidade do cérebro e ao revolucionarem nossas ideias sobre o papel do DNA e da educação, do meio ambiente e da hereditariedade, e da maleabilidade da natureza humana. As implicações vão muito além dos laboratórios e contradizem crenças comuns.

A Parte I nos deixa ainda com um mistério: por que o autocontrole das crianças em idade pré-escolar, ao retardar a satisfação na expectativa de mais guloseimas, é um previsor tão poderoso do sucesso e do bem-estar futuro? Respondo a essa pergunta na Parte II — *Do marshmallow na creche ao dinheiro na poupança* —, onde examino como o autocontrole influencia a jornada da pré-escola para a aposentadoria e prepara o caminho para experiências bem-sucedidas e para expectativas positivas — uma mentalidade "Acho que consigo!" aliada ao senso de autovalorização. Embora não garanta o sucesso e um futuro cor-de-rosa, o autocontrole melhora muito as chances de êxito nos ajudando a fazer escolhas difíceis e a sustentar o esforço necessário para alcançar os objetivos. A eficácia do processo depende não só das habilidades, mas também da internalização dos objetivos e valores que norteiam a jornada, assim como de motivações bastante fortes para superar os obstáculos ao longo do caminho. Como o autocontrole pode ser utilizado para desenvolver um estilo de vida em que a força de vontade exija menos esforço e se torne cada vez mais automática e recompensadora é o que explora a Parte II, que, como a própria vida, se desenrola de maneiras inesperadas. Analiso não só a resistência à tentação, mas também outros desafios do autocontrole, como a atenuação de emoções dolorosas, a superação de traumas pessoais e a prevenção da depressão, até a tomada de decisões importantes que levem em conta consequências futuras. No entanto, apesar de salientar os benefícios do autocontrole, a Parte II também esclarece seus limites: o excesso de autocontrole pode tornar a vida tão frustrante quanto sua carência.

Na Parte III — *Do laboratório para a vida* —, analiso as implicações de nossas pesquisas para as políticas públicas, com foco na maneira como recentes intervenções educacionais, já a partir da pré-escola, incutem autocontrole em crianças que vivem em circunstâncias de estresse nocivo para capacitá-las a melhorar de vida. Em seguida, resumo os conceitos e estratégias examinados em todo o livro, capazes de ajudar na luta diária para a preservação do autocontrole. O capítulo final considera como as descobertas sobre autocontrole, sobre genética e sobre a plasticidade do cérebro mudam os conceitos a respeito da natureza humana e a compreensão de quem somos e do que podemos ser.

Ao escrever *O Teste do Marshmallow*, me imaginei conversando em tom descontraído com você, leitor, a exemplo das muitas conversas que tenho com amigos e conhecidos, suscitadas pela pergunta "Como vão os trabalhos com o marshmallow?". Logo o assunto descamba para as maneiras como as novas descobertas se relacionam com aspectos do cotidiano, como criação de filhos, contratação de pessoal, prevenção de maus negócios e atitudes pessoais para superar desventuras amorosas, deixar de fumar, controlar o peso, mudar de carreira e compreender as próprias forças e fraquezas. Escrevi o livro para pessoas que, como eu, têm dificuldade em exercer o autocontrole. Também o fiz para quem simplesmente gostaria de compreender de forma mais profunda como funciona a mente humana. Espero que *O Teste do Marshmallow* seja o ponto de partida para novas conversas com você.

Parte I

Sobre a capacidade de esperar: Desenvolvendo o autocontrole

A Parte I começa na década de 1960, no que meus alunos e eu denominamos "Sala de Surpresas", na Bing Nursery School da Universidade Stanford, onde desenvolvemos o experimento que veio a se tornar o Teste do Marshmallow. O ponto de partida foram testes para observar quando e como crianças em idade pré-escolar conseguiam exercer autocontenção suficiente para esperar por dois marshmallows, que tanto desejavam, em vez de se satisfazer imediatamente com apenas um deles. Quanto mais as assistíamos através da vidraça de observação, mais nos espantávamos com o esforço daqueles pequenos participantes para se controlar e aguardar. Sugestões simples para que encarassem as guloseimas de diferentes maneiras tornavam o esforço para resistir à tentação ou quase impossível ou muito fácil. Sob certas condições, conseguiam esperar; sob outras, tocavam a campainha momentos depois de os pesquisadores deixarem a sala. Prosseguimos em nossos estudos para identificar essas condições, para ver o que as crianças estavam pensando e fazendo que lhes permitia se controlar, na tentativa de descobrir como facilitavam o exercício de autocontrole — ou como o condenavam ao fracasso.

Foram longos anos de estudos, mas, aos poucos, desenvolvemos um modelo para entender como a mente e o cérebro atuam quando crianças em idade pré-escolar e adultos lutam para resistir à tentação e para alcançar o sucesso. Como exercer o autocontrole — não apenas sendo durão e dizendo "não!", mas, sim, mudando a maneira de pensar — é a história da Parte I. Começando cedo na vida, algumas pessoas são melhores que outras no exercício do autocontrole; quase todo mundo, porém, pode encontrar maneiras de facilitar o processo. A Parte I também mostra como fazê-lo.

Também descobrimos que as raízes do autocontrole já são visíveis no comportamento de crianças pequenas. Mas seria o autocontrole inato? A Parte I acaba respondendo a essa pergunta à luz de descobertas recentes em genética que alteram profundamente visões anteriores sobre o enigma natureza versus educação. Essa nova compreensão tem sérias implicações para a maneira como criamos e educamos os filhos e como pensamos a respeito deles e de nós mesmos. Voltarei a esse tema nos capítulos subsequentes.

1. Na Sala de Surpresas da Universidade Stanford

Na famosa faculdade de medicina de Paris, cujo nome homenageia René Descartes, os estudantes lotam as ruas em frente à impressionante pilastra central, fumando um cigarro atrás do outro, ostentando maços que trazem em letras maiúsculas a advertência: FUMAR MATA. Os malefícios decorrentes da incapacidade de inibir a satisfação imediata a bem de benefícios futuros, mesmo quando se tem consciência de que se deve agir assim, são de conhecimento geral. Podemos vê-los em nossos filhos e em nós mesmos. Sentimos o fracasso da força de vontade quando não cumprimos as resoluções de Ano-Novo — deixar de fumar, exercitar-se com regularidade, parar de discutir com a pessoa que você mais ama — ainda em janeiro. Certa vez, tive o prazer de participar, com Thomas Schelling, vencedor do prêmio Nobel de Economia, de um seminário sobre autocontrole. Ele escreveu o seguinte resumo sobre o dilema resultante da fraqueza de vontade:

Como conceituar esse consumidor racional, que todos conhecemos e que todos somos em parte, que, em um acesso de raiva, esmigalha e descarta os cigarros jurando que, dessa vez, nunca mais correrá o risco de deixar os filhos órfãos, acometido por um câncer de pulmão, e, três horas depois, caminha pela rua, procurando uma loja aberta onde comprar cigarros; que se empanturra com um almoço altamente calórico, sabendo, de antemão, que depois se arrependerá, o que de fato acontece, e que não compreende como perdeu o controle; que resolve compensar a falha com um jantar frugal, pouco calórico, mas acaba devorando um jantar altamente calórico, de novo consciente de que se arrependerá, o que, de fato, logo acontece; mas que, em seguida, se refestela diante da TV, certo de que na manhã seguinte terá de se levantar cedo, indisposto, despreparado para a reunião matinal tão importante para a sua carreira; que estraga a viagem à Disney, perdendo a calma quando os filhos fazem o que sabia que fariam, quando se comprometeu a não perder a calma no momento em que o fizessem?[1]

Não obstante os debates sobre a existência e a natureza da força de vontade, as pessoas insistem em exercê-la, lutando para escalar o Everest, resistindo durante anos de autonegação e de treinamento rigoroso para participar das Olimpíadas ou dançar balé, e até mesmo superando a dependência de drogas. Há quem siga dietas rigorosas e até deixe de fumar, depois de anos acendendo um cigarro na bituca do que acabou de fumar, enquanto outras pessoas fracassam, embora comecem com as mesmas boas intenções. E, ao nos observarmos com atenção, como explicar quando e por que nossas tentativas de exercer a força de vontade e o autocontrole são eficazes ou ineficazes?

Em 1962, antes de me tornar professor de psicologia na Universidade Stanford, fiz pesquisas sobre tomada de decisões em Trinidad e Harvard, pedindo a crianças que escolhessem entre menos doces agora e mais doces depois, ou menos dinheiro agora e mais dinheiro depois. (Descrevo essas pesquisas no capítulo 6.) Contudo, ao nos defrontarmos com fortes tentações, a *escolha* inicial de esperar e a capacidade de persistir facilmente tomam direções inesperadas. Ao entrar em um restaurante, posso decidir, e até jurar sobre a Bíblia: "Nada de sobremesa hoje! Não cederei porque preciso segurar o colesterol, o aumento da cintura e os maus resultados no próximo exame de sangue...". Então, o carrinho de doces passa e o garçom acena com a musse de chocolate diante de meus olhos e, antes de ter tempo para refletir, já estou com a primeira colherada na boca. Considerando a frequência com que isso acontece comigo, fiquei curioso sobre o que seria necessário para persistir nas resoluções que eu sempre abandonava. O Teste do Marshmallow converteu-se em ferramenta para estudar como as pessoas evoluem da escolha de retardar a satisfação para o cumprimento da promessa de esperar e resistir à tentação.

APLICANDO O TESTE DO MARSHMALLOW

Desde a Antiguidade, passando pelo Iluminismo e pelas descobertas de Freud, até os dias de hoje, as crianças pequenas sempre foram consideradas impulsivas, irreprimíveis, incapazes de retardar a satisfação, sempre em busca do prazer imediato.[2] Com essas expectativas ingênuas, me surpreendi ao observar a evolução de minhas três filhas — Judith, Rebecca e Linda — com pouca diferença de idade, nos primeiros anos de vida. Elas rapidamente deixaram de ser bebezinhos que só gorgolejavam ou choravam para se transformar em criaturinhas que praticavam com requinte a arte de implicar umas com as outras e de encantar os pais, logo se tornando pessoas com quem era possível manter conversas fascinantes e ponderadas. Em apenas poucos anos eram até capazes de se sentar mais ou menos quietas e esperar com paciência pelo que queriam. Tentei, então, compreender o que estava acontecendo diante de meus olhos, na mesa da cozinha. Percebi que não tinha ideia do que se passava na cabeça delas que lhes permitia se controlar, pelo menos durante algum tempo, e retardar a satisfação, apesar das tentações, mesmo quando ninguém as observava.

Eu queria compreender a força de vontade e, especificamente, o adiamento da satisfação imediata em busca de consequências futuras mais recompensadoras — em outras palavras, como as pessoas experimentam e exercem a força de vontade, ou não, na vida cotidiana. Para ir além da especulação, precisávamos de um método para estudar essa capacidade nas crianças, no momento em que começavam a praticá-la. Percebi o desenvolvimento dessa capacidade em minhas três filhas quando ainda estavam em idade pré-escolar, na Bing Nursery School da Universidade Stanford. Essa pré-escola, recém-construída no campus, com sua grande vidraça de observação, funcionava como unidade integrada de creche, escola e centro de pesquisas. Era o laboratório ideal para o experimento, com vista para o agradável parquinho, sem falar nas pequenas salas de pesquisa anexas, onde também era possível observar discretamente o comportamento das crianças por meio de cabines de monitoramento. Usamos uma dessas instalações para nossa pesquisa e dissemos às crianças que aquela era a "Sala das Surpresas". E foi lá que elas participaram dos "jogos" que se tornaram nossos experimentos.

Na Sala de Surpresas, meus alunos de pós-graduação Ebbe Ebbesen, Bert Moore, Antonette Zeiss e eu, além de muitos outros estudantes, passamos meses de diversão e frustração, desenvolvendo, testando e aprimorando os testes. Por exemplo, influenciaríamos o adiamento da gratificação se disséssemos às crianças de quanto tempo seria a espera — digamos, cinco ou quinze minutos? Descobrimos que não o afetaríamos se elas ainda fossem pequenas demais para compreender a diferença. Importaria o valor relativo das recompensas? Sim. Mas que tipo de recompensa? Precisávamos criar um conflito intenso entre uma tentação emocionalmente sedutora, algo que a criança quisesse desfrutar de imediato, e outra duas vezes mais intensa, que exigisse, porém, a postergação da satisfação por pelo menos alguns minutos. A tentação devia ser persuasiva e poderosa para crianças pequenas, além de adequadas, ainda que mensuráveis com facilidade e exatidão.

Cinquenta anos atrás, a maioria das crianças provavelmente adorava marshmallows, tanto quanto hoje, mas — pelo menos na Bing Nursery School — os pais as proibiam de comer doces sem uma escova de dentes em mãos. Na falta de uma preferência universal, oferecíamos-lhes uma seleção de delícias, entre as quais as crianças podiam escolher a favorita. Qualquer que fosse a escolha, dávamos a elas as opções de pegar um doce imediatamente ou de esperar "sozinha" o retorno do pesquisador, que, então, lhes daria dois doces. Nossa ansiedade ao elaborar os detalhes do experimento atingiu o auge quando nosso pedido de financiamento foi rejeitado por um órgão federal, com a sugestão de que o solicitássemos a um fabricante de balas. Chegamos a recear que estivessem certos.

Minha pesquisa anterior no Caribe havia demonstrado a importância da confiança como fator que influenciava a disposição para retardar a satisfação.[3] Para garantirmos que as crianças confiassem na pessoa que fazia a promessa, elas primeiro brincavam com o pesquisador até se sentirem à vontade. Depois, sentavam-se diante de uma pequena mesa, onde havia uma campainha. Para reforçar a confiança, o pesquisador saía várias vezes da sala, a criança tocava a campainha, e o pesquisador imediatamente voltava à sala, exclamando: "Viu? Você me trouxe de volta!". Assim que a criança compreendia que o pesquisador retornaria imediatamente quando chamado, começava o teste do autocontrole, descrito como outro "jogo".

Embora mantivéssemos o método tão simples quanto possível, atribuímos a ele uma denominação acadêmica terrivelmente pomposa: "Adiamento pré-escolar autoimposto da satisfação imediata em troca de paradigma de recompensa postergada mais valiosa". Felizmente, décadas mais tarde, depois que o colunista David Brooks desencavou o trabalho e o comentou no *New York Times* em um artigo intitulado "Marshmallows e Políticas Públicas", a mídia o apelidou de "Teste do Marshmallow". O nome pegou, embora muitas vezes não usássemos marshmallows como guloseima.

Ao concebermos o experimento, na década de 1960, não filmamos as crianças. Vinte anos depois, porém, para registrar os procedimentos do Teste do Marshmallow e para ilustrar os diversos recursos usados pelas crianças com o intuito de retardar a satisfação, minha aluna de pós-doutorado Monica L. Rodriguez filmou meninos e meninas de cinco e seis anos com uma câmera oculta numa escola pública do Chile. Monica adotou os mesmos procedimentos que tínhamos usado nos experimentos originais. Primeiro entrou em cena "Inez", uma garotinha adorável, da primeira série, com uma expressão séria, mas um brilho intenso nos olhos. Monica acomodou Inez em uma pequena mesa na austera sala de pesquisas da escola. Inez escolhera biscoito Oreo como guloseima. Sobre a mesa havia uma campainha e uma bandeja de plástico do tamanho de um prato de jantar com dois biscoitos em um canto da bandeja e um biscoito no outro canto. Tanto a recompensa imediata quanto a recompensa posterior foram deixadas com a criança não só para aumentar a certeza de que as guloseimas realmente estavam lá, mas também para intensificar o conflito. Não havia mais nada sobre a mesa, e no quarto não se viam nem brinquedos nem quaisquer outros objetos interessantes que distraíssem a atenção das crianças enquanto esperavam.

Ao ser informada da escolha, Inez se mostrou ansiosa para receber os dois biscoitos em vez de um. Compreendeu que Monica saíra da sala para fazer alguma coisa, mas que estaria de volta a qualquer momento, assim que ouvisse a campainha. Monica, então, explicou-lhe as condições. Se Inez a esperasse, sem chamá-la, ela ficaria com os dois biscoitos. Se não quisesse esperar, bastava tocar a campainha para que Monica retornasse de imediato. No entanto, se tocasse a campainha, começasse a comer o biscoito ou se levantasse da cadeira, Inez só ficaria com um biscoito. Para que não houvesse dúvidas de que ela tinha compreendido integralmente as instruções, Monica pediu que as repetisse.

Quando Monica saiu, Inez passou por alguns momentos agonizantes, a fisionomia cada vez mais angustiada, demonstrando desconforto crescente, até dar a impressão de que choraria a qualquer momento. Ela, então, olhou para as guloseimas, encarou-as fixamente durante mais de dez segundos, como que imersa em pensamentos. De repente, esticou o braço na direção da campainha, quase a pegou, mas parou abruptamente. Hesitante, titubeante, o dedo indicador pairou sobre ela, quase a tocando, mas não chegando a fazê--lo, repetidas vezes, como se estivesse discutindo consigo mesma. Desviou, então, a cabeça da bandeja e da campainha, soltando uma gargalhada, como se tivesse feito alguma coisa muito engraçada, a mão abafando o barulho e o rosto ostentando um sorriso vitorioso. Ninguém jamais assistiu a esse vídeo sem rir junto com Inez, vibrando de empatia. Em seguida, repetiu a brincadeira com a campainha, mas agora, alternadamente, também usava o indicador em sinal de silêncio, aproximando-o dos lábios fechados e sussurrando: "Não, não", como que para não fazer o que estivera a ponto de fazer. Depois de vinte minutos, Monica voltou "sozinha" e lhe deu os dois biscoitos. Inez, porém, em vez de comê-los de imediato, foi embora com ar triunfante, as guloseimas em um saco, porque queria levá-las para casa e mostrar à mãe o que havia conquistado.

"Enrico", grande para a idade, com uma camiseta colorida e um rosto bonito, emoldurado por cabelos loiros bem aparados, esperou com paciência. Afastou a cadeira, aproximando-a da parede e nela batendo-a sem parar, enquanto olhava para o teto, ar enfastiado, olhar resignado, respirando fundo, aparentemente gostando do barulho que fazia. E continuou batendo, até que Monica voltou e lhe deu os dois biscoitos.

"Blanca" manteve-se ocupada numa conversa silenciosa consigo mesma — como um monólogo de Charlie Chaplin — em que parecia se instruir cuidadosamente sobre o que fazer e o que não fazer, enquanto esperava. Até fingiu cheirar os doces imaginários, pressionando as mãos vazias contra o nariz.

"Javier", olhar penetrante e semblante inteligente, passou todo o tempo de espera completamente absorto no que parecia ser um experimento científico cuidadoso. Com expressão de total concentração, dava a impressão de estar testando a lentidão com que conseguia levantar e movimentar a campainha sem fazê-la soar. Levantou-a acima da cabeça e, olhando-a com atenção, os olhos semicerrados, afastou-a o máximo de si, em cima da mesa, estendendo o movimento para torná-lo o mais longo e lento possível. Foi um feito espantoso e imaginativo de equilíbrio psicomotor por parte do que parecia um cientista mirim.

Monica deu as mesmas instruções a "Roberto", garoto de seis anos, bem vestido, com jaqueta escolar bege, gravata preta, camisa branca e cabelos penteados com perfeição. Assim que ela saiu da sala, ele olhou rapidamente para a porta, certificando-se de que ela estava realmente fechada. Rapidamente perscrutou a bandeja de biscoitos, lambeu os lábios e agarrou o mais próximo. Abriu cuidadosamente o biscoito e expôs o recheio cremoso branco no meio. Com a cabeça inclinada e a língua ativa, começou a lamber meticulosamente o creme, parando apenas um instante para aprovar, sorridente, o próprio trabalho. Depois de retirar todo o recheio, juntou habilidosamente os dois lados e, com deleite e zelo notórios, recolocou o biscoito sem recheio na bandeja. Apressou-se, então, em dar o mesmo tratamento aos dois outros. Depois de devorar os recheios, Roberto recolocou o que restou dos biscoitos na bandeja, nas posições originais exatas, e verificou as condições ao redor, certificando-se de que a porta continuava fechada. Como ator rematado, abaixou a cabeça, lentamente, para repousar o queixo e a face sobre a palma aberta da mão direita, o cotovelo apoiado na mesa. Assumiu, então, atitude da mais pura inocência, com os grandes olhos confiantes, cheios de expectativa, fitando a porta.

O desempenho de Roberto é o que sempre atrai os mais efusivos aplausos e as mais altas risadas de todos os públicos, provocando, inclusive, certa vez, o grito entusiástico do magnífico reitor de uma das principais universidades americanas, que prometeu "oferecer-lhe uma bolsa de estudos quando estivesse pronto para ingressar nesta instituição!". Não acho que ele estivesse brincando.

PREVENDO O FUTURO?

O Teste do Marshmallow não foi concebido como "teste". Com efeito, sempre tive sérias dúvidas sobre a maioria dos testes psicológicos que tentam prever comportamentos importantes da vida real. Várias vezes apontei para as limitações de muitos dos testes de personalidade de uso frequente e prometi que nunca criaria algo parecido. Meus alunos e eu imaginamos o procedimento não para avaliar o desempenho das crianças, mas sim para analisar o que lhes possibilitava retardar a satisfação, se e quando quisessem. Eu não tinha nenhuma expectativa que a capacidade da criança em idade escolar de esperar por marshmallows e biscoitos indicaria alguma coisa sobre a probabilidade de sucesso no futuro, sobretudo porque as tentativas de prever a vida futura com base em testes psicológicos realizados nos primórdios da infância eram, em geral, fracassos retumbantes.[4]

Contudo, vários anos depois dos experimentos com o Teste do Marshmallow, comecei a suspeitar de alguma ligação entre o comportamento das crianças nesses experimentos e o sucesso na vida futura. Minhas filhas também haviam estudado na Bing Nursery School e, com o passar dos anos, às vezes eu lhes perguntava como estavam aqueles antigos colegas da pré-escola. Longe de significarem acompanhamento sistemático, as perguntas não passavam de conversa de jantar: "Como vai a Debbie?". "E o Sam?" Quando as crianças chegaram à adolescência, comecei a pedir a elas que avaliassem os amigos em escala de zero a cinco, em termos de sucesso escolar e social, e percebi o que talvez fosse uma possível ligação entre resultados no Teste do Mashmallow, na pré-escola, e o julgamento informal de minhas filhas sobre o progresso dos participantes. Comparando essas avaliações com o conjunto de dados originais, constatei o surgimento de uma correlação nítida e concluí que meus alunos e eu teríamos de estudar a questão com seriedade.

Naquela época, em 1978, Philip K. Peake, agora professor sênior do Smith College, era meu aluno de pós-graduação na Universidade Stanford. Phil, trabalhando em estreito entrosamento e, às vezes, em tempo integral com outros alunos, principalmente Antonette Zeiss e Bob Zeiss, foi providencial no desenvolvimento, lançamento e execução do que veio a ser conhecido como estudos longitudinais de Stanford. Começando em 1982, nossa equipe enviou questionários aos pais, professores e orientadores acadêmicos que haviam participado das pesquisas e às quais ainda tínhamos acesso. Perguntamos sobre todos os tipos de comportamentos e características que poderiam ser relevantes no controle de impulsos, como capacidade de planejar e pensar no futuro, habilidades e eficácia no enfrentamento de problemas sociais e pessoais (por exemplo, até que ponto se davam bem com os colegas), e progresso acadêmico.

Mais de 550 crianças matriculadas na Bing Nursery School da Universidade Stanford, entre 1968 e 1974, foram submetidas ao Teste do Marshmallow. Acompanhamos a amostra desses participantes e a avaliamos sob diversos critérios, cerca de uma vez a cada dez anos, depois dos testes originais. Em

2010, os participantes já haviam chegado aos quarenta anos, e, em 2014, continuamos a coletar diversas informações sobre eles, como situação profissional, conjugal, física, financeira e mental. As descobertas nos surpreenderam desde o início e ainda nos espantam.

ADOLESCÊNCIA: ENFRENTAMENTO E REALIZAÇÕES

No primeiro estudo de acompanhamento, enviamos pequenos questionários aos pais, pedindo-lhes: "Pense em seu filho em relação aos pares, como colegas e amigos da mesma idade. Gostaríamos de ter suas impressões sobre como seu filho ou sua filha se compara com eles". Em cada proposição, eles deveriam avaliar os filhos numa escala de 1 a 9 (de "Não, absolutamente", passando por "Moderadamente", até "Extremamente"). Também pedimos avaliações semelhantes aos professores sobre as habilidades cognitivas e sociais das crianças na escola.[5]

As crianças que mais esperaram no Teste do Marshmallow foram avaliadas cerca de dez anos depois como adolescentes que demonstravam mais autocontrole em situações frustrantes; que cederam menos às frustrações; que se mostraram menos dispersivos ao tentar se concentrar; que eram mais inteligentes, autoconfiantes e confiáveis; e que confiavam mais no próprio julgamento. Sob estresse, não se descontrolavam, como ocorria com a maioria dos fracos de vontade, e eram menos propensos a se desesperar e se desorganizar ou a descambar para comportamentos imaturos. Da mesma maneira, olhavam para a frente e planejavam com frequência, e, quando motivados, eram mais capazes de persistir nos objetivos. Revelaram-se também mais atentos e capazes de aplicar e reagir à razão, assim como eram menos propensos a descarrilar ou a retroceder diante de obstáculos. Em síntese, desmentiam o estereótipo difuso do adolescente problemático e difícil, pelo menos aos olhos de pais e professores.

Para avaliar o desempenho acadêmico dos participantes, pedimos aos pais que nos fornecessem os resultados descritivos e quantitativos dos testes SAT a que os filhos tivessem sido submetidos, quando disponíveis. O SAT é o teste aplicado a estudantes dos Estados Unidos ao se candidatarem a matrículas em universidades. Para estimar a credibilidade dos escores relatados pelos pais, também procuramos o Educational Testing Service, que administra os exames. As crianças que, no todo, mais postergavam a satisfação alcançaram notas muito melhores.[6] Ao se compararem as notas das crianças com os menores tempo de espera (terço inferior) às notas das crianças com os maiores tempo de espera (terço superior) constatou-se diferença total de 210 pontos.[7]

IDADE ADULTA

Na faixa etária de 25 a trinta anos,[8] conforme depoimentos pessoais, as crianças que mais haviam retardado a satisfação se mostravam mais capazes de perseguir e de realizar objetivos pessoais, usavam menos drogas arriscadas, alcançavam níveis educacionais mais elevados e tinham índices de massa corporal muito mais baixos.[9] Também demonstravam mais resiliência e adaptação ao enfrentar problemas pessoais e mais capacidade de preservar relacionamentos íntimos, como veremos no capítulo 12. À medida que prosseguíamos no acompanhamento dos participantes ao longo dos anos, as descobertas do estudo da Bing Nursery School se tornavam mais surpreendentes pela abrangência, estabilidade e importância: se o comportamento nesse experimento simples do Teste do Marshmallow era tão preditivo (em níveis estatisticamente significativos) quanto à qualidade de vida no futuro, as implicações em termos de políticas públicas e estratégias educacionais deveriam ser levadas mais a sério. Quais eram as habilidades críticas que possibilitavam o autocontrole? Haveria como ensiná-las?

Talvez, porém, nossas descobertas fossem enganosas, produtos do acaso, restritas ao contexto de Stanford na década de 1960 e no começo da década de 1970, em plena Califórnia, no apogeu da contracultura e da Guerra do Vietnã. Para testar essa hipótese, décadas depois dos estudos em Stanford, meus alunos e eu realizamos muitos outros estudos, com amostras muito diferentes, não da comunidade privilegiada do campus de Stanford, mas de comunidades e de épocas muito diferentes, como as escolas públicas de South Bronx,[10] em Nova York. E obtivemos resultados semelhantes com crianças que viviam em contextos e circunstâncias extremamente diferentes, o que descrevo com mais detalhes no capítulo 12.

NEUROIMAGENS NA MEIA-IDADE

Yuichi Shoda, hoje professor da Universidade de Washington, e eu trabalhamos juntos desde que ele entrou na escola de pós-graduação em psicologia da Universidade Stanford, em 1982. Quando, em 2009, os participantes do Teste do Marshmallow já estavam na faixa dos quarenta anos, Yuichi e eu organizamos uma equipe de neurocientistas cognitivos de várias instituições dos Estados Unidos para realizar outros estudos de acompanhamento. A equipe incluía John Jonides, da Universidade de Michigan, Ian Gotlib, de Stanford, e BJ Casey, do Weill Cornell Medical College. Esses colegas são especialistas em neurociência social, disciplina que estuda os mecanismos do cérebro subjacentes a nossos pensamentos, sentimentos e ações por meio de novas tecnologias de imagem, como ressonância magnética, que mostram as atividades do cérebro enquanto o indivíduo executa diversas atividades mentais.

Queríamos testar possíveis diferenças nas neuroimagens de pessoas cujas trajetórias ao longo da vida, a partir do Teste do Marshmallow, revelavam notas de autocontrole consistentemente altas ou baixas. Convidamos um grupo de ex-alunos da Bing Nursery School, que agora estavam dispersos em várias partes do país, para passar alguns dias no campus de Stanford, voltar à antiga escola maternal e se submeter a alguns testes cognitivos, dentro e fora do aparelho de ressonância magnética da Escola de Medicina de Stanford.

As neuroimagens desses ex-alunos revelaram que os mais capazes de exercer autocontrole, com base tanto no Teste do Marshmallow, na infância, quanto ao longo da vida, em situações reais, apresentavam atividades nos circuitos frontoestriatais do cérebro, que integram os processos de motivação e controle, nitidamente diferentes daquelas dos que não se destacavam pelo autocontrole.[11] Nos mais dotados de autocontrole, a área do córtex pré-frontal, usada para a solução de problemas, para o pensamento criativo e para o controle de impulsos, era mais ativa. Em contraste, nos menos dotados de autocontrole, o estriato ventral era mais ativo, sobretudo quando tentavam controlar as reações a estímulos aliciantes, emocionalmente sedutores. Essa área, localizada em regiões do cérebro mais profundas e mais produtivas, associa-se ao desejo, ao prazer e ao vício.

Ao analisar essas descobertas com a imprensa, BJ Casey observou que, embora os menos dotados de autocontrole parecessem imbuídos de mais energia, os mais dotados tinham melhores freios mentais. Esse estudo salientou um ponto fundamental. As pessoas que se caracterizavam por autocontrole baixo ao longo da vida, de acordo com nossos critérios, não tinham dificuldade em controlar o cérebro na maioria das situações da vida cotidiana. Seus problemas de controle dos impulsos nos comportamentos e nas atividades cerebrais eram evidentes apenas quando se defrontavam com tentações muito fortes.

2. Como eles conseguem

O Teste do Marshmallow e as décadas de estudos subsequentes mostram que a capacidade de autocontrole no começo da vida é um fator extremamente importante para o sucesso no presente e no futuro, e que é possível avaliá-la, pelo menos, *grosso modo*, com base em critérios simples. O desafio consistiu em revelar os mecanismos mentais e cerebrais que levam algumas crianças a persistir por tempo aparentemente insuportável durante o experimento, enquanto outras se rendem em apenas poucos segundos. Caso se identificassem as condições que reforçam ou debilitam o autocontrole, talvez fosse possível ensinar a quem tem dificuldade em retardar a satisfação a persistir nos objetivos para desfrutar de recompensas melhores.

Escolhi crianças em idade pré-escolar para participar da pesquisa porque a observação da mudança em minhas próprias filhas sugeriu que essa era a fase em que o ser humano começa a compreender o dilema, ou seja, que a opção pelas guloseimas agora exclui a possibilidade de mais guloseimas depois. É também o período em que se tornam claras importantes diferenças individuais no desenvolvimento e no exercício dessa habilidade.

ESTRATÉGIAS DE DISTRAÇÃO

Muitos são os milagres que ocorrem durante o desenvolvimento da criança ao longo do processo de engatinhar, falar, caminhar e ir para a pré-escola. Nenhum deles, contudo, é mais notável para mim que a transição do choro intolerante e insistente de querer algo imediatamente e ser incapaz de retardar a satisfação até a frieza paciente e persistente de ficar sozinho numa cadeira, sem nada para fazer, à espera de duas guloseimas prometidas, em vez de uma garantida, à sua frente. Como as crianças conseguem isso?

Há um século, Freud achava que os recém-nascidos eram criaturas totalmente impulsivas e especulava sobre como esse feixe de instintos biológicos, que instava com urgência pela satisfação imediata, conseguia retardá-la quando se via privado do seio da mãe. Em 1911, ele sugeriu que essa transição se tornava possível nos primeiros dois anos de vida, quando a criança criava uma "imagem alucinatória"[1] mental do objeto de desejo — o seio da mãe — e nela se concentrava. Na linguagem de Freud, a energia libidinal ou sexual da criança reforçava a imagem alucinatória. Essa representação visual, teorizava ele, permitia o foco nos benefícios do adiamento da recompensa,[2] isto é, possibilitava que a criança retardasse e inibisse temporariamente o impulso de satisfação imediata.

A ideia de que as representações mentais da recompensa e sua antevisão sustentavam o esforço para perseguir o objetivo era instigante — mas não se sabia como testá-la com crianças pequenas muito antes de a tecnologia de neuroimagem ser capaz de perscrutar o cérebro humano. Achamos que a maneira mais direta de conseguir que crianças pequenas desenvolvessem representações mentais das recompensas antevistas era deixar que as observassem enquanto esperavam por elas. Nos primeiros testes, as crianças escolhiam as recompensas que desejavam e o pesquisador as deixava no alto de uma bandeja opaca, diante delas. Em outras condições, o pesquisador as deixava sob a bandeja, para que ficassem cobertas e não fossem vistas. Nessa idade, as crianças já compreendiam que as recompensas realmente estavam lá, debaixo da bandeja.[3] Em que situação você acha que a criança teria mais dificuldade para esperar?

É provável que, intuitivamente, você tenha dado o palpite certo: quando as recompensas estavam expostas, a tentação era maior e a espera era um inferno; quando as recompensas estavam cobertas, ficava mais fácil. Quando as recompensas estavam expostas (a imediata, a postergada ou ambas), a espera era, em média, inferior a um minuto, em comparação com dez vezes mais com as recompensas cobertas. Embora, em retrospectiva, os resultados pareçam óbvios, precisávamos demonstrá-los para ter a certeza de que realmente havíamos encontrado uma situação de conflito de fato tentadora e difícil.

Acompanhei discretamente os experimentos, através da vidraça de observação, com as recompensas expostas, enquanto as crianças se esforçavam para esperar. Algumas tapavam os olhos com as mãos; outras apoiavam a cabeça nos braços cruzados sobre a mesa e às vezes olhavam de lado; outras viravam completamente a cabeça para não olhar as recompensas, evitando, quase todo o tempo, encará-las diretamente, mas, vez por outra, dando uma olhada rápida, enviezada, nas guloseimas, como que para lembrar-se de que elas ainda estavam lá e que valia a pena esperar. Também havia as que conversavam consigo mesmas, em sussurros quase inaudíveis, reafirmando a escolha — "Estou esperando pelos dois biscoitos" — ou em alto e bom som, reiterando as alternativas — "Se eu tocar a campainha, recebo um; se eu esperar, consigo dois". Tampouco faltavam as que simplesmente afastavam tanto quanto possível a campainha e a bandeja para o ponto mais distante da mesa.

Os postergadores de recompensas bem-sucedidos criavam todos os tipos de distrações para si mesmos, no intuito de esfriar o conflito e o estresse. Atenuavam o desconforto da espera exasperante inventando diversões imaginosas e dispersivas, que diminuíam a necessidade de autocontrole: compunham pequenas canções, faziam caretas engraçadas e grotescas, metiam o dedo no nariz e brincavam com o que tiravam lá de dentro, e agitavam as mãos e os pés, simulando situações como dirigir automóvel ou tocar um instrumento musical. Quando não conseguiam mais inventar distrações, fechavam os olhos e tentavam dormir — como uma menininha que finalmente se debruçou sobre os braços cruzados na mesa e caiu no sono, o rosto a alguns centímetros da campainha. Embora parecessem surpreendentes em crianças pequenas, essas táticas são muito comuns entre as pessoas que se veem presas nas primeiras fileiras da plateia, durante uma palestra monótona.

Nas longas viagens de carro com crianças pequenas, os pais muitas vezes ajudam os filhos a inventar as próprias brincadeiras para fazer o tempo passar mais rápido. Tentamos isso na Sala de Surpresas: antes do início do período de espera, sugeríamos que as crianças pensassem em "coisas boas", e dávamos alguns exemplos, como quando "a mamãe me empurra no balanço, para a frente e para trás, para cima e para baixo".[4] Mesmo as crianças mais jovens se mostravam maravilhosamente imaginativas ao conceber as próprias situações engraçadas, ao ser estimuladas com alguns exemplos simples. Quando os pesquisadores sugeriam pensamentos felizes, antes de deixar a sala, as crianças esperavam, em média, mais de dez minutos, mesmo quando as recompensas ficavam expostas. Os bons pensamentos autoinduzidos contrapunham-se aos efeitos intensos da exposição às recompensas, permitindo-lhes esperar durante tanto tempo quanto nas condições em que as recompensas ficavam ocultas, em comparação com menos de um minuto, na falta de bons pensamentos. No sentido oposto, a predisposição para pensar nas recompensas almejadas (por exemplo, quando o pesquisador dizia: "Se você quiser, pode pensar nos marshmallows enquanto estiver esperando") os levava a tocar a campainha pouco depois de ficarem sozinhos na sala.

DA DISTRAÇÃO PARA A ABSTRAÇÃO: "VOCÊ NÃO PODE COMER UMA IMAGEM"

Para aproximar os participantes da formação das imagens mentais a que Freud talvez se referisse, mostramos às crianças fotografias das guloseimas, em vez das guloseimas em si. Bert Moore, então meu aluno de pós-graduação em Stanford, hoje reitor da Escola de Ciências Comportamentais e Cognitivas da Universidade do Texas, em Dallas, e eu apresentamos às crianças fotografias realistas, em tamanho real, das guloseimas que haviam escolhido. As imagens eram exibidas numa tela, por um projetor de slides, então a melhor tecnologia disponível, instalado na mesa diante da qual as crianças se sentavam. Se a guloseima escolhida fosse marshmallow, por exemplo, ela via na tela uma fotografia da guloseima[5] enquanto esperava.

Nesse caso, tivemos uma grande surpresa: a situação se reverteu completamente. Embora a espera fosse quase insuportável diante da guloseima real, a fotografia da guloseima projetada na tela tornava a espera muito mais fácil. As crianças que ficavam diante de imagens realistas das guloseimas conseguiam retardar a satisfação durante quase duas vezes mais tempo que as expostas a imagens irrelevantes, a nenhuma imagem ou às guloseimas reais. Um aspecto importante é que as imagens deviam ser das guloseimas escolhidas. Em síntese, a imagem do objeto de desejo, não o objeto em si, tornava a espera mais fácil. Por quê?

Perguntei a "Lydia", uma menina de quatro anos, com fisionomia sorridente, faces coradas e olhos azuis brilhantes, como ela conseguiu esperar tanto tempo, sentada pacientemente diante da fotografia das guloseimas. "Você não pode comer uma imagem!", respondeu, enquanto, feliz da vida, pegava os dois marshmallows. Quando uma criança de quatro anos fita as guloseimas desejadas, é provável que se concentre nas características tentadoras e toque a campainha; quando, porém, vê só a fotografia do objeto almejado, é mais provável que a imagem sirva apenas como lembrete do prêmio pela espera. Como disse Lydia, você não pode comer uma imagem. E, como Freud deve ter pensado, você não pode consumir a representação alucinatória de um objeto de desejo.

Nas condições de um dos estudos, o pesquisador, antes de sair, disse às crianças que ficariam diante dos objetos reais: "Se você quiser, e quando quiser, pode fingir que não são reais, mas somente imagens". Outras crianças viram a imagem das recompensas, mas foram induzidas a considerá-las reais: "Na sua cabeça, você pode fazer de conta que elas estão realmente lá, diante de você; basta fingir que são de verdade".[6]

Ao se defrontarem com as imagens das recompensas, as crianças esperavam dezoito minutos, em média, mas quando fingiam que os objetos reais, não as imagens, é que estavam à sua frente, elas não conseguiam esperar mais que seis minutos. Mesmo quando tinham diante de si as recompensas reais, condição em que o tempo de espera é de um minuto ou menos, mas as imaginavam como fotografias, conseguiam esperar dezoito minutos. A imagem mental evocada se sobrepunha ao que estava exposto na mesa.

FOCO QUENTE VERSUS FRIO

Mais de meio século atrás, o psicólogo cognitivo Daniel Berlyne[7] distinguiu dois aspectos em qualquer estímulo. Primeiro, o estímulo apetitoso e tentador tem uma qualidade motivadora excitante: desperta a vontade de comer o marshmallow, o que, ao ser feito, é prazeroso. Segundo, também oferece pistas descritivas que transmitem informações sobre seus atributos cognitivos não emocionais: é redondo, branco, encorpado, macio e comestível. Assim, o efeito do estímulo sobre nós depende de como o representamos mentalmente. A representação "quente" se concentra nas qualidades excitantes e motivadoras do estímulo — o sabor açucarado e encorpado dos marshmallows ou a sensação inebriante e intoxicante do tabaco. Esse foco quente imediatamente desperta reações impulsivas: comer ou fumar. Já a representação "fria" converge para os atributos informativos mais abstratos e cognitivos do estímulo (é redondo, branco, macio, pequeno) e descreve suas características sem torná-lo mais tentador. Permite-lhe "pensar friamente" sobre o objeto, em vez de apenas agarrá-lo.

Para testar essa ideia, numa das condições, antes de deixar a sala, o pesquisador induziu a criança a pensar nos atributos atraentes, apetitosos e "quentes" das recompensas: o sabor açucarado e encorpado dos marshmallows. Na condição "pensar frio", as crianças eram induzidas a pensar nos marshmallows como nuvens redondas e fofas.[8]

Quando induzidas a concentrar-se nos atributos frios das recompensas, as crianças esperavam duas vezes mais do que quando induzidas a concentrar-se nos atributos quentes. Outra consideração importante: quando as crianças pensavam quente sobre as recompensas específicas pelas quais estavam esperando, logo se tornava impossível prolongar a demora. Pensar quente, porém, sobre recompensas semelhantes pelas quais não estavam esperando (por exemplo, pretzels, enquanto esperavam por marshmallows) atuava como esplêndida distração e possibilitava, em média, espera de dezessete minutos. Crianças que simplesmente não conseguiam esperar quando induzidas a "pensar quente" sobre o objeto almejado eram capazes de esperar com facilidade quando induzidas a "pensar frio" sobre a mesma coisa.

As emoções experimentadas pelas crianças também afetavam a maneira como tocavam a campainha. Se sugeríamos, antes de deixá-las sozinhas com as emoções, que, enquanto esperavam, pensassem em algo que as deixassem tristes (como chorar, sem ninguém para ajudá-las), elas desistiam de esperar tão rapidamente quanto quando sugeríamos que pensassem nas guloseimas. Se pensavam em coisas engraçadas, porém, a espera era três vezes mais longa: cerca de catorze minutos, em média.[9] Elogie uma criança por suas realizações (por exemplo, seus desenhos) e elas preferirão a recompensa postergada à recompensa imediata com muito mais frequência do que quando recebem feedback negativo sobre seus trabalhos.[10] E o que se constata em relação às crianças também se aplica aos adultos.[11] Em comparação com pessoas mais felizes, aquelas com propensão crônica a emoções negativas e a estados depressivos também tendem a preferir recompensas imediatas e menos desejáveis a recompensas postergadas e mais desejáveis.[12]

Quanto mais quente e mais conspícua for a recompensa desejada, mais difícil será esfriar a reação impulsiva. Outros pesquisadores ofereceram a quase 7 mil crianças israelenses entre a quarta e a sexta série de escolas públicas escolhas entre alternativas que variavam na quantidade (uma ou duas), na espera (imediata e uma semana) e tipo de apelo (chocolate, dinheiro, lápis). Como seria de esperar, as crianças escolheram com mais frequência as alternativas postergadas para lápis e com menos frequência para chocolate.[13] Como sabe muito bem quem faz dieta, a intensidade da tentação exerce seu poder assim que se abre a porta da geladeira ou assim que o garçom descreve a sobremesa.

O poder, contudo, não está no estímulo em si, mas em como ele é avaliado mentalmente: a maneira de pensar a respeito do estímulo muda o efeito do estímulo sobre a maneira de sentir e agir. A musse de chocolate tentadora no carrinho de sobremesas do restaurante logo perde a atração quando se imagina uma barata sobre ela na cozinha. Embora Hamlet, de Shakespeare, personificasse tragicamente as formas destrutivas de avaliar as experiências, o Bardo salientou esse aspecto de maneira muito imaginosa: "Nada em si é bom ou mau; tudo depende daquilo que pensamos".[14] Como Hamlet também mostrou, tentar mudar a maneira como pensamos ou "representamos mentalmente" os estímulos e experiências que já se enraizaram profundamente pode ser tão fútil quanto tentar fazer cirurgia no próprio cérebro. Como reavaliar cognitivamente os acontecimentos com mais facilidade e eficácia é o desafio central das terapias cognitivo-comportamentais — e de qualquer pessoa empenhada com seriedade em mudar tendências e hábitos já estabelecidos. É também a questão básica investigada em todo este livro.

Os experimentos do marshmallow me convenceram de que quando se muda a representação mental de um estímulo é possível exercer autocontrole e não mais ser vítima de estímulos quentes que passam a controlar suas atitudes. É possível transformar estímulos quentes tentadores e esfriar o impacto deles através da reavaliação cognitiva — pelo menos às vezes, sob certas condições. O truque é acertar as condições. Não é preciso autoflagelar-se em estilo espartano, rangendo os dentes e crispando os dedos, para enrijecer-se e suportar a dor, mas, sim, imbuir-se de motivações mais fortes e de intenções mais nobres.

O poder localiza-se no córtex pré-frontal, que, quando ativado, enseja diversas maneiras de esfriar estímulos quentes tentadores, mudando a maneira como são avaliados. As crianças, mesmo com seus lóbulos frontais imaturos, demonstram isso com grande imaginação. Elas convertiam as tentações em "meras imagens" e as emolduravam na mente; ou desviavam totalmente a atenção das tentações por meio de autodistrações, inventando canções ou mexendo no dedão; ou as transformavam cognitivamente, concentrando--se nos atributos frios e cognitivos, em vez de nas qualidades quentes que despertavam impulsos. Ao transmutar os objetos de desejo em nuvens fofas que flutuavam no ar, em vez de pensar neles como guloseimas deliciosas, elas resistiam firmes, diante dos doces e da campainha, até o ponto em que meus alunos e eu já não aguentávamos aquela expectativa.

O QUE AS CRIANÇAS SABEM

Agora sabíamos que a maneira como as crianças representavam mentalmente as recompensas externas mudava o tempo de espera de forma previsível. Também aprendêramos em nossos outros estudos que a capacidade das crianças de retardar a satisfação aumentava com a idade,[15] assim como as várias estratégias que adotavam para alcançar esse resultado. O que, porém, aquelas crianças sabiam sobre as estratégias que as ajudavam a esperar o suficiente para conseguir mais guloseimas? Como a compreensão daquelas estratégias pelas crianças se desenvolveu ao longo do tempo? Mais importante, esse conhecimento aumenta a capacidade de retardar a satisfação?

Meus colaboradores e eu perguntamos a muitas crianças de diferentes idades sobre as condições, ações e pensamentos[16] que dificultavam ou facilitavam para elas a espera das guloseimas durante o Teste do Marshmallow. Nenhuma delas havia feito o teste antes e todas foram apresentadas a ele de maneira padronizada. Acomodávamos as crianças diante da pequena mesa, deixávamos expostas na bandeja as guloseimas escolhidas, explicávamos a escolha "uma guloseima agora ou duas depois", e mostrávamos a campainha que também ficaria sobre a mesa, para chamar o pesquisador. A essa altura, em vez de sair da sala e deixar a criança esperando, o pesquisador lhe perguntava sobre as condições que facilitariam a espera. Por exemplo: "Seria mais fácil esperar e receber os dois marshmallows se eles estivessem em cima da bandeja para que você os visse, ou se ficassem debaixo da bandeja para que você não os visse?".

Aos três anos, a maioria das crianças não compreendia a pergunta e não sabia como responder. Já as de quatro anos compreendiam o que estávamos perguntando, mas sistematicamente escolhiam a pior estratégia: queriam que as recompensas ficassem expostas durante o período de espera, para vê-las, para pensar nelas e para imaginar como seria bom comê-las. Quando lhes perguntávamos por que queriam ver as recompensas, respondiam: "Porque me sinto bem quando elas estão na minha frente" ou "Porque quero ver os doces que vou comer" ou "Eles são tão gostosos!", aparentemente de olho no que queriam, sem compreender (nem se importar com) o fato de que ver as recompensas torna a espera ainda mais difícil. Queriam que o objeto de desejo ficasse bem diante de seus olhos, com o que derrotavam as próprias intenções solenes de esperar, surpreendendo-se ao constatarem que haviam tocado a campainha e agarrado a guloseima. Não só não previam as próprias reações, mas também insistiam em criar condições que as impossibilitavam de retardar as recompensas. Essas descobertas podem ajudar os pais a compreender por que seus filhos de quatro anos talvez ainda tenham tanta dificuldade em se controlar.

Mais ou menos um ano depois, as mudanças nas crianças eram impressionantes. Aos cinco ou seis anos, a maioria preferia não ver as recompensas e sempre rejeitava pensamentos excitantes sobre elas como estratégia de autocontrole.[17] Ao contrário, tentavam distrair-se da tentação (cantar uma canção, viajar numa nave espacial, tomar banho). À medida que cresciam, também começavam a compreender a importância de concentrar-se na escolha e de reiterá-la para si: "Se eu esperar, ganho dois marshmallows, se eu tocar a campainha, fico só com um". E se automotivavam com instruções para si mesmas sobre como agir: "Vou dizer: 'Não, não toque a campainha'. Se eu tocar a campainha e a professora entrar, ganho só um doce".

"O que você deve fazer enquanto espera pelos marshmallows para tornar a tarefa mais fácil?", perguntei a "Simon", de nove anos. Ele me respondeu com o desenho de alguém sentado durante o Teste do Marshmallow, com o tradicional balão de pensamento, como nas histórias em quadrinhos, mostrando que ele estava pensando em "alguma coisa de que eu gosto para me distrair". O conselho dele por escrito para mim: "Não olhe para o que você está esperando — não pense em nada, para não pensar [sic] naquilo — use o que você tiver no momento para se divertir". Em outra conversa, Simon me explicou como conseguia: "Tenho pelo menos mil personagens imaginários na cabeça, como aqueles brinquedos que ficam no meu quarto, e na imaginação brinco com eles — invento histórias, aventuras". Como Simon, outras crianças da mesma idade podem ser extremamente criativas ao usar a imaginação para se entreter e fazer o tempo passar mais rápido quando precisam retardar a satisfação em situações como a do Teste do Marshmallow.

A maioria das crianças parecia não reconhecer a importância de pensamentos frios em comparação com pensamentos quentes até cerca de doze anos. A essa altura, elas, em geral, começavam a compreender que os pensamentos quentes sobre as guloseimas derrotariam a capacidade de esperar, enquanto os pensamentos frios, que transformavam os marshmallows em nuvens fofas, por exemplo, reduziriam o fascínio e facilitariam a espera. Como disse um garoto, "não posso comer nuvens fofas".

A principal questão que motivou esse trabalho foi: será que o conhecimento das estratégias que facilitam a espera da recompensa também daria às crianças — assim como aos adultos — maior capacidade de exercer o autocontrole e de resistir a tentações e pressões? Encontramos a resposta muitos anos depois, num estudo sobre meninos com problemas de impulsividade[18] que participavam de um programa de tratamento numa colônia de férias de verão (descrito no capítulo 15). Aqueles que compreendiam as estratégias para retardar a satisfação esperavam mais tempo no Teste do Marshmallow em comparação com aqueles que não tinham esse conhecimento, vantagem que se mantinha mesmo quando controlávamos estatisticamente as diferenças de idade e de inteligência verbal.

ADVERTÊNCIAS

Na década de 1980, relatei algumas das primeiras descobertas dos estudos de acompanhamento de Stanford em importante instituto de pesquisa de ciências comportamentais da Europa. Referi-me às correlações que encontramos entre tempo de espera no Teste do Marshmallow e desempenho na adolescência, inclusive em relação às notas no SAT. Poucos meses depois, "Myra", uma amiga que era pesquisadora sênior no instituto e que ouvira minha palestra, me procurou. O filho dela, de quatro anos, se recusava a esperar por mais biscoitos (os preferidos dele), por mais que ela tentasse induzi-lo a se autocontrolar. Uma excelente cientista estava interpretando erroneamente o significado das correlações que eu havia descrito. Myra supunha, pelo menos quando se tratava do filho, que as descobertas, estatisticamente significativas e consistentes para vários grupos de crianças, implicavam que, se o filho dela não fosse capaz de retardar a satisfação tanto quanto ela julgava adequado, a consequência seria um futuro sombrio.

Ao acalmar-se, Myra se deu conta de como havia interpretado de maneira errada os resultados: correlações significativas e consistentes estatisticamente podem permitir amplas generalizações para uma população — mas não necessariamente possibilitam previsões confiáveis no nível individual. Veja o caso do fumo, por exemplo. Muita gente que fuma morre cedo por causa de doenças provocadas pelo tabaco. Mas algumas — na verdade, muitas — não morrem. Se Johnny, na pré-escola, espera pelo marshmallow, você sabe que ele é capaz de retardar a gratificação — pelo menos naquela situação. Se não consegue, não se tem certeza do significado. Pode ser que ele quisesse esperar, mas não conseguiu, ou simplesmente que não foi ao banheiro antes de se sentar para o teste. Se a criança parece ansiosa por esperar, e acaba tocando a campainha, vale a pena tentar compreender as razões.

Como veremos nos próximos capítulos, algumas crianças demonstram, de início, baixa capacidade de adiamento da satisfação, mas melhoram ao longo dos anos, enquanto outras começam com bom nível de autocontrole, mas o perdem com o passar do tempo. Os experimentos da Bing Nursery School evidenciaram como as representações mentais das tentações podem mudar e até reverter seu impacto sobre o comportamento. A criança que, a princípio, não é capaz de esperar um minuto talvez consiga esperar vinte minutos ao mudar seus pensamentos sobre as tentações. Para mim, essa descoberta é mais importante que as correlações de longo prazo por mostrar o caminho para as estratégias que reforçam a capacidade de autocontrole e reduzem o estresse. E os avanços da neurociência cognitiva e das tecnologias de neuroimagem nas últimas décadas abriram uma janela para os mecanismos do cérebro subjacentes à capacidade de retardar a satisfação. Agora, podemos começar a ver como nossos pensamentos podem esfriar o cérebro quando precisamos controlar os impulsos.

3. Quente e frio:
Duas formas de pensar

Muito tempo atrás, há quase 2 milhões de anos, de acordo com algumas estimativas, nossos ancestrais evolutivos começavam a despontar entre as árvores das florestas tropicais, até então dominadas pelos grandes símios. Era o *Homo erectus*, caminhando sobre dois pés e lutando para sobreviver e se reproduzir. Nessas aventuras pré-históricas, a espécie humana provavelmente sobreviveu e se multiplicou graças ao sistema emocional quente do cérebro, o sistema límbico.[1]

O SISTEMA EMOCIONAL QUENTE

O sistema límbico consiste nas estruturas primitivas do cérebro, localizadas sob o córtex, acima do tronco encefálico, e foi das primeiras a se desenvolver em nossa evolução. Essas estruturas regulam os impulsos básicos e as emoções essenciais para a sobrevivência, como medo, raiva, fome e sexo. Exatamente por essas características, o sistema emocional quente ajudou nossos ancestrais a enfrentar hienas, leões e outros animais selvagens, que eram ao mesmo tempo fonte de alimento e ameaça mortal no dia a dia. Como parte do sistema límbico, a amígdala, uma pequena estrutura em forma de amêndoa (amígdala significa "amêndoa" em latim), é sobremodo importante. Ela desempenha papel fundamental nas reações ao medo e no comportamento sexual, e em outros induzidos pelos apetites. A amígdala rapidamente mobiliza o corpo para a ação. Não dá tempo para pensamentos nem para reflexões, tampouco para preocupações com as consequências de longo prazo. Hoje, nosso sistema límbico ainda atua como o dos nossos ancestrais. Continua sendo o impulso quente para a ação, o *Vá!*, especializado em respostas rápidas a estímulos emocionais fortes e excitantes, que provoca automaticamente prazer, dor e medo. No nascimento, já é em tudo eficaz, levando a criança a chorar quando sente fome ou dor. Embora raramente precisemos dele na vida adulta, para enfrentar leões ferozes, ele ainda é valioso para fugir de estranhos ameaçadores em ruas escuras ou para desviar de veículos desgovernados em rodovias escorregadias. O sistema quente dá à vida o tempero emocional. Motiva as crianças a querer dois marshmallows, mas também dificulta o adiamento da satisfação.[2]

A ativação do sistema quente dispara ações imediatas: a fome e outros estímulos despertam comportamentos impulsivos quentes; ameaças e sinais de perigo provocam medo e reações automáticas de defesa e fuga. O sistema quente é um pouco semelhante ao que Freud denominou id,[3] que, para ele, era a estrutura inconsciente da mente, que contém impulsos biológicos sexuais e agressivos, em busca de satisfação imediata e redução da tensão, sem considerar as consequências. Como o id de Freud, o sistema quente é automático e, em grande parte, inconsciente, embora contribua para muito mais que os impulsos sexuais e agressivos de Freud. Reativo, simples e emocional, dispara de maneira automática e rápida comportamentos de compra impulsivos e reações de defesa ou ataque impetuosas. Leva a criança a tocar a campainha e comer o marshmallow, o alcoólico a se embriagar, o fumante a tragar a fumaça cancerígena, o cônjuge violento a bater na mulher e o macho sexualmente descontrolado a assediar a camareira.

O foco nos aspectos quentes da tentação facilmente ativa a resposta *Vá!* Nos experimentos do marshmallow, eu observava a mão de uma criança de repente avançar e agarrar a campainha e, em seguida, percebia a expressão de espanto em seu rosto, ao constatar o que a mão acabara de fazer. Para as crianças de quatro anos, o gatilho pode ser a previsão do sabor açucarado e a sensação encorpada do marshmallow; para os alcoólatras e fumantes, cada um dos aspectos quentes do próprio vício, que tornam as vítimas indefesas. Mesmo a visão ou a imaginação de um doce, de uma bebida ou de um cigarro pode disparar a ação reflexa. E quanto maior for a frequência com que ocorre, mais difícil se torna mudar a representação mental e evitar a reação automática *Vá!* O aprendizado e a prática de algumas estratégias que possibilitam o autocontrole desde cedo são muito mais fáceis que a mudança de padrões de resposta automática, quentes e autodestrutivos, que se estabeleceram e se arraigaram ao longo da vida.

O estresse intenso, que ativa o sistema quente, foi um ajuste adaptativo no processo evolutivo que nos tornou mais aptos para enfrentar leões ameaçadores, ao produzir respostas admiravelmente rápidas (em milissegundos), automáticas e autoprotetoras, que ainda são úteis em muitas emergências nas quais a sobrevivência exige reações instantâneas. Esses impulsos quentes, porém, não são úteis quando o sucesso em determinada situação depende da calma, do planejamento e da solução de problemas com base na racionalidade. Como o sistema quente é predominante nos primeiros anos da vida, o autocontrole se torna muito difícil para as crianças pequenas.

O SISTEMA COGNITIVO FRIO

Em estreita conexão com o sistema quente do cérebro, o ser humano também é dotado de um sistema frio, que é cognitivo, complexo, ponderado e de ativação lenta. Ele se localiza em grande parte no córtex pré-frontal (CPF). Esse sistema frio e controlado é crucial para decisões prospectivas e para o exercício do autocontrole, do tipo identificado no Teste do Marshmallow. Os sistemas quente e frio atuam em interação contínua e integrada, em total reciprocidade: quando um é ativado atenua-se a ação do outro.[4] Embora raramente enfrentemos leões, todos os dias convivemos com as tensões infindáveis do mundo moderno, que aceleram o sistema quente e desaceleram o sistema frio, exatamente quando mais precisamos de autocontrole e ponderação.

O CPF é a região mais evoluída do cérebro.[5] Aciona e sustenta as capacidades cognitivas mais elevadas, que nos distinguem como seres humanos. Regula nossos pensamentos, ações e emoções, é a fonte da criatividade e da imaginação, e é crucial para inibir ações inadequadas, que interferem na busca dos objetivos. Confere-nos a flexibilidade necessária para redirecionar a atenção e ajustar a estratégia, conforme mudam as circunstâncias. É onde se fincam as raízes do autocontrole.

O sistema frio se desenvolve com lentidão e se torna aos poucos mais ativo na idade pré-escolar e nos primeiros anos do ensino fundamental. Só atinge a maturidade plena depois dos vinte anos, o que deixa as crianças e os adolescentes muito vulneráveis às vicissitudes do sistema quente. Ao contrário deste, o sistema frio se sintoniza com os aspectos informativos dos estímulos e possibilita comportamentos racionais, ponderados e estratégicos.

Como já descrevi nas páginas anteriores, os postergadores de recompensas bem-sucedidos no Teste do Marshmallow inventavam maneiras de se distrair estrategicamente das guloseimas tentadoras e da campainha fatídica. Também se concentravam nos atributos frios, abstratos e informativos das tentações, ao imaginá-las (pintando os marshmallows como nuvens fofas ou chumaços de algodão), e evitavam ou transformavam seus atributos quentes para esfriá-los (fingir que é apenas uma fotografia; que está emoldurada; que não se come imagem). As diferentes habilidades cognitivas que usavam para esperar pelas guloseimas são protótipos das que precisariam anos depois, ao optar por estudar para os exames na escola em vez de ir ao cinema com amigos, ou ao resistir a numerosas outras tentações imediatas que os espreitavam na vida.

A idade é importante.[6] As crianças com menos de quatro anos, em geral, são incapazes de diferir a satisfação no Teste do Marshmallow. Ao enfrentarem tentações, tocam a campainha ou começam a mordiscar a guloseima, depois de trinta segundos. O sistema frio ainda não está suficientemente desenvolvido. Em contraste, aos doze anos, 60% das crianças, em alguns estudos, conseguiram esperar até 25 minutos, tempo demais para ficar sentado diante de alguns biscoitos e de uma campainha numa sala sem outros atrativos.[7]

O gênero também importa. Meninos e meninas desenvolvem diferentes preferências em diferentes fases do desenvolvimento, e a disposição para esperar será influenciada pelas recompensas disponíveis: o que é recompensador para os meninos pode ser indesejável para as meninas, e vice-versa (carros de bombeiros, bonecas, espadas e kits de maquiagem). Mesmo que se igualem, porém, o valor das recompensas, e a motivação seja a mesma, as meninas geralmente esperam mais que os meninos, e as estratégias de resfriamento podem ser diferentes. Não o medi, mas os meninos em idade pré-escolar parecem preferir estratégias físicas, como inclinar-se na cadeira e balançar-se para a frente e para trás, ou empurrar a tentação para mais longe; enquanto as meninas parecem gostar mais de cantar para si mesmas ou simplesmente de se desligar da realidade. Essa é, no entanto, mera impressão, de modo algum uma descoberta.

A maior intensidade da disposição e a capacidade das meninas de esperar mais são compatíveis com a constatação de que, ao longo dos anos de escola, pelo menos nos Estados Unidos, as meninas, em geral, são tidas como mais autodisciplinadas que os meninos pelos pais, pelos professores e por si mesmas.[8] Mesmo nos primeiros quatro anos de vida, as meninas são, em geral, mais obedientes que os meninos.[9] Na infância mais avançada, as garotas, em média, quase sempre parecem mais rigorosas nos trabalhos escolares e, frequentemente, conseguem notas mais altas que os garotos. Os avaliadores, no entanto, e inclusive as próprias crianças, são influenciados por estereótipos culturais sobre diferenças de gênero. As "boas meninas" devem ser conscienciosas e cuidadosas, enquanto os "garotos de verdade" devem ser mais impulsivos, mais rebeldes e até mais desordeiros, dedicando-se aos esportes mais que aos estudos. Nas escolhas hipotéticas sobre recompensas postergadas, como: "Você preferiria 55 dólares hoje ou 75 daqui a 61 dias?", as meninas optam pela postergação com mais frequência que os meninos.[10] Quando, porém, as escolhas são reais, em vez de hipotéticas (abra esse envelope com uma nota de um dólar hoje ou devolva-o fechado exatamente daqui a uma semana e receba dois dólares), a diferença de gênero desaparece.

Em síntese, ainda procuramos diferenças de gênero no Teste do Marshmallow e em outros experimentos de autocontrole. Nem sempre as encontramos, mas, no todo, as meninas parecem levar algumas vantagens nas habilidades de autocontrole e de automotivação que lhes possibilitam retardar a satisfação, pelo menos nos grupos demográficos e nas faixas etárias de nossos estudos.[11]

Ao enfrentar tentações, uma maneira de evitar por alguns momentos o sistema quente é imaginar a maneira como outra pessoa se comportaria na mesma situação. É mais fácil ativar o sistema frio quando se observa outros fazerem escolhas quentes. Um pesquisador de cujo nome não me lembro pediu às crianças para considerar uma escolha entre um pedaço pequeno de chocolate agora ou um pedaço muito grande de chocolate dali a dez minutos (e mostrou os dois pedaços de chocolate à criança). Quando perguntou a um menino pequeno: "O que uma criança inteligente escolheria?", o garoto respondeu que esperaria; quando mudou a pergunta para: "O que você vai fazer?", a resposta foi: "Vou pegar o pedaço pequeno agora!". A mesma sequência se repetiu com crianças de três anos. Podiam escolher uma recompensa pequena imediatamente e uma recompensa maior depois. Quando lhes perguntavam o que o pesquisador escolheria, as crianças eram capazes de usar o sistema frio e tendiam a dizer que a recompensa postergada era uma escolha melhor. Mas quando escolhiam para si mesmas, não para outra pessoa, a escolha se tornava quente e a maioria optava pela recompensa pequena imediatamente.[12]

OS EFEITOS DO ESTRESSE: A PERDA DO SISTEMA FRIO QUANDO MAIS SE PRECISA DELE

O estresse momentâneo pode ser adaptativo e indutor. O estresse persistente e intenso, no entanto, pode ser prejudicial e até tóxico, como em pessoas que se enfurecem com qualquer aborrecimento, como engarrafamentos e filas, ou que se sentem sufocadas sob condições extremas e prolongadas de perigo, turbulência e pobreza.[13] O estresse contínuo prejudica o CPF, que é essencial não só para esperar pelos marshmallows, mas também para enfrentar situações como sobreviver ao ensino médio, preservar o emprego, fazer pós-graduação, seguir carreira política, evitar a depressão, cultivar relacionamentos e não tomar decisões que, intuitivamente, parecem certas, mas que, examinadas com mais cuidado, são de fato insensatas.

Depois de analisar pesquisas sobre os efeitos do estresse, a neurocientista Amy Arnsten da Universidade Yale concluiu que "o estresse agudo incontrolável, mesmo quando muito brando, pode acarretar perda rápida e acentuada da capacidade cognitiva pré-frontal".[14] Quanto mais duradouro for o estresse, mais comprometerá a capacidade cognitiva e mais duradouros serão os danos, podendo culminar com doença física e mental.[15] Assim, a parte do cérebro que possibilita a solução criativa de problemas torna-se menos disponível à medida que mais precisamos dela. Lembre-se de Hamlet: quanto mais aumentava o estresse dele, mais ele se emaranhava e se torturava, paralisado pelas ruminações raivosas e pelos sentimentos fragmentados, incapaz de agir e de pensar com eficácia, e, em consequência, semeando o tumulto em seu entorno e acelerando a própria ruína.[16]

Mais de quatrocentos anos depois de Shakespeare ter dramatizado com tanta eloquência a angústia mental de Hamlet, podemos reconstruir o que deveria estar ocorrendo em seu cérebro, não com a linguagem mágica do Bardo, mas com um modelo do cérebro sob estresse crônico. Nessas condições adversas, a arquitetura do cérebro é literalmente remodelada. Hamlet realmente não tinha nenhuma chance. Com o prolongamento do estresse, o sistema frio, em termos mais específicos o córtex pré-frontal, imprescindível para a solução de problemas, e o hipocampo, importante para a memória, começaram a se atrofiar. Concomitantemente, a amígdala, no cerne do sistema quente, se hipertrofiou. Essa combinação de mudanças no cérebro impossibilita o autocontrole e o pensamento frio. Além disso, com a continuidade do estresse, a amígdala passou da hipertrofia para a atrofia, impedindo, em última instância, as reações emocionais normais. Não é de surpreender que Hamlet fosse uma tragédia.

4. As raízes do autocontrole

Quando, pela primeira vez na vida, os filhos manifestam a capacidade ou a incapacidade de retardar a satisfação? Discuti muitas vezes essa questão com amigos na época em que, como eu, eles viviam os primeiros anos da criação de filhos. Todos estavam convencidos de que percebiam as raízes dessas diferenças quase a partir do nascimento. Valerie, sem dúvida, conseguia postergar as recompensas, ao contrário de Jimmy; Sam, decerto, também era capaz de se autocontrolar; Celia, não, em absoluto. O debate sempre envolvia casos vibrantes e conversas animadas, que inexoravelmente deixavam a questão aberta para novas discussões.

Em 1983, cerca de quinze anos depois de iniciar os estudos com o marshmallow, em Stanford, me tornei professor na Universidade Columbia e me mudei para a cidade de Nova York. Um dos muitos atrativos era o fato de um jovem colega, Lawrence Aber, ser membro do corpo docente de Barnard College, no outro lado da rua, em frente a Columbia. Larry trabalhava como diretor de pesquisas do Barnard Toddler Center, e logo iniciamos um projeto conjunto que se prolongou por duas décadas. Era uma oportunidade para estudar com mais profundidade a questão sobre quando e como se desenvolve a capacidade de adiamento da satisfação.

A "SITUAÇÃO ESTRANHA"

Esperar pelos marshmallows na Sala de Surpresas da Bing deve ter sido uma tortura para as crianças de quatro e cinco anos, mas talvez tenha sido ainda mais difícil para um bebê de dezoito meses aguardar o retorno da mãe, depois que ela saía da pequena sala no Barnard Toddler Center, e deixava o pequeno sozinho com um estranho (um voluntário do Barnard College) e alguns brinquedos no chão. Breves separações no começo da vida são situações que todas as crianças precisam tolerar quando o principal cuidador, em geral a mãe, se ausenta durante algum tempo e volta pouco depois. No meio do segundo ano de vida, os bebês já são muito diferentes uns dos outros quanto ao grau de ansiedade, segurança ou ambivalência de seus vínculos com o principal cuidador. O que fazem durante essas separações e reencontros permite que se perscrute a qualidade dos relacionamentos e a capacidade de resistência no começo da vida.

Mary Ainsworth concebeu a "Situação Estranha" como maneira de observar esse relacionamento.[1] Ainsworth foi aluna de John Bowlby, influente psicólogo inglês que, a partir dos anos 1930, estudou os efeitos das experiências afetivas no começo da infância, em especial o impacto da ausência do principal cuidador (experiência muito comum e estressante durante a guerra). A Situação Estranha simula o breve desaparecimento e reaparecimento posterior da mãe, sob situações benignas e controladas — a mãe logo a acode, se a aflição da criança, expressada pelo choro pungente ou pelas batidas desesperadas na porta, se torna excessiva. O experimento compõe-se de três fases cuidadosamente elaboradas.

Na primeira fase, a "Brincadeira", a mãe e a criança ("Benjamin", neste exemplo) ficam sós na sala, durante cinco minutos, para "brincar como se estivessem em casa".

Na segunda fase, a "Separação", o diretor da escola chama a mãe, que sai da sala e deixa Benjamin sozinho, durante dois minutos, com uma voluntária, estudante de graduação. A criança já vira ou interagira com a voluntária, na presença da mãe, durante cerca de dezessete minutos. A voluntária continua em silêncio, durante a separação, a não ser que Benjamin apresente sinais de aflição, caso em que ela rapidamente tenta tranquilizá-lo: "Mamãe já vem".

Na terceira fase, o "Reencontro", depois da separação de dois minutos, a mãe entra na sala e pega Benjamin. A voluntária sai discretamente, e a mãe e a criança brincam juntas durante três minutos.

Em 1998, minha aluna Anita Sethi começou a pesquisar se as atitudes da criança de dezoito meses durante a separação prediziam o que ela faria três anos depois, ao esperar pelos dois marshmallows. Para testar a hipótese, reiniciamos os experimentos no Barnard Toddler Center, onde passamos a encenar a Situação Estranha, filmando tudo que acontecia durante cada fase. Anotamos o comportamento da criança em cada intervalo de dez segundos — se ela brincava ou explorava o ambiente, a certa distância da mãe; se ela se distraía durante a ausência da mãe, olhando para os brinquedos ou brincando com eles; ou ainda se interagia com o estranho. Também gravamos um vídeo de suas expressões emocionais ou de qualquer reação negativa (choro ou olhar triste). O comportamento espontâneo da mãe foi registrado com igual nível de detalhe, inclusive as tentativas de iniciar interações com a criança, as intromissões nas brincadeiras, inclusive no intuito de direcioná-las, assim como a desconsideração das pistas manifestadas pela criança. Também se avaliou o "controle maternal"[2] — na verdade, o *excesso* de controle e a insensibilidade às necessidades do filho — com base em indícios produzidos pela mãe, como expressões faciais, manifestações verbais, posições em relação à criança, frequência e intensidade dos contatos físicos, expressões de afeição e compartilhamento.

Os bebês que conseguiram se abstrair da ausência da mãe, divertindo-se com os brinquedos, explorando a sala ou envolvendo-se com o estranho, evitaram a aflição intensa experimentada por aqueles que não conseguiam ver a mãe se afastando e que logo caíam no choro. O estresse das crianças durante os dois minutos de ausência da mãe aumentava a cada segundo de espera. Os últimos trinta segundos talvez tenham parecido intermináveis, e o comportamento dos bebês naqueles momentos finais foi sobremodo sugestivo: previu, longe da perfeição, mas muito além da chance, como agiriam durante o Teste do Marshmallow na pré-escola. Especificamente, as crianças que passaram os últimos trinta segundos de separação na Situação Estranha distraindo-se da ausência da mãe vieram a ser aquelas que, aos cinco anos, mais esperaram pelas guloseimas e com mais eficácia afastaram a atenção do objeto de desejo. Em contraste, aquelas que tinham sido incapazes de ativar as estratégias de distração necessárias, ao esperarem a mãe, também não o conseguiram três anos mais tarde, ao esperarem pelas guloseimas, e tocaram a campainha. Esses resultados salientam a importância de manejar a atenção para controlar e esfriar o estresse desde o começo da vida.[3]

AS RAÍZES VULNERÁVEIS

Ao nascerem, as crianças são controladas quase completamente por sua sensação interna a cada momento e pelas atitudes dos cuidadores de quem dependem. Nos primeiros meses da criança fora do útero, acalmar, acalentar, alimentar e dar carinho são as tarefas principais dos cuidadores, noite e dia.[4] O amor e carinho com que são agraciadas ou a perversidade e a agressividade com que são maltratadas lançam raízes no cérebro das crianças e exercem influência decisiva sobre a formação do adolescente e do adulto.[5] É fundamental estreitar os laços calorosos e zelosos com os bebês, para lhes proporcionar segurança, e, depois, para evitar que o alto nível de estresse das crianças se torne crônico no futuro.[6]

A plasticidade do cérebro, sobretudo no primeiro ano depois do nascimento, torna as crianças muito vulneráveis aos danos em seus principais sistemas neurais se sofrerem experiências extremamente adversas, como maus-tratos e descuidos graves, por exemplo, em creches, escolas ou orfanatos. Surpreendentemente, até alguns fatores de estresse ambientais muito mais moderados, como a exposição a conflitos persistentes entre os pais, podem infligir sérios prejuízos. Em um estudo, o cérebro de crianças de seis a doze meses foram escaneados por ressonância magnética enquanto dormiam. Ao ouvirem vozes de adultos em tom muito agressivo, durante o sono, o cérebro dos bebês cujos pais brigavam com frequência demonstrava mais atividade nas áreas que regulam as emoções e o estresse que o dos bebês que moravam em lares mais tranquilos.[7] Descobertas como essa sugerem que até as fontes de tensão de intensidade média no contexto social, durante as fases críticas do desenvolvimento infantil, ficam registradas no sistema quente.

É evidente que, durante o desenvolvimento dos bebês, as primeiras experiências emocionais se impregnam na arquitetura do cérebro, o que pode produzir importantes consequências ao longo da vida.[8] Felizmente, as intervenções destinadas a melhorar a maneira como os bebês regulam as emoções e exercitam as habilidades cognitivas, sociais e emocionais têm grandes chances de fazer diferença durante os primeiros anos da vida, quando as crianças são mais vulneráveis a danos. Poucos meses depois do nascimento, os cuidadores podem começar a reorientar a atenção das crianças, do sentimento de aflição para a prática de atividades interessantes, o que, com o tempo, ajuda os bebês a aprender a se distrair para que se acalmem. No nível neural, os bebês começam a desenvolver a área centro-frontal do cérebro como sistema de controle da atenção para esfriar e regular as emoções negativas.[9] Se tudo correr bem, elas se tornam menos reativas e mais ponderadas; menos quentes e mais frias; e mais capazes de expressar de maneira adequada os próprios objetivos, sentimentos e intenções.

Analisando esse processo, Michael Posner e Mary Rothbart, dois pioneiros no campo do desenvolvimento do autocontrole, dizem: "As crianças que, aos quatro meses, olham para todos os estímulos apresentados voltam ao laboratório, um ano e meio depois, com a própria agenda. É difícil conseguir que vejam o que temos a lhes mostrar, pois seus próprios planos são prioritários. Depois de esforços heroicos, só nos resta balançar a cabeça e murmurar que *eles têm a cabeça feita*" (ênfase minha).[10]

Como sabem os pais, o segundo aniversário tende a coincidir mais ou menos com a declaração de independência não escrita da criança. Nas primeiras fases revolucionárias, essa luta pela independência torna muito difícil a vida dos cuidadores, para dizer o mínimo. Mais ou menos entre os dois e três anos, as crianças começam a controlar os pensamentos, sentimentos e ações, habilidade que se torna cada vez mais visível durante o quarto e o quinto ano de vida e que é essencial para o sucesso no Teste do Marshmallow, assim como para a adaptação na escola e para o sucesso na vida.

Aos três anos, a criança, em geral, começa a tomar algumas decisões propositadas, regula a atenção com mais flexibilidade e inibe os impulsos que a distrai dos objetivos. Por exemplo, estudos de Stephanie Carlson e colegas, na Universidade de Minnesota, mostram que essas crianças já conseguem seguir duas regras simples — como "se for azul, ponha aqui; mas se for vermelho, ponha lá" — por tempo suficiente para atingir o objetivo, em geral verbalizando autoinstruções para ajudá-las a descobrir o que precisam fazer.[11] Embora impressionantes, essas habilidades continuam limitadas no terceiro ano, mas as crianças fazem grandes avanços nos anos seguintes. Por volta do quinto aniversário, a mente já se tornou maravilhosamente sofisticada. É claro que as diferenças individuais são muito grandes, mas, nessa idade, muitas crianças compreendem e seguem regras complexas, como: "Se for o jogo das cores, ponha o quadrado vermelho aqui, mas, se for o jogo das formas, ponha o quadrado vermelho lá". Embora essas habilidades ainda se encontrem nos primeiros estágios, nas crianças em idade pré-escolar, aos sete anos, a capacidade de autocontrole da atenção e os sistemas neurais subjacentes são surpreendentemente semelhantes aos dos adultos.[12] As experiências das crianças na primeira meia dúzia de anos se tornam as raízes da capacidade de regular os impulsos, de exercer o autocontrole, de conter a explosão das emoções e de desenvolver empatia, atenção e consciência.[13]

E SE SUA MÃE FOSSE COMO A DE PORTNOY?

Quais seriam as influências do estilo da mãe sobre o desenvolvimento das estratégias de autocontrole e de relacionamento da criança? Nos estudos de Anita Sethi, já descritos, analisamos detalhadamente o comportamento da mãe para avaliar o nível e o estilo do "controle maternal", assim como a sensibilidade dela em relação às necessidades da criança. Considere, por exemplo, a mãe que controla demais e interfere em tudo, e que se concentra principalmente nas próprias necessidades, em vez de nas do filho. Esse perfil foi captado no livro *O complexo de Portnoy*, de Philip Roth, que o tornou famoso. Ao lembrar-se do começo da infância, em Nova Jersey, o protagonista evoca com nitidez o excesso de controle bem-intencionado, mas sufocante, da mãe: a intromissão com que ela inspecionava, avaliava e corrigia tudo na vida do filho, desde os deveres de aritmética até a condição das meias, das unhas, do pescoço e de todos os orifícios e fendas do corpo do filho.[14] E quando o jovem Portnoy, já empanturrado com a culinária amorosa da mãe, se recusa a comer mais bife de panela, ela insiste, com uma longa faca de pão nas mãos, perguntando retoricamente: Você quer ser um fracote magricela, ser respeitado ou ser ridicularizado, "um homem ou um rato"?[15]

A mãe de Portnoy é uma criação fictícia, mas alguns de meus amigos insistem em que suas próprias mães eram exatamente como ela. Para uma criança cuja mãe é como a sra. Portnoy, o caminho para desenvolver as habilidades de autocontrole pode ser muito diferente — na verdade, exatamente o oposto — daquele a ser seguido por crianças com mães menos controladoras. Essa foi a conclusão de Anita ao observar as interações espontâneas entre as crianças e as mães quando estavam juntas na sala.

Os bebês que desenvolviam habilidades de autocontrole eficazes não ficavam grudados na mãe; ao contrário, respondiam às ofertas maternas em busca de atenção, afastando-se dela (mais de um metro) para explorar a sala e se distrair com os brinquedos. Os bebês que se distanciavam da mãe controladora, e que, literalmente, se afastavam ao serem procurados por ela, foram os que, aos cinco anos, mais viriam a esperar no Teste do Marshmallow, recorrendo a estratégias de controle da atenção para esfriar as frustrações e distraindo-se das recompensas e da campainha, da mesma maneira como, quando menores, se afastavam das mães controladoras. Em contraste, os bebês que tinham mães igualmente controladoras, mas que ficaram perto delas quando elas pediam atenção, mantiveram o foco nas tentações, anos depois, ao fazerem o Teste do Marshmallow, tocando logo a campainha.

No caso dos bebês cujas mães eram menos controladoras, a história foi diferente. Quando as mães tentavam envolvê-los, os que continuavam perto delas eram os que, aos cinco anos, vinham a adotar estratégias mais eficazes de autocontrole e de esfriamento durante o Teste do Marshmallow. Conseguiam se distrair, concentrando-se menos nas tentações, e esperavam mais tempo para conquistar as recompensas maiores, em comparação com as crianças que, como bebês, se afastavam das mães.[16]

Quais são as implicações? O bebê cuja mãe não é excessivamente controladora e que é sensível às suas necessidades não tem motivo para se afastar dela, e continua perto da mãe, quando ela se aproxima dele no experimento da Situação Estranha, para reduzir o estresse. Mas e se a mãe é altamente sensível ao que a criança quer, mas não percebe o que a criança precisa, quando maiores são as suas necessidades, e tenta controlar todos os movimentos do filho a ponto de afligi-lo? Os resultados de Anita suscitam algumas questões a serem consideradas. Pode não ser má ideia para o bebê afastar-se um pouco da mãe, no intuito de explorar a sala e de experimentar os brinquedos. Talvez até o ajude ao desenvolver a capacidade de esfriamento e de autocontrole, que lhe será útil aos cinco anos, a fim de conseguir os dois marshmallows.

Para examinar essas possibilidades, Annie Bernier, da Universidade de Montreal, liderou uma equipe de pesquisa, em 2010, que estudou como as mães interagiam com os filhos, entre doze e quinze meses de idade, com o objetivo de verificar como essas interações influenciavam o desenvolvimento do autocontrole.[17] Os pesquisadores examinaram cuidadosamente como as mães se envolviam com os bebês quando trabalhavam juntos em quebra-cabeças e em outras tarefas cognitivas. Depois, testavam de novo a mesma criança, agora entre dezesseis e 26 meses de idade. Bernier constatou que as crianças cujas mães, no estudo anterior, estimulavam a autonomia dos bebês, apoiando-os nas escolhas e no senso de volição, demonstraram as mais fortes habilidades cognitivas e de controle da atenção, do tipo necessário para o sucesso no Teste do Marshmallow. A conclusão se manteve verdadeira mesmo quando os pesquisadores controlaram as diferenças de capacidade cognitiva e de educação das mães. A mensagem aqui é que os pais que controlam excessivamente os bebês correm o risco de comprometer o desenvolvimento das habilidades de autocontrole das crianças, enquanto os que promovem e encorajam a autonomia nos esforços de solução de problemas tendem a maximizar as chances da criança de chegar da pré-escola ansiosa para dizer-lhes como conseguiram os dois marshmallows.[18]

5. Os melhores planos

A *Odisseia*, de Homero, narra as aventuras de Odisseu (Ulisses, na versão romana), rei de uma pequena ilha denominada Ítaca, na costa ocidental da Grécia. O rei deixa a jovem esposa, Penélope, e o filho infante, Telêmaco, em casa, e alça velas para lutar na Guerra de Troia. Inesperadamente, a guerra se arrasta durante muitos anos, também delongando o retorno de Odisseu para casa, que é ainda mais retardado por aventuras fantásticas, por novos amores tórridos, por batalhas terríveis e por lutas com monstros incríveis. Ao tentar, enfim, voltar para casa, com o que sobrou dos marinheiros, o barco se aproxima da Terra das Sereias, cujas vozes e cânticos sedutores a tal ponto fascinam os navegantes que seus navios acabam batendo nos rochedos e naufragando.

Odisseu estava desesperado por ouvir o canto das Sereias, mas também tinha consciência dos riscos. Em uma das primeiras narrativas do mundo ocidental sobre o planejamento consciente para resistir às tentações, ordenou que os marinheiros o amarrassem no mastro principal da embarcação e lá o deixassem preso — "mesmo que ordenasse ou implorasse que o soltassem, caso em que deveriam atá-lo com nós ainda mais fortes".[1] Para proteger a si mesmos e para garantir que não soltariam Odisseu do mastro, por mais que este gritasse, os marinheiros foram instruídos a tapar os ouvidos com cera de abelha.

A CAIXA DO PALHAÇO

No começo da década de 1970, quando os experimentos do marshmallow estavam em andamento, lembrei-me vagamente das histórias de Homero.

Também me questionei se Adão e Eva teriam demorado mais no paraíso se tivessem planos que os ajudassem a resistir às tentações da serpente e da maçã. Comecei, então, a pensar nas crianças pré-escolares da Bing Nursery School: como lidariam com uma tentação poderosa que seduzisse a atenção delas enquanto lutavam para evitar os altos custos da rendição? Será que um planejamento avançado as ajudaria a resistir? Na época, Charlotte Patterson, hoje professora da Universidade de Virgínia, era minha aluna de pós-graduação em Stanford, e, juntos, começamos a investigar essa questão. Como primeiro passo, precisaríamos de uma tentação como a das Sereias, adequada para crianças pré-escolares, na Sala de Surpresas. Para tanto, o engodo deveria atender a dois critérios: ser não só bastante sedutor, mas também aceitável para os pais, para o diretor da instituição, para os pesquisadores e também para as minhas três filhas pequenas, que atuavam como meu conselho consultivo. O resultado foi a Caixa do Palhaço,[2] apresentada abaixo:

Era uma grande caixa de madeira onde sobressaia um rosto de palhaço pintado com cores vivas. A face sorridente era cercada por luzes piscantes e ladeada por dois braços estendidos, cada um parecendo segurar um compartimento com janela de vidro. Quando as luzes do compartimento se acendiam, pequenos brinquedos e guloseimas tentadores circulavam muito lentamente em um tambor dentro de cada janela. A Caixa do Palhaço era uma atração irresistível. Um alto-falante oculto na cabeça se conectava a um gravador de fita e a um microfone na sala de observação.

Queríamos simular uma situação com que todos se defrontam reiteradamente na vida, quando é preciso resistir a poderosas tentações imediatas para conseguir resultados mais importantes no futuro. Pense no adolescente, estudando para as provas finais em casa, já atrasado, que é convidado para ir ao cinema com os melhores amigos, ou no executivo de meia-idade, feliz no casamento, que é convidado pela jovem secretária sedutora para tomar uns aperitivos no bar do hotel, depois de um longo dia de trabalho juntos, na convenção de vendas anual, longe de casa. A Caixa do Palhaço é ao mesmo tempo a sessão de cinema e a jovem secretária, capaz de exercer fascínio irresistível sobre crianças pequenas.

Durante os estudos, Charlotte brincava um pouco com as crianças — neste exemplo, "Sol", com quatro anos — em um canto da Sala de Surpresas, onde havia tanto brinquedos novos quanto brinquedos quebrados. Ela, então, aco-modou Sol numa pequena mesa, diante da Caixa do Palhaço. Disse-lhe que teria de sair da sala durante algum tempo e lhe explicou qual seria a "tarefa" dela. Sol teria de trabalhar o tempo todo, sem interrupção, fazendo algo muito monótono. Por exemplo, numa folha de papel, precisaria copiar os X e os O de um quadrado cheio para um quadrado vazio, ao lado, ou encaixar peças de uma grande pilha em um tabuleiro. Se trabalhasse sem interrupção, poderia brincar com os brinquedos novos e com a Caixa do Palhaço, quando Charlotte voltasse; caso contrário, brincaria só com os brinquedos quebra-dos. Charlotte enfatizou que Sol precisaria trabalhar o tempo todo, até o retorno dela, para terminar a tarefa, o que Sol jurou solenemente que faria. Também advertiu Sol de que a Caixa do Palhaço insistiria em brincar com ela, mas salientou que se Sol olhasse, conversasse ou brincasse com a Caixa do Palhaço não conseguiria terminar o trabalho.

Charlotte, então, convidou Sol para conhecer a Caixa do Palhaço, que acendeu-se intensamente, piscando as luzes e iluminando a janela cheia de brinquedos, apresentando-se em voz alta e brincalhona: "Olá, sou a Caixa do Palhaço. Tenho grandes orelhas e gosto muito quando as crianças me dizem tudo o que pensam e sentem, não importa o que seja". (O dono da voz, obvia-mente, tinha algum treinamento em psicoterapia.) A Caixa do Palhaço reagia de maneira encorajadora a tudo o que Sol dissesse, com ela entabulando breve conversa e convidando Sol para brincar. Mostrou-lhe que o som *bzzt* indicava que a qualquer momento faria alguma coisa engraçada, que Sol gostaria de ver, e durante alguns instantes iluminou as janelas, para que Sol vislumbrasse os brinquedos e guloseimas que giravam lentamente dentro delas.

Um minuto depois da saída de Charlotte, a Caixa do Palhaço acendeu-se, piscou as luzes e gargalhou: "Ho, ho, ho, ho! Adoro quando as crianças brincam comigo. Você quer brincar comigo? É só vir aqui, apertar meu nariz e ver o que acontece. Ah, por favor, você não vai apertar meu nariz?".

Nos dez minutos seguintes, a Caixa do Palhaço persistiu na tortura, assediando impiedosamente a criança, ligando e desligando luzes em torno do rosto e das janelas, outra luz intensa na gravata-borboleta também piscando. E repetia os esforços sedutores a cada minuto e meio:

"Ah, como eu estou gostando dessa brincadeira! E ela seria ainda melhor para nós se você largasse o lápis. Largue o lápis e vamos brincar pra valer. Por favor, deixe isso pra lá e venha brincar comigo... Venha cá e aperte o meu nariz, e eu farei algumas palhaçadas. Você não gostaria de ver algumas das minhas surpresas? Olhe para as janelas agora."

Onze minutos depois da saída de Charlotte, a Caixa do Palhaço desligou e ela voltou à Sala de Surpresas.

PLANOS *SE-ENTÃO* PARA RESISTIR ÀS TENTAÇÕES

Para as crianças pré-escolares, não ceder à tentação da Caixa do Palhaço era provavelmente tão difícil quanto foi para Odisseu resistir às Sereias. E, ao contrário do herói grego amarrado ao mastro, as crianças não estavam atadas às cadeiras, nem tinham cera de abelha nas orelhas, como a tripulação. Nossa pergunta era: "O que ajudaria as crianças pré-escolares, como Sol, a resistir melhor às tentações da Caixa do Palhaço?".

À luz das descobertas do Teste do Marshmallow, imaginamos que, para resistir com eficácia às tentações quentes (fosse a de comer o marshmallow agora ou a de ceder a qualquer outro engodo), a resposta inibitória *Não!* tinha de substituir a resposta motivadora *Vá!* — o que deveria ser feito de maneira rápida e automática, como um reflexo. Tudo de que se precisava, na linguagem da indústria cinematográfica de Hollywood, era uma boa conexão, algo que criasse uma ligação automática entre a resposta necessária *Não!* e o estímulo quente (que, normalmente, disparava o *Vá!*). Por exemplo, um plano de inibição da tentação poderia consistir em dar à criança pré-escolar a seguinte instrução:

"Vamos pensar em algumas coisas que você poderia fazer para continuar trabalhando, sem deixar que a Caixa do Palhaço atrapalhe o que você está fazendo. Vejamos... uma coisa que talvez ajudasse é o seguinte: quando a Caixa do Palhaço fizer aquele barulho *bzzt* e pedir para você olhar para ela e brincar com ela, você pode simplesmente se concentrar no trabalho, respondendo: 'Não, não posso; estou trabalhando'. E, ao dizer isso, faça exatamente isso. Se ela insistir: 'Veja!', você retruca: 'Não, não posso; estou trabalhando'."

Esse tipo de plano *Se-Então* reconhece o estímulo quente tentador — "*Se* a Caixa do Palhaço pedir para olhar para ela e brincar" — e o liga à resposta desejada de resistir à tentação: "*Então* eu vou simplesmente *não* olhar para ela e dizer: 'Não vou olhar para a Caixa do Palhaço'". As crianças pré-escolares preparadas com esse tipo de plano reduzem o tempo de distração e se concentram no trabalho, com os melhores resultados. Mesmo que o palhaço conseguisse distraí-las do trabalho, a interrupção durava em média menos de cinco segundos, e as crianças inseriam em média 138 peças no tabuleiro. Em contraste, aquelas sem esse tipo de plano interrompiam o trabalho por 24 segundos, em média, e encaixavam apenas 97 peças no tabuleiro.[3] No mundo pré-escolar de encaixe de peças, essas eram grandes diferenças. Também constatamos que muitas crianças alteravam as instruções recebidas, nelas introduzindo suas próprias variações ("Largue isso!", "Pare com isso!", "Burro!"), o que as levava a encaixar as peças com mais rapidez, permitindo-lhes, afinal, brincar felizes com a Caixa do Palhaço e com os brinquedos novos.

Nossa pesquisa com a Caixa do Palhaço veio a ser o ponto de partida de um importante programa independente desenvolvido muitos anos depois por Peter Gollwitzer, Gabriele Oettingen e colegas da Universidade de Nova York. Começando na década de 1990, eles identificaram planos *Se-Então* simples, mas surpreendentemente poderosos, para ajudar as pessoas a lidar de maneira mais eficaz com uma ampla variedade de problemas de autocontrole que, do contrário, seriam incapacitantes — mesmo sob condições muito árduas e emocionalmente quentes, quando perseguiam objetivos importantes, mas difíceis.[4] Hoje, os denominados planos de implementação *Se-Então* ajudam estudantes a se concentrar nas tarefas, em meio a tentações e a distrações intrusivas; pessoas que fazem dietas abrindo mão de seus salgadinhos favoritos; inclusive permitindo que crianças com transtorno de déficit de atenção inibam respostas impulsivas inadequadas.

ELIMINANDO O ESFORÇO DO CONTROLE ESFORÇADO

Com a prática, a ação almejada pelo plano de implementação inicia-se automaticamente quando ocorre a pista situacional relevante: quando o relógio der dezessete horas, lerei o livro; começarei a escrever o trabalho no dia seguinte ao Natal; na hora da sobremesa, não comerei a torta de chocolate; sempre que surgir uma distração, eu a ignorarei.[5] E os planos de implementação funcionam não só quando o *Se* é parte do ambiente externo (quando o alarme toca, quando entro no bar), mas também quando a pista é uma situação interna (quando desejo alguma coisa, quando estou entediado, quando estou ansioso, quando estou com raiva). Parece simples, e é. Ao elaborar e praticar planos de implementação, você pode levar o sistema quente a disparar automaticamente a resposta almejada sempre que a pista ocorrer. Com o passar do tempo, forma-se uma nova associação ou hábito, como escovar os dentes antes de ir para a cama.

Esses planos *Se-Então*, quando se tornam automáticos, tiram o esforço do controle esforçado: é possível engambelar o sistema quente a fazer o trabalho de maneira reflexa e inconsciente. Nesse caso, o sistema quente o induz a encenar automaticamente o script almejado, quando necessário, enquanto o sistema frio descansa.[6] A não ser, porém, que se incorpore o plano de resistência no sistema quente, é improvável que ele seja ativado quando mais se precisa dele. Assim é porque a excitação e o estresse emocional aumentam diante de tentações quentes, acelerando o sistema quente, disparando a resposta automática rápida *Vá!* e desacelerando o sistema frio. Quando as tentações quentes entram em ação — sejam as da Caixa do Palhaço e suas luzes piscantes na Sala de Surpresa, a musse de chocolate no carrinho de sobremesas ou a colega atraente no bar do hotel, durante a convenção de vendas —, a resposta automática *Vá!* tende a vencer, quando não se tem plano *Se-Então* bem estabelecido. Quando, porém, se dispõe de bons planos *Se-Então*, eles funcionam bem em contextos admiravelmente diversificados, em diferentes grupos demográficos e etários, ajudando as pessoas a realizar seus objetivos difíceis com mais eficácia — ainda que, de início, fossem considerados inalcançáveis.

Exemplo impressionante é o de crianças com transtorno de déficit de atenção com hiperatividade (TDAH). O TDAH é uma síndrome cada vez mais comum, e as crianças que a apresentam em geral enfrentam muitos problemas acadêmicos e interpessoais. São altamente vulneráveis às distrações e, em geral, têm dificuldade em controlar a atenção, o que não raro as impede de se concentrar nas tarefas. Essas limitações cognitivas podem comprometer as crianças portadoras em muitas situações acadêmicas e sociais, acarretando estigmatização e risco de excesso de medicação. Os planos de implementação *Se-Então* ajudam essas crianças a resolver problemas de matemática com mais rapidez, a melhorar substancialmente em tarefas que recorrem à memória funcional e a perseverar nos esforços para resistir às distrações, sob condições de laboratório muito difíceis.[7] Esses benefícios ilustram o poder e o valor dos planos de implementação e projetam imagem otimista do potencial humano para a mudança autoinduzida. O desafio contínuo é converter esses procedimentos de experimentos acadêmicos efêmeros em programas de intervenção duradouros, que produzam mudanças autossustentadas na vida cotidiana.

6. As cigarras indolentes e as formigas diligentes

Os experimentos marshmallow permitiram que compreendêssemos como as crianças conseguem adiar a satisfação e resistir à tentação e como, sob esse aspecto, as diferenças individuais se manifestam ao longo da vida. O que dizer, porém, sobre a escolha em si?

Comecei a fazer essa pergunta quando era aluno de pós-graduação na Universidade Estadual de Ohio, bem antes de entrar no corpo docente de Stanford. Na época, passei um verão numa pequena aldeia, na extremidade sul de Trinidad. Os habitantes dessa parte da ilha eram de descendência africana ou indiana oriental, cujos ancestrais haviam chegado lá como escravos ou colonos. Cada grupo vivia em paz no próprio enclave, em diferentes lados da longa estrada poeirenta que separava suas casas.

Ao me familiarizar com os vizinhos, fiquei fascinado com o que me narraram sobre a vida deles. E, assim, descobri um tema recorrente em como descreviam uns aos outros. De acordo com os indianos orientais, os africanos eram hedonistas, impulsivos e ansiosos por se divertir e viver o momento, nunca planejando nem pensando no futuro. Os africanos viam os vizinhos indianos orientais como trabalhadores compulsivos, sempre pensando no futuro e guardando o dinheiro no colchão, sem nunca aproveitar a vida. O mais impressionante era como as descrições lembravam a fábula clássica de Esopo sobre a cigarra e a formiga. A cigarra indolente e otimista fica à toa na vida, dançando e cantando no verão, curtindo o aqui e agora, enquanto a formiga estressada e ansiosa labuta no esforço de acumular comida para o inverno. A cigarra é autocomplacente nos prazeres do sistema quente, enquanto a formiga é postergadora de recompensas, cuidando da sobrevivência no futuro.

Será, porém, que a longa estrada que separava os dois grupos étnicos também delineava os dois estereótipos amplos de cigarras indolentes e de formigas diligentes? Para verificar se as percepções referentes àquelas etnias eram exatas, caminhei até a escola local, que era frequentada por crianças africanas e indianas. Os métodos pedagógicos ainda eram os do sistema colonial inglês, e as crianças trajavam camisas ou blusas brancas. Tudo parecia limpo, adequado e ordeiro, e as crianças esperavam de mãos cruzadas o começo da aula.

As professoras me davam boas-vindas em suas turmas, onde eu testava meninas e meninos entre onze e catorze anos, perguntando-lhes quem morava em suas casas, avaliando a confiança delas em que promessa feita era promessa cumprida e estimando a intensidade com que demonstravam motivação, responsabilidade social e inteligência. No fim de cada uma das sessões, pedia-lhes que escolhessem entre um chocolate minúsculo, que poderiam comer imediatamente, ou um chocolate muito maior, que só receberiam na semana seguinte. Durante as sessões, também escolhiam entre receber dez dólares na hora, ou trinta, um mês depois, e entre "um presente muito maior depois ou um menor agora".

Os jovens adolescentes de Trinidad que escolhiam com mais frequência as recompensas menores imediatamente, em contraste com aqueles que optavam pelas recompensas maiores depois, eram os que enfrentavam problemas com mais frequência e que, na linguagem da época, seriam "jovens delinquentes". Consistentemente, eram vistos como menos responsáveis, além de, muitas vezes, já terem tido problemas com as autoridades e com a polícia. Também obtiveram notas muito baixas em testes-padrão de motivação e demonstraram menos ambição nos objetivos que estabeleciam para si mesmos no futuro.

CONFIANÇA

Em conformidade com os estereótipos que ouvi dos pais, em Trinidad, as crianças africanas preferiam as recompensas imediatas, embora menores, enquanto as indianas escolhiam as recompensas maiores, ainda que depois.[1] Decerto, porém, a história não era tão simples assim. Talvez, as crianças oriundas de lares com figuras paternas ausentes — na época, ocorrência muito comum nas famílias africanas, embora muito rara nas famílias indianas orientais, em Trinidad

— conheciam poucos homens que cumpriam as promessas. Nesse caso, é natural que tivessem demonstrado menos confiança em que um estranho — eu — realmente voltasse com a recompensa postergada. De fato, não há motivos convincentes para que alguém renuncie ao "agora" se não acreditar que o depois se "concretizará". Quando comparei os dois grupos étnicos, testando apenas as crianças em cujas casas morava um homem, as diferenças desapareceram.

Começando nos primórdios da infância, muita gente vive em mundos não confiáveis, nos quais são comuns as promessas de recompensas maiores, que jamais são cumpridas. Considerando esses precedentes, não faria mesmo muito sentido esperar por algo maior em vez de agarrar de pronto o que já se tem em mãos. Na verdade, nada há de surpreendente em que crianças pré--escolares que já vivenciaram promessas descumpridas relutem muito mais em esperar por dois marshmallows em vez de pegar um já garantido agora.[2] Essas expectativas sensatas já há muito foram validadas por experimentos comprobatórios de que quando não se confia na entrega das recompensas postergadas o comportamento padrão é optar pelas recompensas imediatas.

Poucos anos depois de minha estada em Trinidad, antes dos experimentos do marshmallow, passei a lecionar na Universidade Harvard e continuei a estudar essas escolhas entre crianças e adolescentes em Cambridge e Boston. O ano de 1960 foi um momento estranho da história para estudar diferimento da satisfação e predomínio do autocontrole no departamento de relações sociais da Universidade Harvard. Muita coisa estava mudando. Timothy Leary entrara no corpo docente e fazia testes com os "cogumelos mágicos" que encontrara numa viagem ao México, tentando desenvolver novas experiências psicodélicas de mudança da mente não apenas consigo mesmo, mas também com os alunos. Certa manhã, colchões repentinamente apareceram no lugar das carteiras de vários alunos dos cursos de pós-graduação, e grandes pacotes de uma empresa química da Suíça começaram a chegar ao departamento. Com a ajuda do alucinógeno LSD, começara a era "Turn on, tune in, drop out". Leary liderava a investida na contracultura, e muitos de nossos estudantes de pós-graduação se tornaram seus seguidores.[3]

Por mais que o mundo parecesse estar perdendo o autocontrole, a época talvez fosse oportuna também para estudá-lo. Carol Gilligan, que se preparava para o doutorado, e eu colaboramos em um projeto novo, testando garotos da sexta série de duas escolas públicas na área de Boston.[4] Queríamos ver se crianças que consistentemente optavam por recompensas postergadas maiores seriam mais capazes que Adão e Eva de resistir a uma forte tentação ao depararem com ela. Garotos de doze anos, em Boston, porém, precisavam de algo mais tentador do que apenas uma maçã.

Numa primeira sessão nas salas de aula, os garotos completaram várias tarefas e lhes oferecemos diversas escolhas entre recompensas menores agora e maiores depois, como agradecimento, assim como havíamos feito em Trinidad. Queríamos ver se as preferências deles em relação a recompensas postergadas maiores e recompensas imediatas menores teriam a ver com a maneira como lidavam com tentações poderosas em uma nova situação. Seriam os que mais esperaram na primeira sessão menos propensos a ceder diante de forte tentação em situação diferente — uma em que trapacear fosse a única maneira de ser bem-sucedido?

Para responder a essa pergunta, realizamos depois sessões individuais, no mesmo semestre, aparentemente não relacionadas com as anteriores, em que apresentamos a cada criança, uma de cada vez, um jogo de habilidades. Para efeitos externos, o objetivo do jogo era verificar a eficácia e a rapidez com que cada garoto usava uma "pistola de raios" para destruir uma nave espacial que se extraviara na corrida espacial contra a União Soviética (a grande sensação da época). A pistola de raios de brinquedo, toda prateada, ficava montada numa plataforma em condições de alvejar o "foguete" em alta velocidade. Acima do alvo, uma fileira de cinco lâmpadas iluminava o número de pontos alcançados depois de cada tiro. Três medalhas esportivas, intensamente coloridas (atirador, atirador de elite, especialista), que também faiscavam, eram os prêmios oferecidos, com base no número de pontos obtidos. Embora qualquer garoto pequeno hoje provavelmente desprezasse a pistola de raios dos anos 1960 como peça de museu, os pré-adolescentes de doze anos da época a consideravam irresistível.

"Vamos fazer de conta que o foguete está descontrolado e deve ser destruído", dizia Carol. "Os garotos que derem bons tiros receberão a medalha de atirador; os que forem ainda melhores ganharão a de atirador de elite; e os que realmente se destacarem pela pontaria serão premiados com a medalha de especialista em tiro a longa distância."

Sem que os garotos soubessem, o número de pontos atribuído a cada tiro era aleatório, sem qualquer relação com o nível de habilidade, e a pontuação que conseguiam não era suficiente para receber a medalha: para serem premiados, tinham de trapacear, falsificando os pontos, e quanto mais fraudavam, melhores eram os prêmios. Os garotos marcavam os próprios pontos enquanto jogavam sozinhos na sala, mas os observadores registravam tanto o momento quanto o tamanho da fraude. Os resultados foram claros: os mesmos padrões que tínhamos visto em Trinidad, com os "jovens delinquentes" escolhendo recompensas imediatas menores, se repetiu em Boston. Os que consistentemente optaram por esperar recompensas postergadas maiores, em vez de recompensas imediatas menores, nas sessões anteriores, fraudaram muito menos do que os colegas que tinham preferido as recompensas menores.[5] Se os garotos que haviam ficado com as recompensas postergadas realmente fraudaram, eles esperaram muito mais antes de ceder à tentação de manipular falsamente os pontos relatados.

QUENTE AGORA VERSUS FRIO DEPOIS: A VISÃO DO CÉREBRO

Em 2004, meio século depois de meus vizinhos em Trinidad terem descrito uns aos outros como as cigarras indolentes ou as formigas diligentes da fábula de Esopo, vibrei ao ler um estudo de Samuel McClure e colegas publicado na revista *Science*. Esses pesquisadores haviam dado um passo à frente ao analisar como as pessoas tomam decisões: usaram neuroimagens de ressonância magnética para estudar o que se passava no cérebro enquanto as pessoas escolhiam entre receber recompensas aqui e agora, em vez de no futuro.

Os psicólogos e os economistas geralmente observam que as pessoas tendem a ser muito impacientes e a ser induzidas sobretudo pelo sistema quente quando lidam com recompensas imediatas — mas que podem ser pacientes, racionais e frias em suas preferências ao escolherem entre recompensas que são todas postergadas. Embora havia muito se reconhecessem essas inconsistências, os mecanismos do cérebro a elas subjacentes eram um enigma. Na tentativa de resolvê-lo, McClure e equipe partiram da hipótese sobre o papel dos sistemas quente e frio no cérebro.[6] Raciocinaram que o sistema emocional quente (límbico) provoca a impaciência a curto prazo: é ativado automaticamente pelas recompensas imediatas e dispara a resposta *Vá!*, do: "Eu quero agora!". Também é relativamente insensível ao valor das recompensas posterga-das ou a qualquer outra coisa no futuro. Em contraste, a paciência duradoura, do tipo necessário para escolher racionalmente entre diferentes recompensas postergadas, como no planejamento da aposentadoria, depende do sistema cognitivo frio — em especial de áreas específicas no córtex pré-frontal e em outras estruturas estreitamente relacionadas, que se desenvolveram muito mais tarde, no curso da evolução humana.

A equipe de McClure propôs escolhas monetárias a adultos, cujo prazo de entrega variava entre "agora" e algum momento no futuro (por exemplo, dez dólares de imediato ou onze amanhã), assim como escolhas entre recompensas que seriam todas entregues no futuro, como dez dólares em um ano ou onze em um ano e um dia. Por meio de neuroimagens de ressonância magnética, os pesquisadores monitoravam as regiões neurais dos sistemas quente e frio de cada participante. Ao observarem as imagens do cérebro dos participantes enquanto decidiam, os pesquisadores constataram que o nível de atividade de cada região neural predizia se o indivíduo havia escolhido a recompensa imediata menor ou a recompensa postergada maior: a atividade neural era mais intensa na região quente quando os participantes estavam escolhendo duas recompensas de curto prazo (uma quantia hoje versus outra quantia um pouco maior amanhã), ou na região fria, quando os participantes estavam escolhendo entre recompensas futuras (uma quantia em um ano versus outra quantia um pouco maior em um ano e um dia). McClure e colegas confirmaram, assim, que de fato há dois sistemas neurais — um quente e outro frio — que avaliam separadamente recompensas imediatas e recompensas postergadas. Para mim, foi gratificante confirmar que a atividade no cérebro mostrou-se consistente com o que havíamos inferido do comportamento das crianças pré-escolares na Sala de Surpresas. Em 2010, outro grupo de pesquisadores, liderados por Elke Weber e Bernd Figner, da Universidade Columbia, conduziu um experimento que localizou mais exatamente a região específica do cérebro que possibilita a escolha de recompensas postergadas: é o córtex pré-frontal lateral esquerdo, não o direito.[7]

As recompensas imediatas ativam o sistema límbico quente, automático, reativo e inconsciente, que não dá muita importância às recompensas poster-gadas. Quer o que quer imediatamente e reduz ou "desconta" drasticamente o valor das recompensas futuras.[8] É movido pela vista, pelo som, pelo cheiro, pelo gosto e pelo toque do objeto de desejo, sejam os marshmallows que levam as crianças pré-escolares a tocar a campainha, a torta de maçã irresistível na bandeja de sobremesas ou o canto das sereias que afogava marinheiros na mitologia antiga. Por isso é que pessoas consideradas inteligentes, aos olhos do público, como presidentes, senadores, governadores e magnatas em geral, podem tomar decisões estúpidas quando tentações imediatas as induzem a ignorar as consequências futuras.

As recompensas postergadas, em contraste, ativam o sistema frio: as áreas do córtex pré-frontal do cérebro que, embora lentas nas respostas, são racionais, ponderadas e solucionadoras de problemas, tornando-nos inequivocamente humanos, capazes de considerar as consequências de longo prazo. Como vimos nos capítulos anteriores, a capacidade de retardar a satisfação pode nos ajudar a desacelerar e a "esfriar" por tempo suficiente, para que o sistema frio monitore e regule as ações do sistema quente. Reiterando, os dois sistemas — um quente, para lidar com as recompensas e as ameaças imediatas, e outro frio, para lidar com as consequências postergadas — atuam juntos: enquanto um se torna mais ativo, o outro fica menos ativo. O desafio é saber quando deixar que o sistema quente oriente o curso e quando (e como) induzir o sistema frio a despertar.

McClure e seus colegas também recorreram às fábulas de Esopo para resumir a conclusão: "O comportamento humano é, em geral, governado por uma competição entre, de um lado, processos automáticos de nível mais baixo, que talvez reflitam as adaptações evolutivas a determinados ambientes, e, de outro, a capacidade exclusivamente humana de raciocínio abstrato e de planejamento das ações, desenvolvida mais recentemente... As idiossincrasias das preferências humanas parecem refletir um conflito entre a cigarra límbica impetuosa e a formiga pré-frontal providente, dentro de cada um de nós".[9]

Todos talvez sejamos cigarras e formigas, mas qual das duas facetas emergirá em determinado momento, a formiga pré-frontal ou a cigarra límbica, depende do tipo e da intensidade da tentação e da maneira como consideramos e avaliamos a situação.[10] Como Oscar Wilde se expressou em passagem famosa, "posso resistir a tudo, menos às tentações".[11]

7. Será que é inato? A nova genética

Nascido em Chicago em 1928, James cresceu preocupado com a sua herança materna irlandesa. O objetivo dele era ser a criança mais esperta da turma na escola numa época em que o irlandês burro era o principal tema de piadas em Chicago. Ele se lembra de ouvir histórias, quando criança, sobre anúncios de emprego que terminavam com: "Não aceitamos irlandeses". James sabia que, embora tivesse fortes genes irlandeses, nada sugeria que seu raciocínio fosse lento. Felizmente, ele concluiu que "o intelecto dos imigrantes irlandeses e as anedotas depreciativas a respeito deles são consequências do ambiente local, não da genética: a educação, não a natureza, era a culpada".[1] James, cujo sobrenome é Watson, e Francis Crick receberam o prêmio Nobel em 1962 pela descoberta da estrutura do DNA, que abriu uma janela para a compreensão de quem somos e do que podemos fazer. No meio século que transcorreu desde o aperto de mãos de James D. Watson com o rei da Suécia, não faltaram respostas surpreendentes.

Em 1955, mais ou menos na mesma época em que Watson e Crick trabalhavam na estrutura do DNA, "Mr. Abe Brown" trouxe o filho de dez anos, "Joe", para a clínica do Departamento de Psicologia da Universidade Estadual de Ohio, onde eu era estagiário do programa de doutorado. Mr. Brown parecia muito apressado e não perdeu tempo com pormenores, logo disparando a única pergunta que lhe ocorria a respeito do filho, sentado ao lado dele: "Quero apenas saber o seguinte: ele é burro ou só preguiçoso?".

A pergunta direta de Mr. Brown reflete a mesma preocupação manifestada por pais ansiosos (em geral com um pouco mais de diplomacia) depois de todas as minhas palestras sobre o Teste do Marshmallow, decorrente da mesma dúvida pungente do jovem James Watson, que se revelou bastante inteligente para respondê-la por conta própria. É a questão, geralmente *a questão*, quando minhas palestras se voltam para as causas do comportamento humano: *É natureza ou educação?* Nos primeiros minutos que passei com Mr. Brown, as teorias implícitas dele sobre natureza e educação logo ficaram claras. Se Joe fosse burro, Mr. Brown, pensava ele, nada podia fazer, tentaria aceitar a realidade e seria menos rigoroso com o filho. Por outro lado, se Joe fosse "só preguiçoso", Mr. Brown não tinha dúvidas sobre o tipo de disciplina a que recorreria para "dar um jeito no garoto".

Ao longo dos séculos, o debate a respeito de influências genéticas versus influências ambientais, capazes de modificar o cérebro e o comportamento, envolveu praticamente todos os aspectos importantes do ser humano, como as origens da inteligência, das aptidões e das habilidades; agressividade, altruísmo, consciência, criminalidade, força de vontade, crenças políticas; esquizofrenia, depressão e longevidade. As escaramuças não se confinam aos campos de batalha acadêmicos. Também influenciam as ideias sobre políticas sociais, política partidária, economia, educação e criação de filhos. Nossas escolhas sobre questões políticas, por exemplo, são afetadas pela maneira como explicamos a desigualdade em termos sociais, econômicos e pessoais, atribuindo-as basicamente a fatores genéticos, de um lado, ou a fatores ambientais, de outro. Se as diferenças são resultantes da natureza, a sociedade pode apiedar-se dos menos afortunados, que perderam na roleta genética que os gerou, mas também pode sentir que o mundo não é responsável pelos problemas deles. Já se as disparidades são consequências sobretudo do ambiente, induzindo-nos a ser o que somos e o que nos tornamos, caberia à sociedade reduzir as injustiças que produziu? A maneira como se encara o papel da hereditariedade e da congenialidade na força de vontade, no caráter e na personalidade afeta não só a visão abstrata da natureza humana e da responsabilidade individual, mas também o senso do que é possível e impossível fazer em relação aos filhos.

As opiniões científicas prevalecentes sobre o conflito natureza-educação chegaram a conclusões diametralmente opostas em diferentes pontos de minha vida. Durante o comportamentalismo que dominou a psicologia americana na década de 1950, cientistas como B. F. Skinner viam os recém-nascidos como tábulas rasas, prontas para receber as impressões do ambiente, que os amoldariam e os formariam, sobretudo por meio de recompensas e reforços.[2] A partir dos anos 1960, esse ambientalismo extremado retrocedeu. Na década de 1970, as ideias sobre o tema assumiram feição totalmente diferente, quando Noam Chomsky e muitos outros linguistas e cientistas cognitivos demonstraram que grande parte do que nos torna humanos é inato. A batalha inicial travou-se sobre como os bebês desenvolvem a linguagem. Os vencedores demonstraram que a gramática básica subjacente à expressão verbal é em grande parte congênita, embora, em última instância, falar alemão ou mandarim dependa basicamente do aprendizado e do ambiente social. O recém-nascido como tábula, longe de rasa, é profundamente criptografado.[3]

A lista do que os bebês trazem do útero torna-se, ano a ano, cada vez mais longa e mais surpreendente. Elizabeth Spelke, da Universidade Harvard, é uma das desbravadoras na observação da mente e do cérebro dos bebês, analisando o olhar das crianças para detectar o nível de compreensão. Ela afirma, por exemplo, que os bebês são contadores inatos, com notável capacidade numérica e geométrica — pelo menos quando se trata de navegar no espaço tridimensional para descobrir tesouros ocultos.[4] A capacidade de compreensão das crianças parece limitada apenas pela capacidade de imaginação dos adultos.

TEMPERAMENTOS

Há muito tempo os pais sabem que os bebês são diferentes quanto ao temperamento com base nas reações emocionais de cada filho logo depois do nascimento. Essas diferenças já eram reconhecidas pela tipologia greco-romana da Antiguidade, que associava as disposições emocionais inatas a quatro humores corporais, que serviam como versão preliminar do DNA. De acordo com essa teoria, quando o sangue predominava, a pessoa era *sanguínea*, caracterizada pelo dinamismo e animação. Já a bílis negra era mais comum no indivíduo *melancólico*, que tendia a ser ansioso e rabugento; a propensão a ser irascível e irritadiço, resultante do excesso de bílis amarela, marcava o *colérico*; quando a *fleuma* prevalecia, a pessoa era *fleumática*, ou comedida nas reações.

Os bebês chegam ao mundo com diferenças fisiológicas na reatividade emocional, no nível de atividade e na capacidade de controlar e regular a atenção.[5] Embora essas diferenças, de início, sejam congênitas, os bebês, ao nascerem, já foram moldados durante muitos meses no ambiente uterino. Essas diferenças influenciam intensamente o que sentem, pensam e fazem, assim como o próprio futuro — inclusive a facilidade com que exercem o autocontrole e retardam a satisfação. Os novos pais, em geral ansiosos e não raro fatigados, discutem como o temperamento do bebê transformou a vida deles.[6] Não é novidade que bebês, na maioria, são uma mistura de tudo que é emocional. Nos extremos, alguns bebês são muito ativos, sorridentes e alegres, e desde cedo demonstram prazer intenso por estarem vivos. Outros são altamente emotivos, prontamente excitáveis e propensos a sentimentos negativos; esses bebês geralmente são ansiosos, irritadiços e zangados, sobretudo quando frustrados (o que é muito comum). Os bebês também são muito diferentes quanto à sociabilidade. Alguns parecem receosos na presença de estranhos ou até de brinquedos diferentes, enquanto outros se mostram ávidos para interagir com tudo e com todos. Alguns raramente sentem medo, mas, em certas circunstâncias, ficam muito amedrontados e inconsoláveis; alguns parecem receosos com frequência, mas raramente apavorados.

Os bebês variam no vigor e na intensidade das respostas, assim como são diferentes no tempo e na velocidade, desde os que dormem muito (e deixam os outros dormir) até os que estão sempre ativos e ligados, a qualquer hora do dia ou da noite. Essas diferenças de temperamento são perceptíveis não só nos bebês, pelo quanto parecem ativos, descontraídos, felizes, ansiosos ou alegres com a vida, mas também nos pais, pelo quanto parecem sorridentes, radiosos, brincalhões e descansados, demonstrando alegria, em vez de exaustão e desespero. O comportamento emocional das crianças influencia continuamente o dos cuidadores e vice-versa, variando entre mais prazer, numa ponta do contínuo, e mais ansiedade, na outra.

A disposição emocional também influencia a eficácia, a precocidade e as condições com que diferentes crianças regulam a atenção, retardam a satisfação e exercem o autocontrole à medida que se desenvolvem com o passar do tempo. Até que ponto essas características emocionais são hereditárias? A maioria das pessoas que fazem a pergunta se dá conta, depois de um momento de reflexão, de que a resposta é uma combinação de hereditariedade e ambiente. Durante muitos anos, estudos com gêmeos — em especial pares de gêmeos idênticos, que começaram a vida geneticamente tão iguais quanto duas pessoas podem ser — compararam os que foram criados juntos, pela mesma família, com os que cresceram separados, em diferentes famílias, com o objetivo de determinar os efeitos da natureza e da educação sobre as disposições comportamentais e as características psicológicas. Os detalhes são sempre questionados; estimativas razoáveis, porém, com base nos resultados dessas pesquisas, indicam que algo entre 1/3 e metade dos resultados pode ser atribuído a variações genéticas.[7] No caso da inteligência, algumas das estimativas de semelhanças entre gêmeos idênticos são ainda mais altas. É notável, contudo, que, mesmo no caso de gêmeos criados juntos, é absolutamente possível que um desenvolva esquizofrenia, depressão grave e outras doenças mentais ou físicas enquanto o outro desfrute de uma vida saudável. Também é possível que um se torne paradigma de elevado autocontrole, enquanto o outro seja caso típico de impulsividade.

Os pesquisadores também usaram estudos de gêmeos para atribuir diferentes porcentagens de contribuição à natureza e à educação, como se fossem segregáveis.[8] Devemos ser gratos por esses trabalhos pioneiros, que enfim deixaram claro que somos criaturas biológicas, intensamente congeniais, e que a natureza importa tanto quanto a educação. À medida que se aprofundam os estudos sobre genética, todavia, compreendemos que natureza e educação não se separam com tanta facilidade.[9] As disposições e os padrões de comportamento, inclusive caráter e personalidade, atitudes e até crenças políticas, refletem os efeitos complexos dos genes (em geral, vários genes), cujas expressões são moldadas por determinantes ambientais ao longo da vida. Quem somos e o que nos tornamos refletem a interação de influências genéticas e ambientais, em coreografia extremamente complexa. É hora de deixar de lado a pergunta: "Quanto?", pois não há como respondê-la com simplicidade. Conforme observou muito tempo atrás o psicólogo canadense Donald Hebb, essa questão é como indagar: "Qual é o determinante mais importante do tamanho de um retângulo: a largura ou o comprimento?".

DESEMBRULHANDO O DNA

A conclusão é inescapável: o que somos é consequência de uma dança perfeitamente entrelaçada de genética e contexto, que não pode se reduzir a qualquer uma das partes. A revelação dos mistérios do DNA, entretanto, desde que se decifrou o código até o sequenciamento de todo o genoma humano e o mapeamento de seus numerosos elementos reguladores, começou a oferecer uma base molecular pela qual a "educação" interage com a "natureza" para produzir o que somos.

O DNA é um código biológico que instrui as células a produzir e a executar tudo o que é necessário para a vida. No corpo humano, cada uma das cerca de 1 trilhão de células contém no núcleo uma sequência completa e idêntica de DNA. Isso equivale a aproximadamente 1,5 gigabyte de informação genética, o que encheria dois CD-ROMs. A sequência do DNA em si, contudo, caberia na ponta bem afiada de um lápis.[10]

Se isso parece muito, convém lembrar que equivale apenas ao pico emerso do iceberg, pois as verdadeiras flexibilidade e complexidade consistem em como se organiza e se usa o DNA. As letras do código do DNA — A, C, G e T — podem ser combinadas de várias maneiras singulares, em diferentes "palavras". Ainda mais importante, níveis de organização cada vez mais complexos, inclusive como, onde e quando se reúnem as "palavras", possibilitam o vasto repertório de peculiaridades individuais que nos torna únicos. Como funciona esse processo?

Pense em todas as informações existentes em uma biblioteca que abriga milhares de livros como metáfora do corpo humano, que "abriga" cerca de 20 mil genes. Cada livro nessa biblioteca de DNA contém palavras que compõem períodos. Esses períodos de DNA são os genes. Os períodos, por seu turno, se organizam em parágrafos e capítulos, módulos de genes altamente coordenados, que funcionam juntos, os quais, por sua vez, se organizam em livros, arrumados em seções da biblioteca (tecidos, órgãos etc.). Eis, agora, o componente crítico: a "experiência" total do leitor que visita a biblioteca não é simplesmente a soma de todos os livros lá existentes, dependendo, isto sim, de quando visita a biblioteca, de quem o acompanha, de que seções visita, de que partes da biblioteca estão abertas ou fechadas naquela hora determinada, de que livros retira das prateleiras. Em suma, o que é lido, os genes que atuarão ou não, depende de interações extremamente complexas entre influências biológicas e contextuais. As possibilidades são infindáveis e o papel do ambiente é essencial. Nossa composição genética (isto é, nossa biblioteca) gera um sistema admiravelmente maleável para responder ao ambiente.

O enigma consiste em determinar as propriedades físicas do DNA que possibilitam essa resposta ao ambiente. Ocorre que uma fração relativamente pequena do DNA codifica palavras organizadas em períodos (isto é, os genes). Durante muito tempo, o grosso do DNA que se situa entre esses períodos foi considerado "lixo" não codificado cuja função era um mistério. Trabalhos recentes começam a mostrar que esses longos trechos de DNA não codificado não são de modo algum lixo. Ao contrário, desempenham papel fundamental em como o DNA se exprime. O lixo está cheio de conectores regulatórios críticos que determinam os períodos a serem compostos — e quando, onde e como são compostos — em resposta a pistas oriundas do ambiente. Considerando essas descobertas, Frances Champagne, líder em pesquisas sobre como o ambiente influencia a expressão dos genes, está convencido de que é hora de superar o debate natureza versus educação, em termos de qual dos dois fatores é mais importante, e perguntar, isto sim: "O que os genes fazem realmente? E o que faz o ambiente para mudar o que os genes fazem?".[11]

Em última instância, todos os processos biológicos são influenciados pelo contexto, inclusive o ambiente sociopsicológico. O ambiente inclui tudo, desde o leite materno; passando pelas verduras e gorduras ingeridas e pelas toxinas absorvidas; até as interações sociais, as tensões emocionais, as derrotas, os triunfos, assim como as elações e depressões experimentadas ao longo da vida. E a influência do ambiente ainda é mais forte no começo da vida. Por exemplo, já durante a gestação, o estresse das mães sujeitas à violência dos parceiros pode se transmitir ao feto, tornando os bebês mais vulneráveis a sérios problemas comportamentais, mesmo muito mais tarde na vida.[12] O estresse na infância influencia a expressão genética em muitas crianças, mas, de modo algum, em todas, e tende a acarretar reações defensivas, caracterizadas por aumento da imunidade ou redução da reatividade.[13] Esses resultados sugerem que o meio celular do cérebro do bebê é profundamente influenciado pelo ambiente maternal.

E, o mais notável, as influências ambientais podem até ser anteriores à concepção. Contrariando algumas crenças anteriores sobre hereditariedade, evidências recentes indicam que algumas características não genômicas de nossas células são herdadas.[14] No nível molecular, observa Champagne, isso significa que esses atributos, induzidos pelo ambiente social e físico, podem alterar as características das células que, em última instância, geram a prole. Os detalhes de como isso acontece estão começando a ser descobertos. A mensagem sombria, porém, é que a herança de risco ou resiliência no manejo das interações sociais pode ser transmitida através das gerações. Isso implica que a maneira como adolescentes e adultos conduzem a vida, o que comem, bebem e fumam, e as alegrias e estresses de suas interações e experiências sociais podem moldar, em parte, o que se tornará expresso ou ficará implícito nos genomas da prole.

No primeiro ano de vida, o córtex pré-frontal começa a se desenvolver de maneira essencial para o autocontrole e para a mudança autoinduzida. Na metáfora dos sistemas quente e frio, esse processo marca o advento do sistema frio, que, com o tempo, aos poucos, possibilita o autocontrole. Entre os três e os sete anos, esse desenvolvimento permite que as crianças, cada vez mais, desloquem e concentrem a atenção, regulem e adaptem as emoções e inibam reações indesejadas para perseguir os objetivos almejados com mais eficácia.

Essas mudanças criam condições para que as crianças comecem a regular os próprios sentimentos e reações, à medida que crescem, e a modificar como atua a congenialidade, em vez de se conformarem com a condição de vítimas da hereditariedade. Essa capacidade de se autorregular de maneira a mudar como se expressam as predisposições é captada pela anedota contada por Jerome Kagan, de Harvard, nome de destaque nas pesquisas sobre timidez. Quando a neta dele estava na pré-escola e lutava para superar a timidez, ela lhe pediu que fingisse não conhecê-la para que ela pudesse praticar o combate à timidez, e, com o passar do tempo, a estratégia se revelou eficaz. Pesquisas anteriores de Kagan já haviam deixado claro que, embora certas predisposições, como a timidez, tenham raízes genéticas, também elas são suscetíveis de mudanças. Boas experiências na pré-escola e a capacidade dos cuidadores de superar o excesso de proteção podem ajudar crianças retraídas a serem menos tímidas. A neta de Kagan mostrou ao eminente pesquisador que a criança em si tem condições de ser agente ativo do próprio desenvolvimento e de adotar diferentes métodos para mudar a maneira como se manifestam suas predisposições.[15]

O QUE FAZEM OS ROEDORES

Os roedores, há muito enxotados e exterminados nas casas, são participantes populares de experimentos sobre o papel da natureza e da educação, uma vez que o genoma dos ratos é surpreendentemente parecido com o dos humanos.

Observar o que fazem os ratos e outros roedores pode responder a perguntas sobre comportamentos humanos que não podem ser testados com pessoas. Em 2003, uma equipe de pesquisadores da Universidade Emory, liderada por Thomas Insel e Darlene Francis, usou duas cepas de ratos (BALB e B6) que eram muito diferentes na busca de novidades e nas manifestações de medo. Os ratos BALB são geneticamente tímidos, o que os torna medrosos e os leva a se esconder nos cantos da gaiola. Já os ratos B6 são geneticamente ousados, o que os torna destemidos e propensos a novidades. Os pesquisadores testaram como os ratos geneticamente corajosos e inovadores se comportariam quando colocados em um ambiente com mães retraídas e medrosas. Os ratos geneticamente ousados que conviviam com mães tímidas ficaram mais parecidos com ratos geneticamente tímidos que haviam crescido com as próprias mães tímidas.[16] Daí se extraem duas conclusões claras. Primeiro, a carga genética é um determinante importante do comportamento. Igualmente importante, contudo, é o ambiente materno no começo da vida, que exerce impacto poderoso sobre o funcionamento dos genes.

Em estudo publicado em edição de 1958 do *Canadian Journal of Psychology*, os pesquisadores usaram diferentes grupos de ratos que tinham sido procriados para serem seletivamente "obtusos em labirintos" ou "espertos em labirintos".[17] Ao longo de várias gerações, essa procriação seletiva produziu ratos predispostos a serem estúpidos ou brilhantes em percursos emaranhados. Os cientistas então colocaram esses jovens animais ou em contextos vibrantes, cheios de estímulos setoriais, ou em contextos monótonos e estéreis, basicamente sem estímulos sensoriais. Os ratos obtusos, colocados em ambientes enriquecedores, se tornaram muito mais espertos, e os ratos espertos, colocados em espaços embotadores, ficaram mais obtusos, apresentando declínio significativo no desempenho. O ambiente mudou drasticamente a expressão da capacidade cognitiva que havia sido gerada por meio de procriação seletiva para gerar ratos geneticamente tão estúpidos ou tão brilhantes quanto possível. Esse estudo foi um dos primeiros a demonstrar que a capacidade dos genes depende dos ambientes em que estão atuando.

Mães e outros cuidadores são extremamente diferentes na maneira como educam os jovens, mas não há como manipular ou controlar esses efeitos em experimentos com pessoas. Por conseguinte, mais uma vez se usaram roedores em outro estudo para ver se os estímulos das mães ratas aos filhotes, no começo da vida, alteraram o desenvolvimento da prole. As mães ratas lambem e limpam os filhotes; existem porém diferenças importantes e consistentes na quantidade em que lambem e limpam os seus filhotes. Algumas o fazem com mais frequência que outras, da mesma maneira como certas mães humanas oferecem muito mais estímulo e afeição aos seus bebês que outras. O estudo mostrou que os filhotes de ratos que tiveram a sorte de ter mães que os lambiam e limpavam com mais frequência obtiam grandes benefícios.[18] Saíam-se melhor em tarefas cognitivas e reagiam com menos intensidade ao estresse agudo, em comparação com aqueles cujas mães os lambiam e limpavam menos amiúde.

James R. Flynn, psicólogo neozelandês, descobriu tendência generalizada de aumento do QI não em roedores, mas em nossa própria espécie, nos países industrializados, como Estados Unidos e Reino Unido, com elevação significativa na pontuação, de uma geração para a seguinte.[19] Nas avaliações de inteligência que exigiam soluções de problemas e não dependiam da capacidade verbal e da interpretação de símbolos, constataram-se aumentos médios de quinze pontos por geração. Uma coisa é certa: no período de sessenta anos coberto por esses estudos, as mudanças decerto não se devem à evolução nem podem ser atribuídas a mudanças genéticas na população. São, isto sim, evidências encorajadoras da capacidade do ambiente de influenciar características como inteligência. Mesmo que certos traços, como inteligência, sejam determinados por importantes fatores genéticos, eles também são substancialmente maleáveis. Assim se manifesta James Watson na conclusão: "Predisposição não é predeterminação".[20]

Exemplos convincentes da interação genética e ambiente são oriundos de um estudo na Nova Zelândia, abrangendo mais de mil crianças, desde o nascimento, em 1972, durante trinta anos.[21] Os pesquisadores verificaram se o número de eventos estressantes experimentados ao longo de vinte anos afetou o risco de depressão a longo prazo. Ao mesmo tempo, avaliaram os participantes quanto à variação em um gene que altera o nível de serotonina no cérebro. Mais uma vez, o fator relevante foi a interação genética e ambiente, que determinava a ativação da propensão genética para risco ou resiliência. A depressão se manifestava com mais frequência em pessoas com vulnerabilidade genética *se* elas também fossem expostas a experiências mais estressantes.

SUPERAÇÃO DA "NATUREZA VERSUS EDUCAÇÃO"

Nossos genes influenciam como lidamos com o ambiente. O ambiente afeta que partes de nosso cérebro se expressam ou se omitem. O que fazemos e até que ponto controlamos a atenção a serviço de nossos objetivos tornam-se parte do ambiente que ajudamos a criar, que, por seu turno, nos influencia. Essa influência mútua molda quem somos e o que nos tornamos, desde a saúde física e mental até a qualidade e duração da vida.

Repetindo, as disposições e os padrões de comportamento, inclusive caráter e personalidade, atitudes e até crenças políticas,[22] refletem os efeitos complexos de nossos genes, cujas expressões durante toda a vida são moldadas por vasta gama de fatores ambientais. As disposições são produzidas por interações de influências genéticas e ambientais, em coreografia extremamente complexa, o que significa ser hora de superar a questão natureza ou educação. Conforme concluíram Daniela Kaufer e Darlene Francis (da Universidade da Califórnia, em Berkeley), em 2011, as descobertas de pesquisas avançadas sobre o relacionamento natureza-educação "estão invertendo os pressupostos implícitos sobre o relacionamento genética-ambiente... O ambiente pode ser tão determinístico quanto já acreditamos que só os genes poderiam ser e... o genoma pode ser tão maleável quanto já acreditamos que só o ambiente poderia ser".[23]

Para responder à pergunta de Mr. Brown sobre Joe, com meio século de atraso, as predisposições, na maioria, são congênitas até certo ponto, mas também são flexíveis, com plasticidade e potencial de mudança. O desafio consiste em identificar as condições e os mecanismos que possibilitam a mudança. Acho que Mr. Brown não ficaria satisfeito com essa resposta. O sistema quente dele queria uma resposta rápida, com uma só palavra: burro ou preguiçoso. Quanto mais aprendemos sobre natureza e educação, porém, mais fica claro que os dois fatores atuam em interação constante.

Parte II

Do marshmallow na creche ao dinheiro na poupança

Na Parte I, vimos como as crianças pré-escolares conseguem postergar as recompensas e como as habilidades que possibilitam o autocontrole podem ser cultivadas e reforçadas. Embora grande parte do que torna o autocontrole menos penoso seja congênita, parcela considerável continua aberta ao aprendizado. As habilidades cognitivas e emocionais que tornam possíveis a crianças pré-escolares esperar por uma recompensa maior também as preparam para desenvolver recursos psicológicos, maneiras de pensar e relações sociais que melhoram as chances de alcançar as realizações e as vitórias almejadas. Na Parte II, analiso como esses trabalhos e como a capacidade de retardar a satisfação protegem o eu, ajudando as pessoas a controlar e a regular suas vulnerabilidades pessoais com mais eficácia, a esfriar as respostas impulsivas e a considerar as consequências. Examino a jornada da pré-escola para o resto da vida, dissecando as conexões subjacentes entre os minutos que a criança espera por mais marshmallows na pré-escola e o sucesso no futuro. Se as compreendermos, teremos melhores condições para desenvolvê-las e para orientar nossos filhos e a nós mesmos.

Para começar, é preciso compreender e considerar o sistema quente, aprendendo o que ele tem a ensinar. Ele nos oferece as emoções e os prazeres que nos proporcionam as melhores coisas da vida e possibilitam julgamentos e decisões automáticas que funcionam bem durante algum tempo. No entanto, o sistema quente tem seus custos: sem esforço, faz julgamentos rápidos que, intuitivamente, parecem certos, mas, não raro, nos levam a erros desastrosos. Pode de fato lhe salvar a vida, ao induzi-lo a apertar o freio do carro para evitar uma colisão ou ao levá-lo a procurar abrigo ao ouvir um tiroteio por perto, mas também pode provocar problemas, como ao incitar um policial bem--intencionado a atirar rápido demais em inocentes com aparência suspeita, em becos escuros;[1] ao separar casais apaixonados, por ciúmes ou desconfianças; ou ao empurrar empreendedores superconfiantes a destruir a vida por ganância temerária ou por decisão irrefletida. E seus excessos — as tentações irresistíveis com que nos atrai, os medos horripilantes com que nos assusta, os estereótipos que constrói com o mínimo de informações e as decisões intempestivas que nos leva a tomar com demasiada rapidez — envolvem graves riscos para a saúde, para a riqueza e para o bem-estar. A Parte II explora alguns desses riscos e os recursos disponíveis para controlá-los e talvez até para aprender com eles.

A seleção natural desenvolveu o sistema quente para possibilitar a sobrevivência e a difusão do DNA humano em um mundo darwiniano hostil. Muito mais tarde, porém, no curso da evolução, também criou o sistema frio, que provê o ser humano da capacidade de se comportar com inteligência, imaginação, empatia, antevisão e, vez por outra, com sabedoria. Ele nos permite reavaliar e reinterpretar o significado dos acontecimentos, das situações, das pessoas e da própria vida. A capacidade de pensar de maneira diferente e construtiva pode mudar o impacto dos estímulos e dos eventos sobre o que sentimos, pensamos e fazemos, como demonstraram as crianças pré-escolares na Parte I. Aí reside o potencial de sermos agentes deliberados de nossas ações, de assumirmos responsabilidade, de exercermos controle e de influenciarmos o andamento da vida.

Os mecanismos mentais que possibilitam o autocontrole diante da tentação também desempenham papel crucial nos esforços para regular e esfriar emoções dolorosas, como desgosto e rejeição. Esses mecanismos são apoiados pelo sistema imunitário psicológico, que atua com eficácia para proteger a autoestima, para reduzir o estresse e para proporcionar o bem-estar — ou para pelo menos evitar o mal-estar — durante boa parte do tempo. Em geral, ele nos leva a nos enxergar através de lentes cor-de-rosa, que afastam a depressão. Remover essas lentes gera abatimento; usá-las o tempo todo provoca otimismo ilusório e ousadia excessiva. Se recorrermos ao sistema frio para monitorar e corrigir as distorções provocadas pelas lentes cor-de-rosa, talvez sejamos capazes de evitar a arrogância e alguns dos riscos do excesso de autoconfiança, nos beneficiando, assim, das imunidades psicológicas que nos resguardam da prostração e nos ajudam a desenvolver o senso de agência e de eficácia na vida, gerando expectativas otimistas que, por seu turno, reduzem o estresse e sustentam a saúde mental e física. Examino como esses processos se desdobram e como podem ser explorados pelo sistema frio para melhorar a vida.

Os conceitos ocidentais sobre traços individuais e natureza humana há muito tempo assumem que o autocontrole e a capacidade de retardar a satisfação caracterizam os indivíduos de maneira consistente e se manifestam nos seus comportamentos em muitas situações e contextos. Daí o choque e a surpresa que se verifica na mídia sempre que o mundo toma conhecimento de mais um líder famoso, celebridade internacional ou pilar da sociedade cuja vida oculta se expôs, revelando o que parece ser erro de julgamento grosseiro e falta de autocontrole crassa. Essas pessoas deveriam ser capazes de esperar pelos marshmallows e postergar a recompensa em muitas situações — do contrário não teriam alcançado sucesso tão notável. Por que será, então, que indivíduos inteligentes agem com tamanha estupidez, destruindo a vida que construíram com tanta diligência? O que os leva a tal insensatez? Para responder a essa pergunta, investigo em minúcia o que as pessoas realmente fazem, não só o que dizem, em diferentes situações, ao longo do tempo. Há consistência na expressão de traços como consciência, honestidade, agressão e sociabilidade. Trata-se, porém, de consistência contextualizada em tipos específicos de situações: Henry é sempre consciente, *se* no trabalho, mas não *se* em casa; Liz é calorosa e amistosa, *se* com amigos próximos, mas não *se* numa grande festa; o governador é confiável, *se* estiver lidando com o orçamento do Estado, mas não *se* estiver cercado de secretárias atraentes. Em consequência, é preciso considerar as situações particulares em que as pessoas são ou não são conscientes, sociáveis e assim por diante se quisermos compreender e predizer o que tenderão a fazer no futuro.

As últimas décadas de descobertas, sobretudo em neurociência cognitiva social, em genética e em ciência do desenvolvimento humano, abriram novas janelas para o funcionamento da mente e do cérebro — e revelaram que o autocontrole, a reavaliação cognitiva e a regulação das emoções são atores centrais na história de quem somos. E até converteram jovens filósofos em experimentalistas, testando novas ideias sobre a natureza humana no mundo real — não só sobre quem somos, mas também sobre quem podemos vir a ser. As situações e habilidades que nos permitem tomar a iniciativa, exercer o controle e fazer escolhas esclarecidas não são de modo algum ilimitadas, mas sim delimitadas pelas formidáveis restrições da vida, em um mundo em grande parte imprevisível, no qual boa e má sorte, assim como nossas histórias sociais e biológicas, além de nossos atuais contextos e relacionamentos, fazem suas contribuições e limitam nossas opções. As habilidades de autocontrole que desenvolvemos, no entanto, podem fazer diferença substancial se usarmos o sistema frio com flexibilidade e discriminação, não permitindo que ele se torne rígido nem admitindo que ele esprema o poder e a vitalidade do sistema quente.

O que impulsiona o sistema frio é o córtex pré-frontal, como enfatizei na Parte I, que possibilita o controle da atenção, a imaginação, o planejamento e o raciocínio necessários para resolver problemas e exercer esforço e autocontrole, para a realização de objetivos de longo prazo, permitindo às crianças pré-escolares, por exemplo, esperar por mais guloseimas. As mesmas estratégias continuam atuando ao longo da vida — só as tentações é que mudam. Como e por que elas são eficazes e como podem fazer diferença na vida é o tema da Parte II.

8. O motor do sucesso: "Acho que posso!"

A Parte I nos deixou com uma pergunta sem resposta: como interpretar as correlações entre quanto tempo a criança espera pelas guloseimas maiores e como sua vida se desenrola no futuro? Este capítulo desvenda as conexões, para mostrar como a capacidade de exercer voluntariamente a autocontenção em busca de um objetivo quente no começo da vida proporciona à criança vantagem poderosa que pode ajudá-la a alcançar o sucesso e a maximizar a autorrealização ao longo da vida. Embora seja fator essencial para a qualidade da vida, o autocontrole não atua isoladamente: o motor do sucesso é impulsionado por outros recursos que protegem a pessoa contra os efeitos negativos do estresse e fornecem os fundamentos a serem cultivados e alimentados. Neste capítulo, examino esses recursos e como funcionam. Começo com George, cuja jovem vida ilustra a pesquisa.

UMA VIDA QUE FOI SALVA: GEORGE

Longe do mundo privilegiado da Sala de Surpresas da Bing Nursery School da Universidade Stanford, George Ramirez[1] (o nome real foi usado com permissão) cresceu em uma das áreas mais pobres de South Bronx, em Nova York. George nasceu em 1993, no Equador, onde o pai trabalhava num banco, e a mãe, numa biblioteca. Quando tinha cinco anos, a economia "desandou" e ele, a irmã mais velha e os pais emigraram para South Bronx com pouco dinheiro. A família vivia toda num quarto, e George foi matriculado numa escola pública, a quatro quarteirões de distância. Conheci-o quando ele tinha dezenove anos e conversamos sobre as primeiras experiências dele lá:

Eu não falava inglês. Colocaram-me numa turma bilíngue. Minha professora era boa, mas tudo era muito confuso. Pessoas correndo de um lado para o outro, muita gritaria, adultos berrando, uma confusão total, empurrões, ordens, ameaças, instruções... me meti em algumas brigas, e a toda hora era cercado por adultos que direta ou indiretamente diziam para mim e para meus colegas que não chegaríamos a lugar algum. "Por que eu ainda faria força para tentar?" Ainda me lembro da professora da segunda série gritando para a turma bagunceira. "Acho difícil que vocês venham a ser alguma coisa na vida." [...] E tudo continuou igual durante quatro anos.

Quando George tinha nove anos, a família ganhou na loteria e o matriculou na KIPP, o Knowledge Is Power Program, uma escola charter* que descrevo com mais detalhes na Parte III, e isso, diz ele, "salvou a minha vida".

Conheci George em 2013, quando ele voltou como voluntário à KIPP, na condição de ex-aluno, ajudando jovens estudantes a extrair o máximo da experiência. Referindo-se à escola pública que havia frequentado, que se situava no mesmo prédio, três andares abaixo, ele observou: "Não tenho dúvida de que eles se esforçam, mas tudo continua na mesma". Vez por outra, nos corredores da KIPP, ouvia-se a bagunça da escola pública. Não visitei aqueles andares, mas a descrição de George coincide com minhas impressões de outra escola pública de ensino médio de South Bronx, nas imediações, onde meus alunos e eu tínhamos feito pesquisas poucos anos antes.

Perguntei a George como a KIPP o "salvara":

A primeira vez que entrei na KIPP foi a primeira vez que alguém acreditou em mim. Meus pais me encorajavam, mas na medida como pais sem conhecimento podem fazê-lo; a KIPP me incentivava com conhecimento e me dizia: "Acreditamos em você, vamos trabalhar juntos! E aqui estão os recursos". A longa jornada, a orquestra, o foco no caráter e na preparação para a faculdade, o "amor disciplinado", e as expectativas positivas. "*Todos* vocês vão para a faculdade!" Isso é demonstrar zelo com muita honestidade. Se você comete um erro e faz alguma coisa que não contribui para a sua inteligência, eles mostram o que é preciso fazer, e você sabe que eles agem assim porque se importam com os alunos.

---

* As escolas charter americanas são financiadas com dinheiro público, mas geridas por instituições privadas. (N. E.)

George acredita que a maneira mais importante como a KIPP mudou a vida dele foi mostrando que o comportamento dele tinha consequências:

Pela primeira vez na vida, eu tinha expectativas reais das consequências. Eu nunca tinha estado em um lugar onde me dissessem o que queriam de mim — sem gritar. E o que queriam era para meu próprio bem, e de todos os outros alunos. E não faltaram muitos outros reforços positivos para que eu acertasse, e para tudo de bom que eu fiz. Quando você faz as coisas certas, as coisas certas acontecem. Quando você faz as coisas erradas, as coisas erradas acontecem.

E George aprendeu com rapidez quais eram as consequências: "Em um ano, generalizei essa regra para a vida fora da escola. Se sou educado com os outros, os outros são educados comigo. Em geral, mas nem sempre, isso funciona no mundo real. Logo você passa a aplicar a regra das 'consequências de minhas ações' daqui para todos os lugares".

Quando entrou na KIPP, em 2003, George não era mau aluno, mas era esquentado, grosseiro e sempre quieto. "Quando eu não conseguia o que queria, ficava chateado, mal-humorado, descontrolado, e achava tudo engraçado na hora errada — ria quando as pessoas eram inoportunas." Teve problema no primeiro dia na KIPP e ficou chocado quando lhe disseram para se sentar no fundo da sala por desrespeitar a professora de matemática. Espantou-se ainda mais quando o dever de casa que lhe passaram foi totalmente verificado no dia seguinte, algo que, diz ele, nunca tinha acontecido na escola pública.

George atribui grande parte do sucesso na escola ao trabalho árduo. Os dias na KIPP eram longos: chegava na escola às 7h45 e só voltava para casa às cinco da tarde ou, às vezes, às dez da noite. Em casa, dedicava algumas horas aos trabalhos escolares. Também ia para a escola aos sábados e, no verão, durante algumas semanas. Minha avó teria gostado dele. Como ela dizia a todo mundo, os ingredientes mágicos para o sucesso na vida são o que denominava *sitzfleisch*, ou seja, sentar a bunda e esforçar-se no trabalho. O foco de minha avó nessa regra foi reiterado muito tempo depois por Bruce Springsteen, roqueiro, compositor e performista, que parece personificar as qualidades de uma vida vibrante e realizada em plenitude. Nascido em 1949, Springsteen continua a atuar com brilhantismo, empolgando a multidão de fãs. Fez apresentações históricas no National Constitution Center e no Rock and Roll Hall of Fame Museum. Ao lhe perguntarem antes de uma apresentação quais eram as qualidades que o haviam transformado em artista e performista daquele nível, ele respondeu: "Provavelmente trabalhei com mais afinco que qualquer outra pessoa que conheço".[2]

Quando escrevi esta página, George estava muito bem, dedicando-se ao bacharelado, com bolsa de estudos integral na Universidade Yale. Perguntei-lhe onde achava que estaria se não tivesse ganhado na loteria, o que lhe permitiu a matrícula na KIPP. "Sem a KIPP, eu certamente estaria perambulando pelas ruas, à procura de emprego", respondeu. Qual teria sido a causa básica daquela transformação, de garoto sem rumo, aos nove anos, a aluno de graduação de Yale? "Aprender a ter autocontrole, a ser honesto, a ser gentil com os colegas, a ser educado, a nunca me satisfazer com o que tenho e a fazer perguntas importantes foram fatores que contribuíram para o meu sucesso na KIPP e na vida."

Quando me perguntam: "Não estaria o futuro codificado e perceptível na criança desde o começo? Não é isso o que dizem os estudos do marshmallow?", minha resposta é a vida de George. Ele, sem dúvida, tinha ótima genética e grande potencial, mas, como ele mesmo enfatiza, de modo algum a vida dele teria dado aquela virada caso não tivesse sido "salva" pela KIPP. Qualquer que fosse a genética, ele não estava no caminho de Yale. A experiência da KIPP e também o apoio, os conhecimentos, os recursos e as oportunidades de que lá desfrutou permitiram que escapasse da deriva e encontrasse o caminho certo.

George, porém, não teria lucrado tanto com esse tipo de programa se não tivesse trabalhado com afinco a partir dos nove anos. Não foi só George como tampouco foi apenas o mundo de mentores, modelos, recursos e oportunidades que a KIPP lhe proporcionou. Foram a natureza e a educação, não em oposição, mas em interação uma com a outra, influenciando-se reciprocamente, à medida que as fronteiras perdiam a nitidez. A maneira como interagimos com esse mundo de oportunidades e ameaças é o motor da vida. O pensamento não tão animador é que George precisou ganhar na loteria para ter alguma chance.

Quando George chegou ao South Bronx, aos cinco anos, em novo país, com nova língua, talvez ele estivesse pronto para desenvolver uma visão de mundo: "Acho que posso!". A primeira escola pública deveria tê-lo ajudado a identificar, a alimentar e a educar seus talentos, a se preparar para o aprendizado posterior. Em vez disso, ela o lançou numa "selva" confusa, como George a qualificou.

Felizmente, ele atribuiu o estado de confusão e o senso de perdição à escola e às circunstâncias, não a si próprio. Mesmo depois de quatro anos de caos, ele ainda sentia que "não era mau aluno". Reconhecia que tinha pavio curto e que era grosseiro, mas não parecia questionar sua capacidade de aprender.

FUNÇÃO EXECUTIVA: AS HABILIDADES DA MAESTRIA

George Ramirez não fez o Teste do Marshmallow aos quatro anos, mas a jornada dele, do South Bronx para a Universidade Yale, demonstra que tinha as habilidades cognitivas que são avaliadas pelo experimento: o sistema frio funcionava bem, permitindo-lhe controlar as tendências impulsivas e as reações quentes, usando para tanto uma parte do sistema frio denominada função executiva (FE), composta das habilidades cognitivas que nos permitem exercer controle consciente e deliberado de pensamentos, impulsos, ações e emoções.[3] A FE nos possibilita inibir e esfriar as urgências impulsivas e a pensar e concentrar a atenção com flexibilidade, de maneira a perseguir e a alcançar os objetivos. Esse conjunto de habilidades e mecanismos neurais é essencial para o sucesso na vida.

As crianças da pré-escola e do jardim de infância que esperaram pelos marshmallows e biscoitos mostraram o que é e como funciona a FE, revelando o que faziam para não tocar a campainha nem mordiscar as guloseimas. Lembre-se de Inez, por exemplo, que olhava para os biscoitos, lembrava-se do objetivo e rapidamente se distraía para reduzir a tentação. Começou então a inventar pequenos jogos, em que mexia com si mesma para se divertir. Brincava com a campainha, tendo o cuidado de não fazê-la soar; impunha-se silêncio, com os dedos pressionados contra os lábios, como que dizendo "não, não" a si mesma; expressava autossatisfação e autocongratulação com o desempenho; e persistia até alcançar o objetivo.

Cada criança bem-sucedida tinha um método próprio de autocontrole, mas todas compartilhavam três atributos da FE:[4] em primeiro lugar, lembravam-se a todo instante dos objetivos escolhidos e da contingência ("Se eu comer um agora, não recebo dois depois"). Segundo, monitoravam o avanço rumo ao objetivo e faziam as correções necessárias, deslocando a atenção e a cognição com flexibilidade entre pensamentos voltados para o objetivo e técnicas de redução da tentação. Terceiro, inibiam as respostas impulsivas — como pensar em como as tentações eram fortes ou esticar a mão para tocá-las —, o que impediria que realizassem o objetivo. Hoje, os cientistas cognitivos podem ver como esses três processos se desenvolvem no cérebro por meio de imagens de ressonância magnética de pessoas que estão tentando resistir a tentações, mostrando a rede de controle da atenção no córtex pré-frontal, que possibilita feitos humanos notáveis.[5]

A FE nos capacita para o planejamento, para a solução de problemas e para a flexibilidade mental, e é essencial para o raciocínio verbal e para o sucesso na escola.[6] As crianças cuja FE é bem desenvolvida são capazes de inibir as respostas impulsivas, lembrar-se das instruções e controlar a atenção quando estão em busca de objetivos. Não admira que essas crianças se saiam melhor nos anos de pré-escola em matemática, linguagem e testes de alfabetização que os pares com FE mais fraca.[7]

À medida que se aprimora a função executiva, também se desenvolvem as regiões do cérebro que ativam essas habilidades, sobretudo no córtex pré-frontal. Como demonstraram, em 2006, Michael Posner e Mary Rothbart, os circuitos que contribuem para a FE estão interconectados estreitamente com as estruturas cerebrais mais primitivas, que regulam o desenvolvimento das reações da criança ao estresse e às ameaças, no sistema quente.[8] Essas interconexões neurais coesas explicam por que a exposição duradoura a ameaças e a estresse comprometem o fortalecimento da FE. No sentido oposto, porém, a FE bem desenvolvida ajuda a regular as emoções negativas e a reduzir o estresse.

O comprometimento grave da FE limita nossas perspectivas. Sem FE, é impossível controlar as emoções adequadamente e inibir respostas impulsivas interferentes. As crianças precisam da FE para resistir a tentações que vão além dos marshmallows — como para se conter para não agredir outra que acidentalmente derramou suco em seus sapatos novos. Quando carecem de FE, as crianças têm dificuldade em seguir instruções e são propensas a confrontos agressivos com adultos e colegas, o que torna comuns os problemas na escola.[9] Mesmo aquelas que são predispostas para a agressão não demonstram tanta agressividade quando capazes de se distrair e se esfriar (ver capítulo 15). Essas habilidades ajudam as crianças não só a retardar a satisfação, mas também a controlar a raiva e outros impulsos negativos quentes.[10]

As crianças pré-escolares precisam da FE quando enfrentam tarefas quentes, como o Teste do Marshmallow, ou quando a mãe sai da sala. No entanto, até as tarefas aparentemente frias podem exigir FE. Por exemplo, atividade ostensivamente fria, como aprender aritmética na escola, pode ficar quente com facilidade quando o medo do fracasso e a ansiedade do desempenho ativam o sistema quente e atenuam o frio, aumentando o estresse e comprometendo o aprendizado. E o que é quente para alguém pode ser frio para outrem. Pessoas com boa FE para um tipo de desafio podem ter mais dificuldade em enfrentar outros. Algumas crianças são excelentes na sala de aula, mas perdem o controle quando situações interpessoais ativam seus pontos quentes. Outras demonstram o padrão contrário: embora sejam frias em situações interpessoais, tornam-se estressadas e perdem o controle cognitivo em situações escolares que exigem concentração e esforço intensos.[11]

As crianças que desenvolvem boa FE na pré-escola desfrutam de melhores condições para lidar com o estresse e com os conflitos provocados por tentações viscerais quentes. As mesmas habilidades, em geral, também as ajudam quando estão aprendendo linguagem e aritmética. Por outro lado, as crianças pré-escolares que não desenvolvem satisfatoriamente a FE, o que acontece com muita frequência, ficam mais sujeitas a TDAH e a vários outros problemas discentes e emocionais durante toda a vida escolar.

FÉ, IMAGINAÇÃO, EMPATIA – VIAS DE ACESSO À MENTE ALHEIA

Como a FE exige controle cognitivo sobre nossos pensamentos e sentimentos, é fácil supor que ela seja a antítese dos processos criativos e imaginativos. Na verdade, porém, o provável é que atue como fator essencial para o desenvolvimento da imaginação e das atividades criativas, inclusive para as brincadeiras de faz de conta no começo da vida. A FE nos permite ir além da situação imediata e do aqui e agora para pensar e fantasiar "fora da caixa" ou imaginar o impossível. Ao facilitar a imaginação, a FE, por outro lado, favorece o desenvolvimento do autocontrole flexível e adaptativo.[12] Do mesmo modo, a FE se associa intensamente à capacidade de compreender os pensamentos e os sentimentos alheios e ajuda as crianças a desenvolver uma "teoria da mente"[13] para inferir as intenções e antever as reações das pessoas com quem interagem. A FE também nos permite interpretar e considerar os sentimentos, as motivações e as atitudes dos outros e reconhecer que essas percepções e reações podem ser muito diferentes das nossas. Ela ajuda a intuição das ideias e intenções dos outros e facilita a empatia com as experiências e sentimentos alheios.

Nossa teoria da mente talvez se relacione com os "neurônios espelhos", que Giacomo Rizzolatti descobriu em macacos. Embora tenhamos em comum esses neurônios com os macacos, somos muito mais empáticos que os símios, e essa diferença é um componente fundamental que nos torna humanos. Ainda se discute o papel dos neurônios espelhos humanos, mas eles parecem ser parte das estruturas neurais que nos permitem experimentar uma versão mais branda do que os outros estão pensando e sentindo. Esses espelhos mentais nos levam a sorrir quando alguém sorri amigavelmente para nós. Também nos amedrontam quando outras pessoas estão assustadas e nos levam a sentir dor ou alegria quando detectamos esses sentimentos em outras pessoas. Como disse Rizzolatti, esses espelhos nos possibilitam "apreender a mente alheia, não pelo raciocínio conceitual, mas pela simulação direta. Sentindo, em vez de pensando".[14] São fundamentais para nosso funcionamento e sobrevivência como criaturas sociais interdependentes que vivem juntas em sociedade.

AS CRENÇAS INVEJÁVEIS

As crianças com FE bem desenvolvida no começo da vida têm melhores chances de construir o futuro almejado por contarem com as fundações sobre as quais constroem crenças correlatas sobre si mesmas, que devem encabeçar nossa lista de desejos para as pessoas que amamos: senso de controle pessoal ou de maestria, que se reflete na mentalidade "Acho que posso!", e expectativas otimistas sobre a vida. É importante compreender que esses recursos "invejáveis" são as *crenças* do indivíduo sobre o próprio eu, não avaliações externas ou testes objetivos de realizações ou competências. Da mesma maneira como os efeitos negativos do estresse dependem da *percepção* de estresse pelo indivíduo e como o impacto das tentações depende de como são avaliadas e mentalmente representadas, também os benefícios potenciais para a saúde, decorrentes de nossas capacidades, realizações e perspectivas, são consequências de como as interpretamos e avaliamos.[15] Pense em pessoas que você conhece, altamente competentes, que se sabotam com autoavaliações negativas e com autoquestionamentos paralisantes. Embora as crenças sobre o eu se correlacionem com medidas objetivas de competência e maestria, essa correlação não é de modo algum perfeita.

As evidências impressionantes sobre a importância dessas crenças para o enfrentamento bem-sucedido de situações difíceis, em termos biológicos e psicológicos, continuam crescendo. Shelley Taylor, pioneira no campo da psicologia da saúde e professora da Universidade da Califórnia, em Los Angeles, e sua equipe mostraram que o senso de maestria e as expectativas otimistas atenuam os efeitos deletérios do estresse e predizem muitos dos resultados neurofisiológicos e psicológicos desejáveis relacionados com a saúde. Conforme Taylor e seus colegas relataram em 2011, no *Proceedings of the National Academy of Sciences*, cada crença tem componente genético substancial, mas também está aberta a modificações e influências pelas condições ambientais.[16] Considerando a importância dessas crenças para a qualidade e a duração da vida, analiso em seguida cada uma delas mais detidamente.

MAESTRIA: PERCEPÇÃO DE CONTROLE

"Maestria" é a crença de que você pode ser agente ativo na determinação do próprio comportamento, de que você é capaz de mudar, crescer, aprender e superar novos desafios.[17] É a crença "Acho que posso!", que a KIPP incutiu em George Ramirez, segundo ele próprio, e que mudou sua vida. Constatei pela primeira vez a importância dessa crença quando era estagiário do programa de doutorado em psicologia clínica da Universidade Estadual de Ohio e observava meu mentor, George A. Kelly, no trabalho com uma jovem mulher muito angustiada. "Theresa" estava ficando cada vez mais transtornada e ansiosa, sentindo que não conseguia mais cuidar da própria vida. Na terceira sessão de terapia, a agitação dela parecia ter chegado ao pico ao exclamar, em lágrimas, que receava estar perdendo o controle, para, em seguida, implorar ao dr. Kelly que respondesse à pergunta: "Será que eu estou desmoronando?".

Kelly lentamente tirou os óculos, aproximou o rosto do dela, olhou-a direto nos olhos e perguntou: "Você gostaria?".

Theresa ficou perplexa. Parecia imensamente aliviada, como se tivesse retirado dos ombros uma carga enorme. Jamais lhe ocorrera que tivesse o poder de mudar o que sentia. De repente, "desmoronar" era uma escolha, não um destino inevitável. Ela não precisava ser vítima passiva da própria biografia, apenas observando a vida passar por ela. Foi o seu momento de "Eureca!", que a induziu a buscar maneiras alternativas e mais construtivas de pensar sobre si mesma e de abrir cursos de ação que até então não havia considerado, porque os julgava impossíveis.

Carol Dweck, minha colega durante muitos anos na Universidade Columbia (hoje membro da Universidade Stanford), tornou-se uma das vozes mais vigorosas e persuasivas em psicologia, em crenças de percepção de controle ou maestria. O trabalho dela, resumido em seu livro *Por que algumas pessoas fazem sucesso e outras não*,[18] de 2006, mostra como as teorias pessoais de cada um sobre o quanto são capazes de controlar, mudar e aprender — e até que ponto podem melhorar o que fazem e experimentam e a maneira como fazem escolhas — influenciam o que realmente conseguem e no que se tornam. Dweck e colegas demonstram que essas teorias pessoais sobre a maleabilidade ou rigidez dessas características são muito importantes para o autocontrole e a força de vontade, para a inteligência, o estado mental e a personalidade. Essas teorias mudam a maneira como avaliamos nosso desempenho, como julgamos a nós mesmos e a outras pessoas, e como o contexto social, por seu turno, reage às nossas atitudes e comportamentos.

Desde cedo na vida, algumas crianças encaram a inteligência, a capacidade de controlar o mundo circundante, a sociabilidade e outras características não como essências imutáveis, com que foram abençoadas ou condenadas desde o nascimento, mas como qualidades flexíveis, como a musculatura e as habilidades cognitivas, a serem cultivadas e desenvolvidas. Dweck chama essas crianças de "teóricas do crescimento incremental". Outras crianças veem suas habilidades como se estivessem congeladas, desde o nascimento, em algum nível fixo, que não podem mudar: esperto ou burro, bom ou mau, poderoso ou fraco. São as "teóricas da entidade". Felizmente, Dweck vai além de mostrar a importância dessas mentalidades. Também deixa claro que essas maneiras de pensar estão abertas a mudanças e mostra muitas maneiras de repensá-las e de modificá-las.

Dweck salienta que as crianças aferradas à teoria da entidade sobre as próprias habilidades tendem a enfrentar grandes dificuldades à medida que os trabalhos escolares ficam mais complexos. Esses desafios são ainda mais impactantes na transição do ensino fundamental para o ensino médio, nos Estados Unidos, quando muitas escolas, de repente, passam a adotar critérios de avaliação competitivos em lugar das atitudes motivadoras. A experiência na escola deixa de ser divertida e fácil para tornar-se exigente e árdua, com deveres de casa longos e difíceis, além de colegas competitivos. Dweck descobriu que, sob alta pressão e risco de fracasso no novo ambiente escolar, as notas dos alunos que viam suas habilidades como fixas — os teóricos da entidade — logo começavam a diminuir, piorando cada vez mais ao longo dos dois anos subsequentes do ensino médio. Já os alunos com mentalidade de crescimento, em contraste, conseguiam notas cada vez melhores nesses mesmos dois anos. Ao passarem para o ensino médio, não era fácil diferenciar os históricos escolares dos dois grupos. No fim do curso, as diferenças eram óbvias.

Os alunos com mentalidade fixa, para justificar as dificuldades que enfrentavam com as novas demandas escolares, denegriam as próprias habilidades: "Sou péssimo em matemática", "Sou muito burro" — ou culpavam os professores — "A professora está louca".[19] Já os alunos com mentalidade de crescimento, para reagir ao sufoco que às vezes também sentiam em consequência das novas exigências, preparavam-se para a luta, buscando o necessário para dominar a nova situação, e conseguiam.

No nível da pré-escola, a crença "Acho que posso!" é captada pela história clássica *A pequena locomotiva*: um trem cheio de brinquedos e guloseimas para meninos e meninas enguiça ao tentar subir o último trecho, o mais íngreme, da montanha.[20] Um novo trem de passageiros, um possante trem de carga e um velho trem local passam pela composição parada, mas não a socorrem. Finalmente, chega a valente Pequena Locomotiva Azul, que luta e resfolega, entoando o lema da "mentalidade do crescimento" — "Acho que posso, acho que posso, acho que posso" —, até conseguir puxar o trem e entregar os presentes para as crianças, que os esperavam ansiosas, no outro lado da montanha.

Em 1974, em Stanford, meus alunos e eu desenvolvemos uma escala para avaliar como as crianças pré-escolares percebiam as causas dos próprios comportamentos: as crianças se consideravam agentes das coisas boas que aconteciam ou atribuíam esses eventos afortunados a fatores externos? E essas diferenças na atribuição causal associavam-se ao autocontrole das crianças e como se desenvolviam as duas interpretações? Para avaliar onde se situavam as crianças nessa escala de percepção de "controle interno ou externo do comportamento",[21] fizemos-lhes perguntas como as seguintes:

Quando você completa o desenho sem quebrar o lápis, é porque você foi cuidadoso ou porque o lápis era bom?

Quando alguém lhe dá um presente, é porque você é boa menina ou bom menino ou porque a pessoa gosta de dar presentes?

Analisamos, então, como as respostas das crianças a essas perguntas se relacionavam com seus comportamentos, que também eram avaliados em outras situações que exigiam autocontrole. A conclusão desses estudos foi que até a crença de crianças pré-escolares de poderem controlar os resultados por meio dos próprios comportamentos se relacionava significativamente com a intensidade do esforço, com a duração da persistência e com a capacidade de autocontrole. Quanto mais as crianças se consideravam agentes dos resultados positivos, maior era a probabilidade de que retardassem a satisfação no Teste do Marshmallow, de que controlassem as tendências impulsivas e de que persistissem em diferentes situações, nas quais o próprio comportamento fosse fundamental para alcançar o resultado almejado. Acreditavam que podiam fazê-lo e o faziam.

A autopercepção das crianças como alguém que *pode* — capaz de se esforçar, de persistir e de ser agente causal de resultados positivos — é fomentada pelas habilidades de autocontrole que as ajudam a alcançar o sucesso.[22] Percebiam-se essas características no orgulho que algumas crianças pré-escolares expressaram na Sala de Surpresas de Stanford, quando, em vez de apenas devorar as guloseimas pelas quais conseguiram esperar, preferiram ensacá-las e levá-las para casa, para mostrá-las aos pais como troféus. Quanto maior é a eficácia com que as crianças esperam e trabalham pelas guloseimas maiores no começo da vida e quanto melhores são as habilidades cognitivas e emocionais que possibilitam esses triunfos, mais elas cultivam o senso de "Sim, eu posso!" e se preparam para novos e maiores desafios. Com o passar do tempo, as experiências de maestria e as novas habilidades que adquirem — como tocar violino, construir impérios de Lego ou inventar novos aplicativos para computadores — tornam-

-se recompensas intrínsecas, em que a atividade em si é prazerosa. O senso de eficácia e de controle da criança se fundamenta em suas experiências de sucesso e gera expectativas e aspirações otimistas, embora realistas, à medida que cada sucesso aumenta as chances do próximo.[23]

OTIMISMO: EXPECTATIVAS DE SUCESSO

Otimismo é a inclinação para antever o melhor resultado possível. Os psicólogos o definem como a extensão em que as pessoas têm expectativas favoráveis sobre o futuro. São expectativas do que de fato acreditam que acontecerá — mais como fé que apenas esperança — e se relacionam estreitamente com a mentalidade "Acho que posso!". As consequências positivas do otimismo são espantosas a ponto de serem inacreditáveis se não fossem comprovadas por pesquisas. Por exemplo, Shelley Taylor e colegas mostraram que os otimistas enfrentam com mais eficácia o estresse e se protegem melhor contra seus efeitos adversos.[24] Tomam mais iniciativas para proteger a saúde e o bem-estar futuro, mantêm-se, em geral, mais saudáveis e são menos propensos à depressão em comparação com os menos otimistas. O psicólogo Charles Carver e seus colegas mostraram que, em cirurgias cardíacas, os otimistas se recuperam com mais rapidez do que os pessimistas.[25] A lista de benefícios prossegue. Em suma, o otimismo é uma bênção a se almejar, desde que seja razoavelmente realista.

Para avaliar o otimismo e ver por que e como ele funciona para os otimistas, considere o oposto: o pessimismo. O pessimismo é a tendência de concentrar-se no negativo, de esperar o pior ou de fazer as interpretações mais sombrias possíveis. Mostre a um pessimista deprimido uma frase como "Realmente odeio", seguida de um espaço em branco, no qual inserir a primeira ideia que vier a mente, e ele provavelmente o preencherá com "eu" ou "minha aparência" ou "a maneira como falo".[26] Os pessimistas contumazes se sentem desamparados, deprimidos e incapazes de controlar a própria vida. Atribuem as coisas más que lhes acontecem às próprias qualidades negativas, em vez de se abrirem a explicações mais situacionais e menos autocondenatórias.[27] Falham num teste e pensam: "Sou incompetente", mesmo que o teste não seja indicador válido de qualquer coisa importante. Explicações mais tolerantes — referentes ao teste em si (instruções confusas, escolhas ambíguas, tempo insuficiente) ou problemas pessoais (indisposição gástrica) — não ocorrem aos pessimistas, mesmo que sejam verdadeiras.

No começo da vida, o extremismo dessas explicações pessimistas pode ser indicador negativo quanto ao futuro e pode aumentar a probabilidade de depressão grave.[28] Christopher Peterson e Martin Seligman, da Universidade da Pensilvânia, pediram a pós-graduados saudáveis, de 25 anos, para descrever algumas de suas experiências pessoais difíceis e analisaram, então, como eles as explicavam. Os pessimistas acreditavam que as coisas jamais melhorariam ("Isso nunca acabará para mim") e fizeram amplas generalizações de cada evento para chegar a conclusões sombrias sobre diversos aspectos da vida, culpando-se por tudo o que fosse negativo. Exames médicos e avaliações de saúde subsequentes de todos os participantes, para acompanhamento, nos vinte anos seguintes, não mostraram diferenças de saúde significativas. Entre os 45 e os sessenta anos, porém, os que haviam sido mais pessimistas aos 25 anos eram mais propensos a doenças. Os pesquisadores também analisaram entrevistas em jornais, com jogadores do Baseball Hall of Fame, publicadas durante toda a primeira metade do século passado. As entrevistas citavam as explicações dos jogadores de como e por que ganhavam ou perdiam os jogos. Todos os jogadores eram bastante bons para estarem no Hall of Fame, mas os que atribuíam as derrotas a falhas pessoais e as vitórias a causas externas momentâneas (por exemplo, "O vento estava bom naquela tarde") tendiam a não viver tanto quanto os que assumiam os méritos pelo sucesso.[29]

Seligman conduziu grande parte da pesquisa com base em estilos explanatórios otimistas versus pessimistas. Propôs que os otimistas diferem dos pessimistas pela maneira como percebem e explicam seus sucessos e fracassos. Quando fracassam, os otimistas acham que poderão ser bem-sucedidos na próxima vez se mudarem o comportamento ou a situação de forma adequada. Usam as experiências de rejeição, os fracassos em entrevistas de emprego, os maus investimentos e as reprovações em testes para descobrir o que precisam fazer a fim de melhorar suas chances na próxima tentativa. Elaboram, então, planos alternativos e descobrem outras maneiras de realizar seus objetivos importantes ou procuram ajuda para desenvolver estratégias mais eficazes. Enquanto os otimistas lidam com o fracasso de maneira construtiva, os pessimistas usam as mesmas experiências para confirmar suas expectativas sombrias, assumindo a culpa, e depois tentam esquecer o assunto, presumindo que não há nada a fazer.[30] Diz Seligman: "Os exames de admissão nas faculdades medem o talento, enquanto o estilo explanatório diz quem desiste. É a combinação de talento razoável e capacidade de prosseguir em face de derrotas que leva ao sucesso... O que é preciso saber sobre as pessoas é se persistirão quando as coisas não derem certo".[31]

Essa é uma descrição igualmente apropriada das crianças pré-escolares que continuaram a esperar durante o Teste do Marshmallow. O tempo de espera não só mede a capacidade de retardar a satisfação, mas também indica a garra da criança e o quanto são persistentes à medida que aumentam a frustração da espera e a necessidade de obstinação. Como os otimistas se caracterizam por expectativas de sucesso mais altas, também são mais propensos a retardar a satisfação, mesmo diante das maiores dificuldades. Sem a expectativa de serem bem-sucedidas e de conseguirem mais marshmallows depois, quando o experimentador voltar, as crianças não terão motivos para aguardar e se esforçar pela recompensa. Quem tem a expectativa de fazer o necessário para conseguir as recompensas prefere aguardar e trabalhar por elas; quem não tem essa expectativa (ou não confia no experimentador) fica com a recompensa menor, já disponível, tocando a campainha.

Ervin Staub fugiu da Hungria comunista quando jovem. No começo da década de 1960, tornou-se um de meus primeiros alunos de pós-graduação, em Stanford, além de um de meus amigos da vida toda. Juntos, conduzimos experimentos para ver como as expectativas sobre o sucesso influenciam o autocontrole e a disposição para trabalhar e esperar pelas recompensas postergadas. Descobrimos que garotos de catorze anos, da oitava série, que geralmente tinham a expectativa de serem bem-sucedidos, mesmo antes de verem a tarefa específica a ser executada, escolhiam tarefas cognitivas cujas recompensas maiores, mas postergadas, dependiam do bom desempenho, não só da espera. Optavam por isso em vez de ficar com a recompensa menor, mas imediata, e faziam essa escolha com frequência quase duas vezes superior à dos garotos com baixa expectativa de sucesso. Os garotos com alta expectativa de sucesso enfrentavam as novas tarefas com mais confiança, como se as tivessem realizado com sucesso. Queriam "partir para a ação" e estavam dispostos a correr o risco de fracasso porque acreditavam que não fracassariam. As expectativas deles eram mais que fantasias, o que, por seu turno, encorajava comportamentos e mentalidades que aumentavam as chances de sucesso. Tudo isso faz com que os otimistas sorriam ainda mais.

As descobertas mostram que quem parte com baixas expectativas começa como se já tivesse fracassado. Esses garotos, porém, tinham reações positivas quando de fato eram bem-sucedidos, e as novas esperanças de sucesso aumentavam significativamente as expectativas de outros sucessos. Nossas expectativas genéricas de sucesso ou fracasso exercem impacto crucial sobre como abordamos as novas tarefas; mas nossas expectativas específicas estão sujeitas a mudanças quando vemos que realmente podemos ser bem-sucedidos. A mensagem é clara: os otimistas em geral se saem melhor que os pessimistas, mas até mesmo os pessimistas aumentam suas expectativas quando veem que podem alcançar o sucesso.

CÍRCULOS VIRTUOSOS E VICIOSOS

Em síntese, as experiências de sucesso e de maestria das crianças no começo da vida influenciam o quanto se tornam dispostas e capazes de perseguir objetivos com persistência, desenvolver expectativas de sucesso otimistas e enfrentar frustrações, fracassos e tentações inevitáveis ao longo da vida. O senso de controle e de ação e as expectativas otimistas, em processo de desenvolvimento, tornam-se componentes importantes — ingredientes ativos — da história que liga o tempo de espera por dois marshmallows aos diversos resultados positivos que constatamos ao longo da vida dessas crianças. E a capacidade de inibir respostas impulsivas, que poderiam prejudicar o fortalecimento dos relacionamentos, permite-lhes desenvolver amizades mutuamente solidárias e zelosas com pessoas que as respeitam e as valorizam.

Este capítulo descreveu um círculo virtuoso a ser almejado e fomentado em nossas crianças. Contrasta com o círculo vicioso enfrentado pelas crianças que, persistentemente, carecem de habilidades básicas de autocontrole, que se sentem descontroladas, que são pessimistas sobre as próprias capacidades e que têm dificuldade em manter a autoestima. Sem habilidades adequadas de autocontrole, expectativas otimistas, experiências de sucesso e ajuda e apoio alheios, essas crianças podem sucumbir continuamente às imposições do sistema quente, com mais probabilidade de fracassar nos primeiros esforços para alcançar a maestria e mais propensão a desenvolver sentimentos e ideias de desamparo em vez de esperança à medida que naufragam suas escolhas e opções.

9. O eu futuro

A formiga da fábula de Esopo sabe por instinto que deve se preparar para o futuro e, durante o verão, colhe a comida de que precisará no inverno. Não temos, porém, os instintos da formiga, e a evolução ainda não ajustou nosso cérebro para manejar com eficácia o futuro distante. Facilmente nos preocupamos com eventos assustadores iminentes, mas poucas vezes imaginamos o futuro em termos vívidos e quentes. Aquelas lentes cor-de-rosa e o sistema imunitário psicológico, tendente a preservar o bem-estar, protegem a maioria das pessoas dessas ansiedades, induzindo-nos a não pensarmos em hipóteses terríveis, como câncer, empobrecimento, velhice solitária e falta de saúde. E, se acaso essas preocupações se manifestam, logo nos distraímos com pensamentos mais agradáveis.

Assim evitamos a ansiedade que Freud descobriu em seus pacientes e que o pintor Edvard Munch expressou em *O grito*. Ícone da ansiedade no mundo moderno, a pintura mostra uma pessoa aterrorizada junto ao peitoril de uma ponte, em meio a um panorama sombrio, mãos em concha sobre as orelhas, olhos esbugalhados, nos encarando com um semblante de horror. Nossas defesas nos resguardam de imergirmos durante muito tempo nessas imagens, mas também impedem que sejamos formigas previdentes em vez de cigarras negligentes. Em consequência, assumimos todos os tipos de riscos, como comer demais, fumar e beber em excesso, ignorando as consequências longínquas, que se perdem na distância e se desfocam na incerteza. A maioria dos americanos chega à idade de aposentadoria com recursos insuficientes para manter algo nem de longe parecido com o padrão de vida com que estavam habituados. O problema começa com a maneira como naturalmente pensamos no eu futuro e como esse eu é representado no cérebro.

MÚLTIPLOS EUS

"As sete idades do homem", de Shakespeare, é um texto famoso que capta os vários eus vivenciados no curso da vida:

O mundo inteiro é um palco,
E todos os homens e mulheres são meros atores:
Eles têm suas saídas e suas entradas;
E um homem cumpre em seu tempo muitos papéis,
Seus atos se distribuem por sete idades.

Shakespeare começa com a criança: "Choraminga e regurgita nos braços da mãe", e, depois de descrever a juventude e a meia-idade, passa para a velhice:

A sexta idade o introduz
Na pobre situação de velho bobo de chinelos,
Com óculos no nariz e a bolsa do lado,
Suas calças estreitas guardadas, o mundo demasiado largo para elas,
Suas canelas encolhidas, e sua grande voz máscula
Quebrando-se e voltando-se outra vez para os sons agudos,
Os sopros e os assobios da infância. A última cena de todas,
Que termina sua estranha e acidentada história,
É a segunda infância e o mero esquecimento,
Sem dentes, sem mais visão, sem gosto, sem coisa alguma.[1]
(Tradução de Carlos Cardoso Aveline)

O corpo humano muda completamente à medida que envelhecemos; mas será que mudaria também o eu que experimentamos? O que acontece quando, imaginariamente, se viaja no tempo e se pensa no próprio eu futuro?[2] Olhe com cuidado os pares de círculos a seguir, representando o eu presente e o eu futuro, que se movimentam da esquerda para a direita de uma posição inicial de nenhuma sobreposição para uma posição final de completa sobreposição. Escolha o par que melhor reflete a sua situação e o grau em que você se sente conectado com o eu futuro que você supõe venha a ser daqui a dez anos, e o assinale.

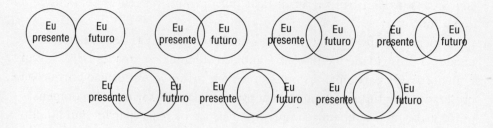

Agora imagine que você permitiu que seu cérebro seja escaneado enquanto você faz esse exercício dentro de uma máquina de ressonância magnética. Com a cabeça no fundo da máquina, acostumando-se aos poucos ao espaço confinado, você começa a ouvir as instruções que chegam pelo alto-falante: "Por favor, pense em si mesmo". Ao fazê-lo, um padrão específico de atividade cerebral torna-se visível na área centro-frontal do córtex cerebral, que denominamos padrão próprio.[3] Em seguida, você é instruído a pensar sobre um estranho, e, na mesma área do córtex cerebral, desponta um padrão nitidamente diferente, o padrão estranho. Enfim, você é orientado a pensar em si mesmo, imaginando-se dez anos depois.

Em 2009, Hal Hershfield, hoje membro da Universidade de Nova York, e seus colegas conduziram esse estudo com alunos de graduação da Universidade Stanford e concluíram que, quando imaginamos o próprio eu futuro, diferimos não só no *sentimento*, mas também na atividade cerebral, dependendo da proximidade com que conectamos nossa autopercepção e identidade reais, no presente, com o eu imaginado no futuro.[4] Em muitos casos, o padrão que se ativa no cérebro quando se pensa no eu futuro é mais parecido com o de um estranho que com o de si próprio no presente. Também se constatam diferenças individuais na intensidade com que as pessoas se conectam e se identificam emocionalmente com o eu futuro, umas revelando vínculos mais coesos, outras parecendo encarar-se a si mesmas como outro indivíduo na velhice.

Qual é o grau de sobreposição no par de círculos que você escolheu? Quem vê mais continuidade entre o próprio eu agora e no futuro tende a atribuir maior valor às recompensas postergadas e menor valor às recompensas imediatas e a ser menos impaciente, em comparação com quem vê a si próprio no futuro como um estranho. Conforme observam os pesquisadores, se sentimos maior ligação com a pessoa que nos tornaremos, também é provável que sejamos mais propensos a sacrificar mais dos prazeres presentes em benefício do eu futuro.

O mesmo grupo de pesquisadores também analisou as decisões financeiras de adultos (idade média de 54 anos) residentes na área da Baía de San Francisco.[5] Os participantes que percebiam maior sobreposição entre o eu presente e o eu futuro não só tinham preferência mais forte por recompensas postergadas, mas também acumulavam mais ativos reais (patrimônio líquido total) ao longo do tempo. Ao ler a pesquisa de Hershfield, lembrei-me de verificar a situação de meu plano de aposentadoria.

DINHEIRO AGORA EM VEZ DE POUPANÇA PARA A APOSENTADORIA

Se Adão e Eva fossem capazes de esfriar as tentações quentes com que se defrontavam, talvez tivessem conseguido ficar mais tempo no Jardim do Éden. Caso quisessem se preparar para o que viriam a enfrentar no futuro, teriam de se imaginar vividamente diante da tentação, o que era impossível. As crianças na Sala de Surpresas precisavam se esfriar para não ceder à tentação de ficar com um marshmallow imediatamente. Décadas depois, ao fazer suas escolhas de poupança para a aposentadoria, elas devem se imaginar na velhice, não em abstrato, mas da maneira mais concreta possível, a fim de aquecer emocionalmente a cena, como se já estivessem lá. Enquanto são jovens, devem sentir-se nesse eu futuro — pelo menos o tempo suficiente para começar a investir imediatamente numa aposentadoria futura.

Da mesma maneira como a disposição e a capacidade das crianças pré-escolares para retardar a satisfação e esperar por dois marshmallows depende de como representam mentalmente as guloseimas, a capacidade dos jovens adultos de se conectar com o eu futuro depende da representação mental desse eu distante. Para explorar essa hipótese, Hershfield e colegas realizaram um estudo em que mostravam a um grupo de estudantes universitários representações vívidas do eu futuro deles, na idade de aposentadoria, enquanto tomavam decisões financeiras.[6] Como primeiro passo, os pesquisadores pediram aos participantes uma foto de si mesmos a partir da qual criaram um avatar (ou representação digital). Para alguns dos participantes, o avatar era deles mesmos, no presente; para outros, o avatar foi preparado para parecer mais velho, representando a pessoa na idade de mais ou menos setenta anos. Os participantes usavam uma escala móvel com uma seta para indicar a porcentagem da renda hipotética que destinariam ao plano de aposentadoria. Ao movimentarem a seta para a esquerda, aumentavam a porcentagem que reservariam para gastos imediatos e ao movimentarem a seta para a direita aumentavam a porcentagem que investiriam no plano de aposentadoria.

Os participantes viam ou o avatar do eu presente (no lado esquerdo da escala móvel) ou o avatar do eu futuro (no lado direito da escala móvel). Será que chamar a atenção para o eu que se tornariam no futuro influenciaria o eu presente a compartilhar a renda corrente? Com efeito, os que viram o eu futuro indicaram porcentagens de investimento no plano de aposentadoria 30% mais elevadas que as dos que viram o eu presente.

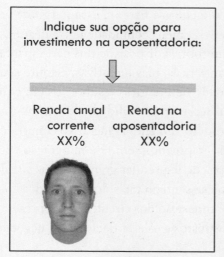 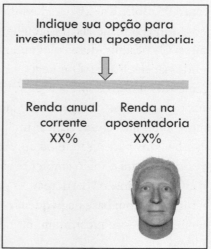

A ideia subjacente à pesquisa é que quanto mais você estiver conectado com o eu futuro, mais o considerará na autoconcepção e no orçamento de hoje, disposto a dividir com mais generosidade o que você oferece a si mesmo hoje e o que reserva para si mesmo no futuro. Hershfield e outros pesquisadores continuam a investigar se a poupança para os anos futuros, não só em situações hipotéticas de laboratório, mas também na vida real — mais especificamente em planos de aposentadoria — seria aumentada substancialmente reforçando a identificação do poupador com o eu futuro.[7]

TORNANDO-SE ÉTICO COM O EU FUTURO

Quem se sente mais conectado com o eu futuro estaria mais propenso a considerar como as ações presentes causarão impacto no bem-estar futuro — e não só quando se trata de orçamentos e de planos de aposentadoria? Mais especificamente, os indivíduos que percebem de maneira mais intensa a continuidade do eu ao longo do tempo, entre o presente e o futuro, estariam menos propensos a tomar decisões injustas em relação ao eu futuro, muito comuns na vida cotidiana? É uma pergunta oportuna, uma vez que as estatísticas do FBI sobre crimes de colarinho branco, compiladas pela primeira vez em 1940, indicam que essa criminalidade específica triplicou em 2009 — questão que mereceu destaque em face do surto de escândalos financeiros expostos durante a crise financeira de 2008, aí se incluindo o monumental esquema Ponzi de Bernard Madoff. Em 2012, Hershfield e colegas fizeram essa pergunta em cinco estudos on-line, usando mulheres e homens com idade entre dezoito e 72 anos. Os pesquisadores perguntaram sobre a disposição dos participantes de endossar decisões sobre negócios antiéticas, mas lucrativas, e sobre seus julgamentos morais sobre a aceitabilidade de mentiras e subornos em contextos de negócios.[8] Por exemplo, qual seria a probabilidade de o indivíduo (sempre anônimo) comercializar um produto alimentício lucrativo com riscos desconhecidos para a saúde ou aprovar empreendimento de mineração com graves riscos para o meio ambiente capaz de lhe render grande bônus anual? Nos cinco estudos, os participantes que se sentiam mais desconectados com o eu futuro — com base na pequena sobreposição dos círculos do eu presente e do eu futuro — se mostraram mais dispostos a tolerar decisões de negócios antiéticas.

Os pesquisadores também induziram alguns participantes a pensar no eu futuro, enquanto outros foram predispostos a pensar no mundo futuro. A projeção do eu no futuro, em comparação com a simples lembrança do futuro, reduziu a tolerância pelo comportamento antiético. Quem se sentia estreitamente conectado com o eu futuro pensava mais sobre as consequências de longo prazo de suas ações, e foi essa atenção nas consequências futuras que explicou a relutância a tomar decisões ambiciosas e egoístas. É um fator a ser lembrado antes que o sistema quente, insensível às consequências longínquas e indiferente à ética, se defronte com a tentação perturbadora, mas imoral.

10. Além do aqui e agora

Algumas de minhas conversas mais memoráveis com colegas sobre como pensamos sobre o futuro ocorreram em convenções científicas anuais — não durante reuniões e apresentações de pesquisas, mas quando trocávamos histórias pessoais, tarde da noite. Cada um de nós havia decidido aceitar convites para dar palestras daí a dois ou três anos em lugares desconhecidos, mas que pareciam interessantes. Uma das colegas contou a história de um convite que recebera em 2008 para dar uma palestra especial em 2011 em um pequeno país exótico, a milhares de quilômetros de distância. Ao receber o convite, ela perguntou a si mesma: "Por que ir lá?", e encontrou muitas boas razões: o instituto tinha bons pesquisadores trabalhando em sua área de atuação; seria uma experiência nova, em contexto não familiar (a seção de viagens de um jornal qualificou o país como "distante e belo"); ela gostava de viajar para locais inusitados; a agenda dela para 2011 ainda estava em grande parte aberta; e os organizadores pareciam ansiosos por recebê-la.

Dois anos depois, à medida que a época da viagem se aproximava, as perguntas sobre o compromisso mudaram de *por que* devo ir para *como* chego lá — e exatamente o que eu teria de fazer para cumprir o prometido. Precisaria trocar de avião várias vezes, viajar por empresas de aviação pouco conhecidas, que, examinadas com mais atenção, apresentavam registros de segurança questionáveis e histórico de atrasos e cancelamentos de voos. Teria de renovar o passaporte e tomar vacinas, tudo isso enquanto uma série infindável de eventos inesperados exigiam atenção urgente. A maneira como ela via a viagem mudara completamente, desde quando aceitara animadamente o convite até quase três anos depois, quando a partida estava perto. Tudo isso a surpreendeu porque à medida que o futuro se convertia em aqui e agora ela cada vez mais desejava cancelá-lo.

DISTÂNCIA PSICOLÓGICA

Os psicólogos Yaacov Trope e Nira Liberman sugerem que, quando imaginamos o futuro ou refletimos sobre o passado, transpomos uma dimensão singular: a distância psicológica, que pode ser temporal (agora versus futuro ou passado), espacial (perto versus longe), social (eu versus estranhos) e do ponto de vista da certeza (definido versus hipotético).[1] Quanto maior for a distância psicológica, mais abstrato e de alto nível será o processamento da informação, governado cada vez mais pelo sistema cognitivo frio. No exemplo de minha colega, ela refletira sobre a viagem em abstrato, sem considerar os detalhes e o contexto, quando a ideia ainda estava distante no futuro. Como a proposta parecera razoável e fazia sentido para o sistema frio, ela decidira ir. À medida que se reduzia a distância psicológica, o processamento de informações se tornava mais concreto, vívido, detalhado, contextualizado e emocionalmente quente, fazendo com que ela se arrependesse mais e mais da decisão.

Essa mudança no nível de processamento das informações, do pensamento abstrato sobre o futuro para o pensamento concreto e vívido sobre o presente, afeta o que sentimos e como planejamos, avaliamos e tomamos decisões. Isso ajuda a explicar por que as pessoas tomam decisões sobre eventos e compromissos futuros de que não raro se arrependem — pois, quando o futuro se torna presente, elas se veem diante de uma viagem que não querem fazer, de um evento de que não querem participar, de um trabalho que não querem escrever ou de uma visita familiar que não querem fazer.[2] A boa notícia é que tudo terminará bem se simplesmente esperarmos, refletirmos um pouco, não desistirmos do programado e cumprirmos o prometido. O sistema imunitário psicológico trabalha com afinco para que olhemos para trás e cheguemos à conclusão de que valeu a pena fazer a viagem, participar do evento, escrever o trabalho e fazer a visita familiar, que, no fim das contas, se revelam boas experiências.[3]

Para evitar o arrependimento que acometeu minha colega, à medida que a viagem deixava de ser hipotética para converter-se na realidade de fazer malas e partir para o aeroporto, talvez tivesse sido bom, antes de aceitar o convite, imaginar como seria tudo como se estivesse acontecendo agora. Se você quiser sentir como algo (um novo emprego, uma viagem exótica) parecerá no futuro, talvez seja útil imaginar a situação futura como se estivesse acontecendo no presente.[4] Simule os acontecimentos futuros com tanta nitidez quanto possível, com muitos detalhes, basicamente como se os estivesse pré-vivenciando. Quando meus alunos de pós-graduação têm a felicidade de receber mais de uma proposta de emprego e se afligem com a decisão, sugiro que imaginem, tão concretamente quanto possível, viver a vida em cada emprego um dia inteiro de cada vez como se já estivessem trabalhando ali.

As pesquisas de Trope e colegas sobre como somos influenciados pela distância psicológica também explicam por que é muito mais fácil resistir às tentações imediatas se pensarmos nelas em abstrato, de maneira fria, como se estivessem muito longe no espaço e no tempo. Esse pensamento abstrato de alto nível ativa o sistema frio e atenua o sistema quente.[5] Reduz a preferência automática pelas recompensas imediatas, aumenta a atenção nos resultados futuros, fortalece a intenção de exercer autocontrole e ajuda a esfriar as tentações quentes.[6] Lembre-se de que quando as crianças pré-escolares empurram para longe as guloseimas ou as viram para não vê-las ou avaliam as guloseimas tentadoras em nível abstrato e frio (imagine que os marshmallows são apenas uma imagem; afigure-os emoldurados), elas conseguem se controlar e esperar muito mais.[7] Quando, no entanto, se concentram no sabor dos marshmallows e imaginam sua consistência apetitosa na boca (encorpados, adocicados, deliciosos), a espera se torna quase impossível e elas tocam a campainha.

AUMENTANDO A DISTÂNCIA PSICOLÓGICA PARA CONTROLAR O DESEJO: PERTO VERSUS LONGE

Poderiam as pessoas que sofrem as consequências negativas de seus anseios perigosos — por fumo, álcool, drogas ou petiscos gordurosos — esfriá-los, aumentando a distância psicológica? Essa indagação orientou alguns experimentos de Kevin Ochsner e equipe, com quem colaborei, na Universidade Columbia.[8] Queríamos ajudar as pessoas a controlar seus desejos desde cedo na vida. Imbuídos desse objetivo, convidamos crianças e adolescentes, com idade entre seis e dezoito anos, para executar uma tarefa enquanto o cérebro era monitorado por ressonância magnética, o que nos proporcionava um vislumbre de como regulavam os impulsos dos apetites.[9] Na máquina, as imagens das comidas apetitosas brilhavam rapidamente diante dos sujeitos em muitos experimentos diferentes. Nos experimentos "Quentes e Próximos", pedíamos a eles para imaginar que a comida estava perto, bem à sua frente, e para focar os atributos quentes e apetitosos, como sabor e cheiro. Nos experimentos "Frios e Distantes", tentávamos ativar o sistema frio, pedindo que imaginassem que a comida estava longe e para se concentrar nos atributos frios, abstratos e visuais (como cor e forma). Os participantes relataram que o desejo era menos intenso durante os experimentos Frios e Distantes que durante os experimentos Quentes e Próximos, e as imagens do cérebro demonstravam que a redução do desejo diminuía a atividade nas regiões do cérebro relacionadas com os desejos apetitosos.

As crianças desse estudo também fizeram o Teste do Marshmallow, e a capacidade de controlar o anseio por comida apetitosa se correlacionou com a capacidade de retardar a satisfação. As crianças que não tinham conseguido esperar muito tempo pelas guloseimas experimentaram desejo mais intenso, tanto durante os experimentos Frios e Distantes quanto durante os experimentos Quentes e Próximos, que aquelas capazes de prolongar a postergação da recompensa. E quando tentavam reduzir o anseio pela comida as crianças que menos retardavam a satisfação também apresentavam menos ativação do córtex cerebral e mais ativação das áreas de recompensa relacionadas com desejos apetitosos.

Hedy Kober, que também trabalhava com a equipe de Ochsner, liderou estudo semelhante em que mostrou fotografias de cigarros para induzir o desejo em fumantes inveterados. Durante cada experimento, enquanto o cérebro era monitorado, os participantes recebiam instruções para pensar no item que viam, concentrando-se nos efeitos imediatos, de curto prazo, do "agora" ("Eu vou me sentir bem") ou nos efeitos retardados, de longo prazo, do "depois" ("Posso ter câncer"). Quando fumantes inveterados se concentravam nas consequências de longo prazo do fumo, reduziam significativamente o anseio pelo cigarro.

No todo, concluímos que as pessoas podem usar estratégias cognitivas simples para regular seus anseios, deslocando a perspectiva de tempo de "agora" para "depois". É possível converter essas estratégias em planos de implementação *Se-Então*, como os analisados no capítulo 5, para que a tentação de fumar ative automaticamente o foco nas consequências negativas futuras — tornando-as quentes e vívidas o suficiente para reprimir o anseio.[10]

CURA AUTOINDUZIDA PELOS FUMANTES INVETERADOS

Os estudos de Columbia indicam algo sobre os mecanismos da regulação dos anseios que parece promissor para aplicação na vida real. Mas se é assim tão simples, por que será que o mundo ainda enfrenta problemas tão custosos decorrentes de anseios incontidos? Em estudos de pesquisas, os participantes são voluntários dispostos a seguir as instruções e, assim, a regular os próprios pensamentos, pelo menos enquanto estiverem no laboratório. No mundo real, a história é, evidentemente, muito mais complexa, como compreende muito bem todo dependente que já tentou abandonar o vício.

Relata-se que Carl Jung teria afirmado que se estuda aquilo em que se é bom. Com muita frequência, vejo-me enquadrado nessa situação. Não que eu seja modelo de autocontrole — longe disso —, mas, realmente, fui bem-sucedido na luta para superar o vício do cigarro. Conto minha história para mostrar que mesmo alguém não muito bom no uso dessa habilidade (e que, em geral, estressa os alunos e os familiares com a própria impaciência) é capaz de fazê-lo.

Experimentei pela primeira vez o cigarro, com alguma hesitação, quando ainda era adolescente, e não tardou muito para me transformar em um fumante habitual. Quando as autoridades de saúde dos Estados Unidos advertiram para os riscos do fumo, na década de 1960, meu sistema frio logo registrou que fumar poderia provocar sérios danos de longo prazo — e meu sistema quente não prestou atenção. O sistema frio é racional, mas pode trabalhar em estreita colaboração com o sistema quente a serviço da autodefesa, racionalizando com inteligência tudo o que fazemos. No meu caso, ele fez excelente trabalho, me levando a reavaliar o fumo como parte de meu estilo de vida acadêmico, em vez de como vício letal. Eu era um professor a quem o fumo permitia dar aulas menos ansiosas e mais impactantes. E, assim, continuei fumando um cigarro atrás do outro, acendendo-os com a bituca do anterior, enquanto meu sistema frio dormia e o sistema quente curtia o prazer, entre tosses e pigarros.

Uma manhã, sob o chuveiro, com a água correndo, percebi que o cachimbo aceso ainda estava em minha boca. A negação já não era possível: eu era viciado e ansiava pelo fumo. A essa altura, eu fumava cerca de três maços de cigarro por dia com o arremate do cachimbo. O insight não provocou mudança de comportamento; ao contrário, apenas aumentou o nível de estresse. Meu sistema frio continuou ocupado com outras preocupações.

Não muito tempo depois daquele banho, eu caminhava pela Faculdade de Medicina da Universidade Stanford quando avistei algo que me aterrorizou: um homem era levado de maca pelo corredor, preso pelas correias de segurança afiveladas, os olhos abertos, voltados para o teto, e os braços estendidos. Viam-se marcas de tinta verde no peito exposto e na cabeça raspada. Uma enfermeira explicou que o paciente sofria de câncer generalizado e estava sendo levado para outra sessão de radiação. Não consegui me livrar daquela imagem vívida das consequências de meu vício. As advertências das autoridades de saúde impregnaram meu sistema quente e dispararam o alarme da amígdala.[11]

Os cigarros eram minha tentação quente contínua, e eu teria de convertê-los em algo que me provocasse repulsa para superar o vício. Sempre que eu sentia a ânsia de fumar (de início, muito frequente), eu inalava profundamente o ar viciado de uma grande lata cheia de bitucas de cigarro e de cinzas de charuto, com fedor intenso de nicotina concentrada, a ponto de provocar náuseas. A literatura denomina esse processo de contracondicionamento repulsivo.[12] Eu ainda reforçava a dose reativando deliberadamente a imagem assustadora do paciente de câncer, para tornar as consequências futuras do fumo para mim mesmo tão quentes, salientes e vívidas quanto possível. Talvez igualmente importante foi o contrato social que fiz com minha filha de três anos que chupava o dedo: ela concordou em parar de chupar o dedo se eu parasse de chupar o cachimbo. Também me comprometi publicamente com os colegas e alunos, assegurando-lhes que deixaria o fumo. Lutei durante algumas semanas, mas, enfim, consegui. Ainda acho que meu sistema quente às vezes me senta em uma mesa próxima à de um fumante em cafés ao ar livre. Depois de inalar a fumaça durante alguns momentos, porém, acabo mudando de mesa.

Imaginar-se como paciente de câncer, a caminho da próxima sessão de radioterapia, não é nem um pouco divertido e leva a amígdala a tremer de medo. Se o sistema frio quiser experimentá-lo talvez seja útil. Esse tipo de visualização pode ser o primeiro passo para superar vícios ameaçadores, cujas consequências, não raro, são letais, embora, em geral, só se manifestem muito mais tarde, mas cuja prevenção exige autocontrole imediato e postergação das recompensas. Para tanto, é necessário que se faça exatamente o que não ocorre de forma natural: ativar o sistema quente para fazer representações de um futuro mais poderoso que as tentações do presente e, então, recorrer ao sistema frio para reavaliar do ponto de vista cognitivo as tentações imediatas, de modo a neutralizá-las ou torná-las repulsivas dentro do sistema quente. De início, exige esforço, mas, com o tempo, esse processo se torna automático.

PERSCRUTANDO SEU DNA FUTURO

Considerar o futuro nas decisões imediatas exige imaginar o futuro e prever como ele será. Até fins do século passado, as tentativas de prever o futuro se limitavam, em grande parte, à quiromancia, cartomancia, astrologia, premonição e profecia. Na história ocidental, os vaticínios remontam às lendas da Grécia Antiga, sobre o Oráculo de Delfos, e se estendem até a época contemporânea, desde os biscoitos da sorte até a ficção científica. No mundo de hoje, porém, a decodificação do genoma humano nos permitiu perscrutar o próprio DNA — o que pode ser empolgante para os otimistas, mas apavorante para os pessimistas. Em breve, talvez seja possível obter um relatório completo das perspectivas boas e ruins da vida, com base na leitura dos genes, por custo não superior ao de uma colonoscopia. Isso pode ser maravilhoso para quem sofre de certos tipos de câncer e de outras patologias, oferecendo a possibilidade de tratamentos genéticos individualizados, capazes de resolver problemas de saúde até então insolúveis. Nesses casos, fazer o exame de DNA pode ser escolha inequívoca. Para a maioria das pessoas saudáveis, contudo, a decisão será muito difícil — deixando o sistema quente hiperativo e impondo ao sistema frio a missão quase impossível de ajudá-lo a fazer uma escolha razoável.

Em fins dos anos 1990, pouco depois da descoberta de mutações nos genes BRCA1 e BRCA2, que contribuíam para o câncer de ovário e de mama, muitas mulheres enfrentaram uma decisão difícil. A escolha de se submeter a um exame genético para essa finalidade é sobremodo torturante, pois o impacto psicológico tende a ser profundo e imprevisível. Os exames podem dizer a mulheres pertencentes a grupos de risco que, pelas características genéticas, suas chances de desenvolver câncer de ovário ou de mama no começo da vida são muito maiores ou muito menores. Quando os exames se tornaram disponíveis, muitas mulheres quiseram fazê-los, sobretudo jovens judias asquenazes, que se enquadram no grupo com maior probabilidade de sofrer essas mutações. Para muita gente, o conflito entre conhecer ou ignorar o futuro é insuportável: fazer ou não fazer o exame para descobrir a maior ou menor probabilidade de você e suas filhas terem câncer? Abrir ou não abrir essa janela sobre o futuro? Se abri-la, não haverá como fechá-la de novo e será preciso conviver com as consequências emocionais e práticas para si mesma e para os entes queridos. Aí se inclui o fato de essa informação passar a ser parte de seus registros médicos, com implicações obscuras em termos de cobertura de seguro e até para as perspectivas de emprego.

"Irma" era uma jovem e vibrante aluna de pós-graduação, cheia de esperança quanto ao futuro, feliz nos estudos, apaixonada pelo namorado e ansiosa por viver a vida maravilhosa que a aguardava quando soube que era portadora da mutação BRCA1, herdada da mãe. Achou que seria bom ter mais informações e resolveu fazer o exame — depois, porém, sentiu-se torturada pelos resultados, arrasada por conhecê-los e cheia de arrependimento por ter aberto aquela janela, desejando que não soubesse o que agora não conseguia esquecer. Quando recebeu os resultados do exame, indicando que a mutação envolvia alta probabilidade de câncer, ela se sentiu dilacerada: simplesmente não sabia de antemão que preferia ignorar o conteúdo de seu DNA e que ficaria arrasada ao descobrir a realidade.

Irma não estava sozinha na incapacidade de prever como reagiria aos resultados do exame. Será que haveria como ajudar as pessoas, antes de decidirem, a prever melhor como tenderão a se sentir ao conhecerem os resultados desses exames genéticos? Para tanto, é necessário, de alguma maneira, vivenciar antecipadamente a experiência — não com o processamento não emocional, abstrato, racional e frio que em geral usamos em relação ao futuro distante, mas, sim, com o processamento emocional que aplicamos às experiências altamente excitantes do aqui e agora.

Raramente se obtém o adequado consentimento esclarecido quando os interlocutores usam uniformes de hospital, de um lado, e pulseiras de identificação, de outro, durante a preparação do paciente para a sala de cirurgia. Antes da cirurgia, alguém aparece com um documento numa prancheta, cheio de letras pequenas, que descreve com muitos detalhes e em jargão médico os vários riscos. Esse papel deixa claro que quase tudo pode dar errado. Você assina para concordar que não responsabilizará o hospital e que se submeterá ao procedimento por livre e espontânea vontade. Embora não haja muita escolha para intervenções médicas consideradas essenciais, a situação é diferente no caso de procedimentos eletivos, como o exame genético.

No começo da década de 1990, prestei consultoria com a psicóloga Suzanne M. Miller ao Fox Chase Cancer Center, na Filadélfia, para desenvolver um método que melhorasse o consentimento esclarecido nos exames de DNA.[13] Suzanne e os colegas trabalhavam com pessoas de alto risco, por serem portadoras das mutações danosas dos genes BRCA1 e BRCA2, a maioria ansiosa por fazer o exame genético para avaliar o grau de risco de ter câncer de mama ou de ovário em consequência da mutação genética. Quase todas, entretanto, não sabiam como o conhecimento da predisposição poderia afetá-las. O aconselhamento habitual praticado na época envolvia análise racional empática, mas padronizada, das alternativas, opções e riscos objetivos, assim como das incertezas relativas a cada resultado e escolha.

Nos cenários de "pré-vivenciamento" que desenvolvemos para mulheres em vias de se submeter ao exame genético para a avaliação do risco de câncer de mama e ovário resultante da mutação, queríamos que cada pessoa fosse capaz de antever suas reações emocionais às revelações do DNA — não só de maneira abstrata, mas também vivenciando a experiência, de maneira tão vibrante, integral e realista quanto possível, com a orientadora.[14] Queríamos oferecer a essas mulheres a oportunidade de antecipar e pré-vivenciar pelo menos uma versão atenuada de suas reações quentes prováveis aos diferentes resultados do exame.

Para tanto, propusemos um programa específico. Quando uma mulher que estivesse pensando em fazer o exame se apresenta para o aconselhamento genético, inicia-se um processo de engajamento realista com a orientadora, por meio de técnicas de role-playing. A orientadora diz à paciente que os resultados do teste chegaram do laboratório, abre o envelope e diz que os resultados são positivos: ela é portadora de mutação genética de alto risco. No ambiente seguro e solidário, com o apoio da orientadora, a paciente tem a chance de expressar seus sentimentos e pensamentos, que podem variar desde surpresa e descrença até ansiedade, desespero, negação, raiva e questionamento. Depois da manifestação e análise dessas reações, a orientadora ajuda a mulher a analisar as opções disponíveis e as consequências prováveis. Aí se incluem mastectomia profilática, no caso de BRCA1, e remoção preventiva dos ovários, no caso de BRCA2. Essa experiência autêntica de pré-vivenciamento vai adiante, com o manejo das consequências práticas de longo prazo que influenciam a duração e a qualidade da vida, envolvendo assistência médica, seguro, emprego e perspectivas de relacionamentos pessoais, criação de filhos e outras preocupações.

Essa experiência de role-playing é sempre dolorosa, mas proporciona ao participante a antecipação emocional e as informações cognitivas para uma decisão esclarecida sobre abrir ou não abrir a caixa de Pandora do novo exame genético. A prática de role-playing também inclui a circunstância mais feliz em que os resultados do exame genético são negativos, cujas implicações são exploradas com igual profundidade e detalhamento. Depois de absorver e refletir sobre essas experiências pré-vivenciadas, a decisão de fazer ou não fazer o exame torna-se uma escolha individual esclarecida.

À medida que a análise do genoma e a ciência molecular possibilitam cada vez mais a personalização do diagnóstico, da prevenção e do tratamento, as decisões sobre fazer o exame genético em busca de possíveis mutações se tornarão parte da vida de muitas pessoas. Quando essas possibilidades se tornarem realidade, os processos de decisão e de autorização das várias ações preventivas devem ser norteados, tanto quanto possível, pela mente e pelo coração, com o sistema frio e o sistema quente trabalhando juntos. O desafio será o pré-vivenciamento das emoções, assim como o raciocínio frio e proativo sobre o que precisa ser feito.

O QUE SABER E NÃO SABER SOBRE O FUTURO?

Somos muito diferentes em relação ao que queremos saber sobre os riscos e perigos que enfrentamos. Suponha que, na sala de espera de um consultório médico, onde você fará um check-up de rotina, alguém lhe peça para responder a algumas perguntas. Você deve imaginar, com o máximo de realismo, cenas como a seguinte: "Você está em um avião, a trinta minutos do destino, quando a aeronave, inesperadamente, entra em mergulho profundo e de repente se nivela. Instantes depois, o piloto anuncia que está tudo bem, embora o restante do voo esteja sujeito a turbulências. Você, porém, não se convenceu de que não há nada de errado".[15]

Nesse caso, como você agiria? "Prestaria atenção aos motores, para detectar ruídos estranhos, e ficaria observando a tripulação, para identificar qualquer comportamento diferente? Ou assistiria ao fim do filme, embora já o tenha visto antes?" O questionário não disfarça o objetivo da pergunta: "Você quer saber mais ou menos sobre a situação estressante que está enfrentando?". Outro cenário é o seguinte: "Você tem medo de dentista, mas precisa fazer algum tratamento odontológico. Durante o procedimento, você quer que o dentista lhe diga o que está fazendo ou prefere se distrair com outros pensamentos?". As pessoas que querem saber mais são consideradas "monitoras"; as que preferem saber menos e optam pela dispersão ou evasão são denominadas "embotadoras".[16]

Mulheres em vias de se submeter a colposcopia, procedimento de diagnóstico para verificar a presença de células anormais (cancerosas) no útero, receberam os questionários monitoramento-embotamento na sala de espera e foram divididas nos dois grupos: monitoras e embotadoras. Em cada grupo, metade recebeu muitas informações e metade recebeu poucas informações sobre o procedimento antes de assinar o formulário de autorização. As mulheres relataram o que sentiram antes, durante e depois do procedimento. Os médicos, além de outros observadores (que ignoravam todas as outras informações), avaliaram as reações psicofisiológicas, como batimentos cardíacos, tensão muscular, contratura das mãos, além de expressões de dor e desconforto. As embotadoras que receberam poucas informações e as monitoras que receberam muitas informações foram as que menos se mostraram tensas e estressadas durante o exame e no período de recuperação. Portanto, quando as informações preparatórias que receberam eram compatíveis com suas preferências, as mulheres se sentiram melhor e experimentaram menos estresse.

Essas descobertas sugerem que os médicos devem admitir a hipótese de perguntar aos pacientes o quanto querem saber sobre suas condições e sobre os riscos e consequências de cada alternativa, para facilitar uma tomada de decisão mais esclarecida. E, dependendo das circunstâncias, você talvez queira saber mais sobre os riscos e efeitos colaterais esmiuçados naqueles formulários de autorização ou enterrados em letras miúdas nas bulas dos medicamentos tarjados. Quando monitorar e quando ignorar?

Ao enfrentar o estresse, em contextos médicos ou sociais, os monitores em geral se saem melhor quando são mais informados, enquanto os embotadores se saem melhor quando são menos informados. Compatibilizar o nível de informações com os estilos individuais reduz o estresse. Como em todos os casos de diferenças individuais, algumas pessoas se encaixam nos extremos do espectro, mas a maioria se situa mais ou menos no meio. Como regra geral para a maioria das pessoas, se não houver nada a fazer para reduzir o estresse, porque a situação está fora de controle, o monitoramento geralmente aumenta a ansiedade e o estresse, enquanto o embotamento tende a ser mais adaptativo e autodefensivo.[17]

OLHANDO PARA A FRENTE E PARA TRÁS

É longa a jornada — desde esperar por marshmallows na escola até poupar para a aposentadoria, superar vícios prejudiciais à saúde e tomar decisões médicas esclarecidas — em face da incerteza quanto às consequências de longo prazo. Um tema comum, porém, perpassa todos os desafios de autocontrole com que nos defrontamos em todas essas decisões diferentes ao longo da vida. Para resistir à tentação, precisamos esfriá-la, distanciá-la do eu, torná-la abstrata. Para considerar o futuro, precisamos esquentá-lo, torná-lo iminente e vívido. Para planejar, é bom pré-vivenciar o futuro, pelo menos durante algum tempo, a fim de imaginar os possíveis cenários alternativos, como se estivessem acontecendo no presente. Isso nos possibilita antecipar as consequências de nossas escolhas, permitindo-nos sentir quente e pensar frio. E esperar pelo melhor.

11. Protegendo o eu magoado: Autodistanciamento

Superar emoções dolorosas, como mágoas profundas, e resistir a tentações poderosas, como cigarro, sexo sem proteção e esquemas financeiros espúrios, exigem o esfriamento do sistema quente e a ativação do sistema frio. Ambas as ações dependem da mesma dupla de mecanismos: distanciamento psicológico e reavaliação cognitiva.[1] A prescrição é fácil de recomendar, mas difícil de executar. O desafio é exemplificado pelo "problema de Maria".

"Maria" mantinha um relacionamento firme com "Sam". Estavam juntos havia dezenove anos, desde quando eram alunos de pós-graduação. Desde o começo, ela queria ter filhos, mas Sam insistia que ainda não era o momento, e postergaram indefinidamente. Certa manhã, sem aviso prévio, ele anunciou que se apaixonara por uma aluna de graduação na universidade e iria embora. Maria ficou inconsolável e lutou durante meses para superar o rompimento, sempre revivendo o último fim de semana em que estiveram juntos. Ela não conseguia compreender, e não conseguia seguir adiante.

Prática comum nas culturas ocidentais, sugerida por muitos psicoterapeutas, é a de que, encarando com honestidade os sentimentos dolorosos, Maria desenvolveria novas perspectivas e venceria as dificuldades. Na prática clínica, os psicoterapeutas tradicionais urgem com os clientes em dificuldade para que enfrentem as experiências e os sentimentos infelizes, questionando-se reiteradamente: "Gostaria de saber por que você se sente assim?". No começo da década de 1990, entretanto, e ao longo dos vinte anos subsequentes, pesquisas de Susan Nolen-Hoeksema, da Universidade Yale, revelaram que, embora algumas pessoas conseguissem melhorar, perguntando-se "Por quê?", muitas outras pioravam.[2] Elas remoíam, ruminavam e se sentiam cada vez mais deprimidas sempre que, mais uma vez, contavam novamente a história a si mesmas, a amigos ou a terapeutas empáticos. Em vez de ajudá-las a "processar a experiência", essa ruminação incessante reativava a dor emocional, reaquecia a raiva e reabria as feridas. Em síntese, para muita gente, perguntar "Por quê?" não ajuda; só machuca.

Quando e por que esse confronto emocional surte o efeito oposto e quando é bem-sucedido? Essa foi a pergunta que Ethan Kross mal podia esperar para me fazer, no outono de 2001, quando, como aluno novo de pós-graduação, ele entrou em meu laboratório na Universidade Columbia. Responder a essa pergunta é exatamente o que ele tem feito desde então, começando com os estudos em Columbia, que ele concluiu em 2007, e depois em suas pesquisas, como professor da Universidade de Michigan.

Quando Ethan e eu nos reunimos pela primeira vez, especulamos durante muitas horas sobre como alguém como Maria poderia ser ajudada a esfriar a angústia. Remontamos aos estudos marshmallow, em que as crianças pré--escolares empurravam as guloseimas e a campainha para tão longe quanto possível, aumentando de propósito a distância entre elas próprias e as tentações, o que atenuava o sistema quente e possibilitava que o sistema frio assumisse o controle. Seria a mesma tática também aplicável quando adultos tentavam superar a raiva e a depressão? É fácil distanciar-se de estímulos externos como guloseimas, mas como afastar-se dos sentimentos e de si próprio?

COMO MOSCA NA PAREDE

Enquanto Ethan e eu discutíamos diferentes maneiras de ajudar as pessoas a distanciar-se de si mesmas como parte do esforço para superar experiências dolorosas, Ozlem Ayduk, que se encontrava, então, nas últimas fases de seu trabalho de pós-graduação em meu laboratório, em Columbia (e, depois, tornou-se professor da Universidade da Califórnia, em Berkeley), interessou--se pela mesma questão e juntou-se à nossa pesquisa. Em breve, realizaríamos o primeiro experimento sobre autodistanciamento.[3] Nesse estudo, reunimos alunos de graduação da Universidade Columbia que haviam enfrentado grave rejeição em um importante relacionamento íntimo que lhes causara "sentimento sufocante de raiva e hostilidade" e lhes pedimos que refletissem sobre a questão, de uma entre duas maneiras. Metade dos alunos foi convidada a simplesmente "visualizar a experiência com os próprios olhos... [e] tentar compreender seus sentimentos". Essa foi a condição de "autoimersão", em que as experiências são encaradas como realmente as vemos, do próprio ponto de vista. As respostas, na maioria, são emocionalmente quentes, como as seguintes:

Fiquei espantada quando meu namorado me disse que não poderia ficar comigo porque ele achava que eu iria para o inferno. Chorei, sentada no chão do dormitório, e tentei provar para ele que nossas religiões eram uma só.

Adrenalina pura. P... da vida. Traído. Furioso. Maltratado. Magoado. Envergonhado. Tripudiado. Sujo. Humilhado. Abandonado. Desprezado. Manipulado. Trespassado.

Para criar o distanciamento do eu, pedimos à outra metade dos participantes para "visualizar a experiência como se fosse uma mosca na parede, ou seja, um observador ignorado... tentar compreender os sentimentos do 'eu distante'". Desse ponto de vista de "autodistanciamento", as reações foram muito menos emocionais, mais abstratas e menos egocêntricas:

Pensei nos dias e meses que precederam o conflito e me lembrei do estresse acadêmico e do tumulto emocional por que eu estava passando, além da insatisfação com as coisas em geral. Todos esses sentimentos e frustrações subjacentes me deixaram sensível e deflagraram o conflito em torno de uma discussão tola.

Consegui ver a discussão com mais clareza... de início me sintonizava melhor comigo, mas, então, comecei a compreender como meu amigo se sentia. Posso ter sido irracional, mas compreendi a motivação dele.

Os resultados foram impressionantes. Quando analisavam seus sentimentos na perspectiva de autoimersão, os participantes narravam os detalhes concretos como se estivessem vomitando a experiência (por exemplo, "Ele me disse para cair fora" ou "Eu me lembro de vê-la me enganando") e reativando as emoções negativas de que estavam acometidos ("Eu estava furioso, p... da vida, traído"). Em contraste, quando analisavam os próprios sentimentos e suas motivações na perspectiva distanciada, como a mosca na parede, começaram a reavaliar o incidente em vez de apenas contá-lo mais uma vez, reativando a mágoa. Começavam a vê-lo de maneira mais ponderada e menos emocional, o que lhes permitia reinterpretar e reexplicar o passado doloroso de maneira a encerrá-lo. Portanto, a mesma pergunta — "Por que me senti dessa maneira?" — reativa a mágoa quando se está autoimerso, mas atenua a mágoa e propicia narrativa mais adaptativa quando se está autodistante, como observador. Antes de perguntarem "Por quê?" a seus pacientes profundamente autoimersos, os terapeutas poderão refletir sobre esses resultados — e pensar em ajudar esses pacientes a ponderar sobre as experiências à distância, para que o sistema quente não esteja na temperatura máxima, permitindo que o sistema frio os ajude a refletir sobre a situação.

REAVALIAÇÃO À DISTÂNCIA

Em experimento de 2010, Ethan e Ozlem, ao estudarem nova amostra de participantes, constataram que, ao assumirem o distanciamento espontâneo, refletindo sobre a experiência dolorosa e reavaliando toda a situação em vez de apenas recontá-la, as pessoas se sentiam melhor e ficavam menos estressadas — não só de imediato, mas também quando voltavam ao laboratório sete semanas depois e lhes pediam para refletir outra vez sobre a mesma experiência.[4] Para ir além do autorrelato dos participantes, outro estudo de laboratório de Ethan e Ozlem mostrou que o autodistanciamento ajudava a reduzir um dos efeitos colaterais mais perniciosos da ruminação: pressão arterial elevada.[5] Quando as pessoas pensam nas experiências negativas dolorosas, sobretudo aquelas que despertam intensos sentimentos de raiva e traição, a pressão arterial sobe, envolvendo risco quando se mantém alta durante algum tempo. Ethan e Ozlem demonstraram que o autodistanciamento suaviza com eficácia os efeitos danosos. Quanto mais as pessoas se autodistanciam, mais rapidamente a pressão arterial volta aos níveis normais.

No manejo dos sentimentos de mágoa, faria diferença o autodistanciamento também fora das condições relativamente artificiais dos experimentos de laboratório? Seria o autodistanciamento também útil na solução de problemas pessoais e no enfrentamento dos conflitos cotidianos nos relacionamentos interpessoais estreitos? Para responder a essa pergunta, Ozlem e Ethan foram adiante, acompanhando durante 21 dias o cotidiano dos participantes.[6] No fim de cada dia do estudo, os participantes entravam em um site que lhes perguntava se tinham discutido com o parceiro íntimo. Em caso positivo, lhes era pedido que refletissem sobre seus pensamentos e sentimentos mais profundos a respeito do incidente. Por fim, os participantes avaliavam a extensão em que se autodistanciavam espontaneamente (isto é, adotavam a perspectiva da mosca na parede) ao tentarem compreender suas reações ao conflito com seus parceiros.

Em geral, as pessoas que se autodistanciavam espontaneamente quando refletiam sobre as experiências negativas nos relacionamentos também adotavam estratégias mais construtivas de solução de problemas para resolver conflitos, em comparação com aquelas que não agiam da mesma maneira. Ainda mais interessante foi a constatação de que as pessoas pouco capazes de se autodistanciar enfrentavam adaptativamente os conflitos desde que os parceiros não assumissem atitudes negativas e hostis. Se os parceiros, porém, fossem agressivos, elas retribuíam na mesma moeda, agravando a hostilidade. A combinação de parceiros com pouca capacidade de autodistanciamento, de um lado, e altamente negativos, de outro, era fórmula certa para a escalada do conflito, que se tornava tóxica para o futuro do relacionamento. Esse padrão ficava claro qualquer que fosse a forma de medição do comportamento conflitante, por autorrelato ou por observação, quando os parceiros discutiam o conflito em ambiente de laboratório. Os terapeutas cognitivo-comportamentais reconhecem cada vez mais que o autodistanciamento é pré-requisito da mudança terapêutica para muitas pessoas e muitos problemas e, assim, tentam ajudar os clientes a escapar, nem que seja por pouco tempo, da perspectiva de autoimersão, orientando-os a constatar que suas crenças e percepções são construções da "realidade", e não revelações de verdades absolutas que podem ser vistas apenas de uma maneira. Os clientes aprendem a se afastar de seus sentimentos e atitudes, passando a se observar à distância. Esse é um prelúdio à exploração de diferentes maneiras de pensar sobre si mesmo e sobre as experiências que podem se revelar mais produtivas e menos angustiantes. Os pacientes aprendem que podem representar os eventos e refletir sobre eles de outras maneiras, capazes de ajudá-los a esfriar a angústia. Ao quebrar a perna, por exemplo, você depara com um fato irreversível que se torna notório ao tentar andar com a perna quebrada. Há como mudar, porém, a maneira de encarar a situação: Estaria você enfrentando uma "situação horrível", muito estressante, por não estar em condições de praticar muitas atividades aprazíveis, como correr ou pedalar? Ou estaria você desfrutando "oportunidade única" para fazer coisas que sempre adia, como colocar a leitura em dia?

James Gross, de Stanford, e Kevin Ochsner, de Columbia, demonstraram que estratégias de reavaliação semelhantes podem ajudar as pessoas a esfriar uma ampla gama de emoções negativas. Os pesquisadores veem esses "efeitos de resfriamento" não só em autorrelatos dos participantes, indicando que eles se sentem melhor quando adotam estratégias de resfriamento, mas também nos estudos de neuroimagens, que mostram menor ativação do sistema quente, em especial da amígdala, e maior ativação do córtex pré-frontal, quando os participantes reavaliam estímulos e experiências intensamente negativos com o objetivo de atenuar o impacto emocional.[7]

QUANDO AS CRIANÇAS REFLETEM SOBRE SI MESMAS

Uma das alegrias de ter muitos alunos e colaboradores maravilhosos, ao longo dos anos, é o fato de, ao alcançarem resultados interessantes, conectarem-se uns com os outros e multiplicarem a colaboração. Angela Duckworth, jovem professora da Universidade da Pensilvânia, não foi minha aluna, mas nossas colaborações começaram quando nos conhecemos num evento, por volta de 2002, cada um de nós levando os próprios alunos. Depois, Ethan e Angela (assim como Eli Tsukayama, aluno dela, Ozlem e eu) quiseram verificar se os efeitos do autodistanciamento constatados em adultos também se manifestariam em crianças e adolescentes. Esse era um grupo demográfico extremamente importante para nossos estudos, por ser essa a idade em que os seres humanos em geral se torturam uns aos outros com exclusão social e rejeição, deixando os rejeitados com sentimento de mágoa, angústia e raiva. Não raro as consequências se convertem em tragédias, sob a forma de manifestações públicas de aflição. Pouco se conseguiu, porém, em termos do que as crianças podem aprender para enfrentar de maneira mais construtiva a dor da rejeição.

Concentramo-nos em especial nas experiências e sentimentos de raiva nas crianças por se associarem, em pesquisas anteriores, a consequências destrutivas, notadamente ao aumento da agressividade, a acessos de violência e ao início da depressão.[8] No estudo de Ethan Kross e sua equipe, meninos e meninas da quinta série foram induzidos a se lembrar de uma experiência interpessoal que lhes despertou sentimentos sufocantes de raiva.[9] Os participantes recebiam instruções para "fechar os olhos, voltar ao tempo e ao lugar da experiência evocada, e reviver a cena na imaginação". Em seguida, na condição de autoimersão, eram instruídos a "recuar alguns passos, afastar-se da situação até o ponto de observar o evento e de ver-se na cena a certa distância, concentrando-se no que agora se tornara seu eu distante, e assistindo à reprise de tudo com o eu distante; e a de novo repetir o passado, à medida que se desenrola em sua imaginação, sempre observando com atenção o eu distante".

Da mesma maneira como já havíamos constatado com jovens adultos, o autodistanciamento levou as crianças a focar menos na nova narrativa e a vivenciar outra vez os sentimentos de raiva que haviam experimentado de início, o que as ajudou a repensar o incidente de maneira a atenuar a raiva, a promover novas percepções e a encerrar o incidente. Elas desenvolveram, assim, perspectiva mais objetiva do incidente, culparam menos a outra pessoa e engendraram histórias que a ajudaram a superar a raiva. Essas descobertas se baseiam em amostra diversificada de crianças e se sustentaram em diferentes circunstâncias de gênero, etnia e condição socioeconômica.

CURANDO O "CORAÇÃO PARTIDO"

Seria a dor de Maria resultante do "coração partido" apenas uma metáfora ou refletiria ela uma realidade biológica? Essa é outra pergunta sobre regulação da emoção que Ethan Cross e colegas analisaram em um experimento de 2011. Enquanto o cérebro era escaneado por ressonância magnética, pessoas que recentemente haviam enfrentado rompimento indesejado viam uma fotografia do ex-parceiro e se lembravam da rejeição. Em outra condição, os mesmos indivíduos enfrentavam intensa dor física resultante de estimulação térmica no antebraço. Tanto o coração partido quanto a queimadura no braço ativavam as mesmas duas áreas do cérebro (o córtex somatossensorial secundário e a ínsula dorsal posterior). Quando nos referimos a experiências de rejeição em termos de dor física, não estamos usando apenas uma metáfora — o coração partido e a dor emocional realmente afligem como a lesão física.[10]

A sobreposição de como a dor emocional e a dor física são sentidas pelas pessoas e são processadas no cérebro suscita muitas questões. Uma que se repete com frequência, não sem certa ironia, é se devemos tomar analgésicos para aliviar o coração partido e inúmeras outras formas de rejeição e de exclusão. Os estudiosos da dor social ouvem essa pergunta no fim de suas palestras, em geral feitas por pessoas metidas a engraçadas — ao contrário das expectativas, porém, a resposta é um enfático sim! "Tome duas aspirinas e me ligue de manhã", seria a resposta fria, embora baseada em pesquisas, para o telefonema de um amigo, altas horas da noite, que acabara de ser descartado pelo parceiro íntimo.

Naomi Eisenberger e seus colegas da Universidade da Califórnia, em Los Angeles, deram aos voluntários ou um analgésico comum ou um placebo para tomar todos os dias durante duas semanas.[11] Os voluntários monitoraram os níveis de dor, resultantes da rejeição social, na vida cotidiana durante as três semanas sem saber se estavam ingerindo analgésico ou placebo. Os que tomaram analgésico relataram redução significativa na sensação de dor associada ao coração partido, começando em média no dia 9 e se prolongando até o dia 21, o último do estudo. Os que tomaram o placebo não acusaram mudança. Outros voluntários ingeriram ou o analgésico ou o placebo, de novo sem saber o que estavam tomando, e foram submetidos a experiência de rejeição social durante o exame de ressonância magnética. Enquanto o cérebro era escaneado, jogaram Cyberball, aplicativo de realidade virtual em que podiam ter a sensação de exclusão: depois de receberem sete lançamentos, observavam o que parecia ser dois outros participantes arremessando a bola um para o outro, 45 vezes seguidas, sem um único arremesso para eles. Em resposta a essa exclusão social, os que haviam ingerido analgésico durante três semanas relataram muito menos atividade neural nas áreas de dor do cérebro.

Se analgésicos comuns não forem suficientes para aplacar o coração partido de Maria e se ela não conseguir executar as trabalhosas acrobacias mentais necessárias para encarar as próprias experiências como uma mosca na parede, ainda resta um antídoto. Ao sentir a dor da rejeição, é bom pensar nas pessoas com quem você mantém laços duradouros e seguros. Da mesma maneira como olhar para a foto da pessoa que o rejeitou pode aumentar a dor do coração partido, lembrar-se das pessoas com quem você está estreitamente ligado pode ser útil para atenuar a dor que prendeu Maria ao próprio passado. O antídoto é mais eficaz para quem já tem laços seguros com outras pessoas na vida; não funciona tão bem, no entanto, para quem evita compromissos e relacionamentos íntimos.[12]

12. Esfriando as emoções dolorosas

As descobertas mais vibrantes dos estudos marshmallow não foram as esperadas ligações duradouras entre tempo de espera no teste e sucesso futuro na vida. O mais impressionante é que, se tivermos capacidade de esperar e se soubermos explorar esse recurso valioso, estaremos mais bem protegidos contra nossas vulnerabilidades pessoais — como predisposição para engordar, ficar zangado, sentir-se magoado e rejeitado, e assim por diante — e seremos mais capazes de conviver com essas tendências de maneira mais construtiva. As pesquisas que mostram como e por que o autocontrole produz esse efeito positivo se concentram em vulnerabilidade comum e perniciosa, denominada sensibilidade à rejeição (SR). Passo a analisar aqui o que aprendemos a esse respeito.

AS CONSEQUÊNCIAS DA ALTA SENSIBILIDADE À REJEIÇÃO

As pessoas com SR alta são altamente ansiosas quanto à rejeição em relacionamentos íntimos, receiam o abandono e, em geral, por força dos próprios comportamentos, acabam provocando a rejeição que tanto temiam. Em condições de descontrole, os efeitos destrutivos da SR alta podem atuar como profecia autorrealizável.[1] "Bill" é exemplo de como a SR alta pode destruir relacionamentos: ele se caracteriza, ao mesmo tempo, pela SR alta nos relacionamentos românticos e pela pouca capacidade de espera e de autocontrole. Com o fracasso de seu terceiro casamento, ele ficou deprimido e ansioso e acabou procurando um terapeuta. Explicando-lhe as razões do divórcio, ele se queixou amargamente da "falta de lealdade" da ex-esposa. As "evidências", na opinião de Bill, começaram com situações típicas durante o café da manhã. Em sua versão, ele queria conversar e trocar ideias todas as manhãs, mas a esposa estava sempre meio adormecida. Em vez de agir com atenção, ela bocejava, fechava os olhos e até os desviava, olhando para as manchetes do jornal ou arrumando as flores sobre a mesa. Ela era insensível às queixas dele, assim pensava Bill, e aquele desinteresse um dia "me fez jogar os malditos ovos mexidos em cima dela".

Pessoas com SR alta, como Bill, ficam facilmente obcecadas com a ideia de serem ou não "de fato" amadas, e as próprias ruminações desencadeiam uma onda de raiva e ressentimento do sistema quente à medida que aumenta o medo de ser abandonado. Em resposta à própria angústia, assim como às reações infelizes dos parceiros, elas se tornam mais coercitivas e controladoras — ostensivamente ou através de agressão passiva. Atribuem o que fazem às ações dos parceiros ("Ela *me fez* jogar os malditos ovos mexidos em cima dela") e validam o medo de abandono com as rejeições que de início imaginaram e que depois ajudaram a concretizar, com as sucessivas explosões de raiva.

O padrão típico tem consequências previsíveis, identificadas em pesquisa de Geraldine Downey e alunos. Geraldine é professora de psicologia da Universidade Columbia e minha colega desde o começo da década de 1990. Há muito tempo lidera as pesquisas sobre a natureza e as consequências da SR. Seus estudos demonstraram que as relações de jovens homens e mulheres com SR alta não são tão duradouras quanto as entre parceiros com SR baixa. Na escola de ensino médio, crianças com SR alta são mais assediadas e agredidas pelos colegas e se tornam mais solitárias.[2] A longo prazo, pessoas com vulnerabilidade elevada continuam a experimentar mais rejeição, o que, com o passar do tempo, corrói o senso de valor pessoal e de autoestima, aumentando a probabilidade de depressão.[3]

A SR alta não só desgasta as relações de longo prazo mas também inflige dor aos parceiros. Além disso, prejudica biologicamente os portadores dessa sensibilidade. Quanto mais frequentes forem os acessos de raiva e de estresse de pessoas como Bill, maior será o risco de que tenham doenças cardiovasculares, asma, artrite reumatoide, câncer e depressão. Por quê?

Vários experimentos avaliaram as respostas psicológicas do sistema imunitário à rejeição social e também examinaram a atividade do cérebro durante a resposta à rejeição. Quando nos sentimos rejeitados, a atividade e a sensibilidade aumentam no córtex cingulado anterior dorsal e na ínsula anterior.[4] Essas regiões participam da regulação da emoção, da antecipação de recompensas e de funções autônomas críticas, como pressão arterial e batimentos cardíacos. Além disso, quando se fica estressado, o sistema imunitário produz substâncias químicas inflamatórias. Na história evolucionária, havia boas razões para o organismo reagir ao estresse com a liberação de citocinas inflamatórias, proteínas que regulam o sistema imunitário, preparando-o para atacar. Tal característica era e é adaptativa porque essas proteínas aceleram a cicatrização de ferimentos e, portanto, são muito importantes, a curto prazo, para a recuperação de lesões físicas. Quando, porém, são ativadas durante período prolongado, como em situações crônicas de medo e antevisão de rejeições ou pela incapacidade de superação de graves rejeições, o nível acelerado de inflamação pode acarretar doenças sérias. A inflamação transitória em resposta a ferimentos era ótima para a sobrevivência de nossos ancestrais, mas a inflamação duradoura, em resposta ao excesso de reação do sistema quente, desde o café da manhã, o dia inteiro, sete dias por semana, é causa certa de diversas patologias.[5]

COMO A CAPACIDADE DE ESPERAR PROTEGE

Pouco depois de Geraldine chegar a Columbia, ela e eu, e nossos alunos, começamos uma longa série de estudos para analisar como a capacidade de autocontrole pode proteger indivíduos com SR alta contra as consequências infelizes dessa vulnerabilidade. A pergunta básica que fizemos foi: será que a capacidade de esperar protege contra os efeitos negativos da SR alta? Será que as mesmas habilidades de controle da atenção, que permitem aos bebês tolerar a aflição de uma breve separação da mãe e ajudam as crianças pré-escolares a esperar pelos marshmallows, também possibilitam que um adulto com SR alta se acalme e não se enfureça quando a esposa olha para as manchetes do jornal e não para ele? A SR foi medida pela intensidade com que os participantes sentiam que também tinham preocupações desse tipo: "Frequentemente receio ser abandonada pelos outros" e "A toda hora acho que meu parceiro realmente não me ama".

Ozlem Ayduk (que participou das pesquisas com Geraldine e eu em Columbia na época) liderou um trabalho que considerou as crianças pré--escolares nos estudos longitudinais que eu começara na Bing Nursery School de Stanford. Quando essas crianças chegaram a idades entre 27 e 32 anos, aquelas que tinham SR alta e que não haviam conseguido retardar a satisfação como crianças pré-escolares no Teste do Marshmallow também apresentavam baixa autoestima, baixa autovalorização e baixa capacidade de enfrentamento.[6] Também alcançaram níveis educacionais baixos, usavam mais cocaína e crack, e eram mais propensas a se divorciar. Em contraste, os participantes que também tinham SR alta como jovens adultos, mas haviam sido capazes de retardar a satisfação como crianças pré-escolares, protegiam-se contra os resultados negativos: a ansiedade crônica quanto à rejeição não se convertia em profecia autorrealizável.

Em 2008, um estudo correlato da mesma equipe, de novo com Ozlem como principal autor, mostrou que pessoas com SR alta também eram mais propensas a desenvolver características de transtorno de personalidade limí-trofe, que as predispõe a ampliar pequenos desentendimentos e a interpretá--los como ataques pessoais, aos quais reagem, tornando-se destrutivos em relação aos outros e a si mesmos. Mais importante, as pessoas com SR alta, mas também com grande capacidade de autocontrole, protegiam-se contra esses efeitos e preservavam os relacionamentos. Constatamos essa tendência tanto no acompanhamento das crianças pré-escolares em Stanford quanto em duas novas amostras, uma de estudantes de ensino superior e outra de adultos na comunidade de Berkeley, na Califórnia. Em geral, quem tinha SR alta, mas também exercia bom autocontrole, enfrentava tão bem as situações difíceis quanto quem tinha SR baixa.[7] Quando as pessoas com SR alta enfrentavam estresse e possível rejeição nos relacionamentos sociais, elas usavam as habilidades de autocontrole para esfriar as primeiras reações quentes e impulsivas, não ficando enfurecidas e agressivas e preservando o relacionamento.

Quanto mais claras e mais amplas se tornavam as relações entre o que as crianças pré-escolares faziam no Teste do Marshmallow e o que acontecia com elas ao longo da vida, mais eu me perguntava: Será que os resultados de Stanford, Columbia e Berkeley se sustentam fora dessas comunidades privilegiadas e seletas? Para descobrir a resposta, eu precisava de uma escola tão longe quanto possível do campus de Stanford — dos pontos de vista geográfico e demográfico.

DE STANFORD A SOUTH BRONX

É difícil imaginar contraste mais extremo que entre o oásis ensolarado, cheio de palmeiras, da Universidade Stanford, Califórnia, onde as crianças pré-escolares de Bing esperavam pelos marshmallows, e a escola pública de ensino médio de South Bronx, na qual meus alunos e eu acabamos conseguindo permissão para trabalhar. Havia um rigoroso sistema de defesa que isolava as escolas públicas de Nova York contra a invasão e escrutínio dos pesquisadores, e só depois de quatro anos de tentativas infrutíferas tivemos acesso à escola. O diretor se dispôs a enfrentar a ira do conselho de educação e nos deixou fazer pesquisas entre os muros de pedra de sua escola sombria, que mais parecia uma fortaleza. Isso foi no começo da década de 1990, quando a cidade mal começava a se recuperar de uma das piores recessões, e a maioria das escolas públicas, inclusive essa, estava em profunda decadência. As salas de aula se deterioravam, com o teto despencando, as altas janelas quebradas e lâmpadas insuficientes e não raro queimadas. A diferença era chocante não só em relação às escolas públicas de Stanford, que eu conhecera através de meus próprios filhos, mas também em comparação com as escolas públicas que eu frequentara décadas antes, em bairros de classe média baixa como o Brooklyn.

Em minha primeira visita, viam-se carros de polícia estacionados diante das cercas de metal, em cima de onde repousava arame farpado. Ao deparar com a multidão de crianças que se enfileiravam e passavam pelos detectores de metal nas entradas vigiadas, lembrei-me das ocasiões em que visitei o presídio estadual de segurança máxima, durante o curso de doutorado, no estado de Ohio. Uma vez dentro da escola do Bronx, fui atraído pelo vozerio de um enorme auditório, transbordando de alunos que falavam e gritavam. Os corredores eram patrulhados por monitores, professores homens que marchavam para cima e para baixo, carregando cassetetes e gritando mais alto que os alunos várias vezes seguidas: "Sentem-se e calem-se!". Ao perguntar, soube que aquilo era o período de estudo antes do início das aulas. Aquele cenário onde imperava a mais absoluta bagunça indicou que havíamos encontrado a escola e a amostra de que precisávamos.

Estudávamos as crianças quando entravam na escola de ensino médio, na sexta série, aos doze anos, e as acompanhávamos até saírem, no fim da oitava série, aos catorze anos. Assim agimos em ondas sucessivas, durante os cinco anos do projeto. Ao entrarem, os alunos da sexta série faziam o Teste do Marshmallow — só que dessa vez eram muitos chocolates M&M depois, em vez de poucos de imediato. Durante os três anos dos alunos na escola, coletávamos vários indicadores de resultados para ver se o que faziam durante o teste predizia ou não os comportamentos subsequentes.

Exatamente como ocorrera com as crianças privilegiadas de Stanford, as crianças da oitava série do Bronx que apresentavam SR alta também tinham baixa autovalorização e eram malvistas pelos colegas e professores em termos de desempenho. Mais uma vez, porém, só se constatou essa correlação no caso dos adolescentes que, dois anos antes, não tinham conseguido retardar a satisfação no Teste do Marshmallow. A SR alta não condenava essas crianças a problemas interpessoais, desde que fossem capazes de esfriar a excitação e o estresse, conforme se media pelo diferimento da satisfação.

Para acompanhar o comportamento das crianças do Bronx ao longo do tempo, pedimos aos colegas e aos professores para avaliá-las do ponto de vista de aceitação social e de comportamento agressivo, respectivamente. Os dois conjuntos de avaliação se correlacionaram: as crianças consideradas mais agressivas pelos professores eram menos bem aceitas e mais mal avaliadas pelos colegas. Os jovens com SR alta eram menos aceitos pelos colegas e considerados mais agressivos pelos professores, mas só se logo tivessem tocado a campainha e se conformado com poucos M&M.[8]

As crianças que tinham medo da rejeição, mas que conseguiam esfriar o estresse e esperar pelos M&M, eram vistas pelos professores como as menos agressivas e pelos colegas como as mais bem aceitas socialmente. A combinação de muita motivação para evitar a rejeição, de um lado, e de grande capacidade de autocontrole, de outro, ajudava esse grupo de crianças a conquistar a tão ansiada aceitação. A alta ansiedade quanto a rejeição não precisa atuar como profecia autorrealizável. Também pode ajudar uma criança sensível à rejeição a vencer o concurso de popularidade.

Conheci "Rita" como adolescente de treze anos na sétima série da KIPP Academy Middle School, no South Bronx, a mesma escola KIPP onde conheci George Ramirez, que foi para Yale (capítulo 8). Rita falava com voz suave, embora forte, e refletia sobre tudo o que dizia. Quando gostava do que ouvira ela própria falar, ou o achava engraçado, abria um grande sorriso que lhe iluminava o rosto.

Rita estava na KIPP havia três anos e antes disso frequentara a escola pública situada no mesmo prédio. Ela havia ganhado na loteria necessária para entrar na KIPP e a família atendia aos requisitos de pobreza. Perguntei a Rita sobre sua experiência na KIPP, cujas turmas tranquilas, sérias, dispostas a aprender e bem disciplinadas eram um mundo diferente do caos da escola pública que compartilhava o mesmo prédio. Disse-me ela: "De início, eu não sabia como me adaptar. Depois que entrei aqui, eu me abri. Comecei a conversar com as pessoas. Minha professora mostrou que eu podia escrever sobre minhas próprias experiências. Tenho um caderno onde anoto tudo... gosto de escrever sobre a rotina da minha vida, não sobre como os macacos evoluíram".

A fisionomia dela ficou séria. "Não gosto de receber críticas. Quando sou criticada, anoto. Escrevo o que aconteceu, o nome da pessoa, o que disse, por que doeu tanto e por que foi dito para mim, não para outra pessoa. Converso com a minha orientadora. Ela me ajuda a dar a volta por cima. Procuro a pessoa que me criticou e faço as perguntas que anotei. Isso ajuda a conversar e a compreender por que foi dito. Não alivia a raiva. Aprendi que todos são criticados. O negócio é enfrentar a situação e partir para outra."[9]

Rita é exemplo de pessoa altamente sensível à rejeição, mas também capaz de se autocontrolar; alguém que, nos estudos de resultados, funciona tão bem quanto quem não é especialmente sensível à rejeição. Com a ajuda que tem recebido, está conseguindo esfriar a ansiedade quanto à rejeição e a abandonar a perspectiva de autoimersão, na tentativa de se distanciar de si mesma para externar os sentimentos feridos, anotando-os e discutindo-os. O processo lhe permite vencer as emoções e "avançar".

Quando pessoas altamente sensíveis à rejeição sentem-se aborrecidas e hostis, como geralmente é o caso, elas levam vantagem se também forem capazes de esfriar e de desacelerar, respirando fundo, regulando os pensamentos de maneira estratégica e pensando nos objetivos de longo prazo. É possível automatizar essas estratégias em vez de aplicá-las com deliberação e esforço, desenvolvendo e praticando planos de implementação *Se-Então*, que conectam os gatilhos quentes (*Se* ela ler o jornal) e as reações internas (*Se* eu começar a ficar com raiva) às estratégias de autocontrole (*então* respiro fundo e começo a contagem regressiva de cem a zero).

Essas habilidades de diferimento também podem ser usadas para esfriar o impulso agressivo, ativando um pensamento quente incompatível com o impulso. Por exemplo, se alguém como Bill tivesse desenvolvido melhores habilidades de autocontrole, poderia ter imaginado com nitidez que arremessar um prato de ovos mexidos no calor do momento talvez o levasse a receber uma carta "Querido Bill" ao chegar em casa naquela noite e encontrar o guarda-roupa da mulher vazio. O mecanismo aqui atuante, quando a capacidade de diferimento oferece a pausa de fração de segundo para reflexão antes da ação, é o mesmo que ajuda as pessoas com outras vulnerabilidades (tendências para transtorno de personalidade limítrofe, obesidade ou dependência de drogas) a regular e a controlar o comportamento.

No *Journal of Pediatrics*, em 2013, Tanya Schlam e seus colegas relataram que o tempo de espera das crianças pré-escolares da Bing Nursery School de Stanford, no Teste do Marshmallow, era previsor do índice de massa corporal trinta anos depois.[10] "Cada minuto adicional de espera da criança pré-escolar no adiamento da satisfação correlaciona-se com redução de 0,2 ponto no IMC na idade adulta." Os autores advertem, acertadamente, que a correlação significativa, embora impressionante e rara em período tão longo, não implica ligação de causalidade. Pode estimular, contudo, os pesquisadores, educadores e pais a persistir no desenvolvimento de intervenções para melhorar as habilidades de autocontrole em crianças pequenas.

AUTOCONTROLE NA NOVA ZELÂNDIA

Os cientistas sempre ficam ansiosos pela replicação independente das descobertas das pesquisas, de preferência em populações e contextos diferentes. Em 2011, me senti tranquilo ao saber que resultados paralelos sobre os efeitos protetores do autocontrole no começo da vida estavam sendo obtidos por outra equipe de pesquisadores que trabalhavam com uma população muito diferente, no outro lado do globo, décadas depois do início dos estudos marshmallow. Terrie Moffitt, Avshalom Caspi e seus colegas observaram atentamente mais de mil crianças nascidas em Dunedin, Nova Zelândia, em um único ano, e as acompanharam para ver como se sairiam aos 32 anos.[11] Usaram medidas de autocontrole e de resultados de longo prazo diferentes das nossas. Avaliaram o autocontrole nos primeiros dez anos de vida com base em ampla variedade de avaliações por observação, assim como em relatórios dos pais, dos professores e das próprias crianças. Perguntaram sobre agressão, hiperatividade, falta de persistência, desatenção e impulsividade. Para avaliar a saúde, mediram dependência de drogas, fumo e anormalidades metabólicas (como obesidade, hipertensão e colesterol elevado). Também consideraram indicadores de riqueza, como nível de renda, estrutura familiar (como criação por um único genitor), hábitos de poupança, problemas de crédito e independência financeira. Consideraram ainda comportamentos antissociais, como condenações criminais. Qualquer que fosse a medida adotada, a falta de autocontrole durante a infância predizia significativamente resultados negativos como adulto: saúde pior, mais problemas financeiros e mais crimes cometidos.

Foi bom ver como as descobertas de Dunedin, em 2011, eram consistentes com as da Sala de Surpresas, em Stanford, nos anos 1960: o autocontrole, sobretudo no começo da vida, tinha valor preditivo. Mais importante, como mostrou a outra pesquisa, neste capítulo, também atua como proteção, contribuindo para evitar que certas vulnerabilidades decorrentes de predisposições se manifestem de maneira destrutiva. Tudo isso indica que vale a pena cultivar as habilidades de autocontrole em nossos filhos e em nós mesmos.

13. O sistema imunitário psicológico

Quando nossos esforços de autocontrole fracassam, temos um aliado oculto que, com o passar do tempo, contribui para nos sentirmos melhor, ou pelo menos não tão mal, por maior que seja o tamanho da besteira e por mais que a vida esteja nos maltratando. A evolução nos fornece mecanismos de proteção automáticos que nos socorrem quando a vida nos inflige golpes terríveis, muito além de nossa capacidade de controle; quando nossas forças são insuficientes; quando nosso sistema frio está cansado demais; e quando nossos comportamentos falíveis e nossos sentimentos frágeis nos induzem a situações problemáticas.

Esses mecanismos já foram denominados defesas do ego; no começo deste século, porém, Daniel Gilbert, da Universidade Harvard, trabalhando com Timothy Wilson, da Universidade de Virgínia, e outros, ampliou-os, revisou--os e renomeou-os, apropriadamente, como "sistema imunitário psicológico".[1] Esse sistema constrói uma rede de segurança que nos protege dos efeitos do estresse crônico e nos fortalece para resistirmos a notícias terríveis — como o check-up de rotina que se converte em diagnóstico de câncer; como a que-da vertiginosa no mercado de ações que derruba o valor da poupança para a aposentadoria; como o corte na empresa que o demite do emprego; ou como a morte súbita de alguém que você ama. Enquanto o sistema imunitário bio-lógico nos mantém vivos, protegendo-nos das doenças, o sistema imunitário psicológico reduz a percepção de estresse e aumenta a resistência à depressão. Os efeitos antiestresse e antidepressivo do sistema imunitário psicológico re-forçam o sistema imunitário biológico, e os dois interagem continuamente para nos manter sorridentes e saudáveis, mesmo quando a vida é sobremodo dura.

PROTEGENDO O AUTORRESPEITO: AUTOPROMOÇÃO

O sistema imunitário psicológico nos oferece meios para não nos odiarmos pelos fracassos e para nos valorizarmos pelas vitórias. Leva-nos a atribuir os maus resultados ao governo, a um auxiliar incompetente, a um colega ciumento, a um momento de azar ou a alguma outra condição fora de nosso controle. Ajuda-nos a dormir à noite, quando nos lembramos de um episódio, naquele dia, em que um colega se referiu à nossa ideia, numa reunião de grupo, como fórmula para o desastre. Tudo bem, pensa você, talvez não tenha sido boa ideia, mas é perdoável, porque você estava gripado. É como disse o psicólogo Elliot Aronson, no título do livro que escreveu com Carol Tavris, *Mistakes Were Made (But Not By Me)* [Erros foram cometidos (Mas não por mim)].

O sistema imunitário psicológico preserva o senso de ser bom, inteligente e valoroso. Desde que não estejamos muito depressivos ou disfuncionais, permite que nos consideremos com mais qualidades positivas e menos qualidades negativas que a maioria de nossos pares. Nem sempre, porém, ele funciona dessa maneira: você pode considerar-se inteligente, de maneira geral, mas incompetente com tecnologia, ou julgar-se capaz de autocontrolar-se no trabalho, mas não com chocolates. Quando, no entanto, as pessoas se autoavaliam no questionário de Shelley Taylor "Como eu me vejo", que lista 21 qualidades, do tipo "animado", "capaz do ponto de vista acadêmico", "autoconfiante do ponto de vista intelectual", "sensível aos outros", "desejoso de realizar", entre 67% a 96% dos participantes avaliam-se a si mesmos melhor que aos pares.[2] David G. Myers, psicólogo social de Hope College, captou a essência da profusão de estudos sobre autovalorização.

Em pesquisa do College Board envolvendo 829 mil alunos da última série do ensino médio, 0% se autoavaliou abaixo da média em "capacidade de relacionar-se com os outros", 60% se autoavaliou nos 10% superiores, e 25% se autoavaliou no 1% superior. Em comparação com a média dos pares, a maioria das pessoas se imagina mais inteligente, mais bonita, menos preconceituosa, mais ética, mais saudável e mais propensa à longevidade — fenômeno reconhecido na anedota de Freud sobre o homem que disse à mulher: "Se um de nós morrer, mudo-me para Paris" [...].

Na vida cotidiana, mais de nove em cada dez motoristas se consideram acima da média, ou ao menos assim supõem. Em pesquisas entre professores de faculdades, 90% ou mais se autoavaliam superiores à média dos colegas [...]. Quando maridos e mulheres estimam a porcentagem do trabalho doméstico que assumem ou quando equipes de trabalho julgam suas contribuições, as autoestimativas em geral totalizam mais que 100%.[3]

Não podemos todos ficar acima da média. A pergunta importante é se essa ilusão de autorrespeito produz, em última instância, efeitos positivos ou negativos. Devemos aceitar de bom grado esse tipo de autopromoção, dar-lhe um nome positivo, como "autoafirmação", ficarmos satisfeitos ao percebê-la em nossos filhos, e não nos censurarmos? Ou seria essa superestimação do eu um mecanismo neurótico, um sistema de defesa a ser superado, para que nos vejamos com mais exatidão? Não admira que, fazendo jus ao fenômeno em si, defensores de cada lado da controvérsia se mostrem apaixonados pela perspicácia da própria visão e pela ingenuidade da oposição. Shelley Taylor e seus colegas analisaram o impacto do autorrespeito numa série de experimentos que começaram em fins da década de 1990 e prosseguiram durante muitos anos, cujos resultados contribuíram com novas evidências para o debate.

Taylor e equipe demonstraram que os autopromotores habituais, pessoas que alcançam notas elevadas em autoafirmação ao se compararem com os pares, apresentam, de fato, baixos níveis de estresse biológico crônico.[4] Biologicamente, isso acontece, em grande parte, através do trabalho do eixo hipotalâmico-hipofisário-adrenal (EHHA), que regula tudo, como digestão, temperatura, temperamento, sexualidade, energia física e sistema imunitário biológico. O EHHA também indica até que ponto reagimos bem ou mal ao estresse e ao trauma. Os bons autopromotores têm perfil de EHHA mais saudável que os maus autopromotores. São mais capazes de esfriar o sistema quente ao reagir a ameaças por meio do aumento da atividade parassimpática, assim como de aumentar a sensação de conforto. Em consequência, reduz-se o estresse, levando os bons autopromotores a atuar de modo autocalmante, em que podem recuperar-se e curar-se, em vez de preparar-se para a próxima batalha — enfrentando as hienas selvagens do tempo de nossos ancestrais em suas versões contemporâneas.

Essas descobertas contradizem as crenças tradicionais, ainda compartilhadas por muitos psicólogos, não só de que as ilusões positivas e a autopromoção são negações defensivas de características pessoais desfavoráveis e sinais de grandiosidade e de narcisismo neurótico, mas também de que o esforço para suprimir ou reprimir as qualidades negativas tem altos custos biológicos. Com efeito, estados mentais positivos de autoafirmação, inclusive ilusões positivas (desde que não sejam distorções extremas da realidade), promovem funções psicológicas e neuroendócrinas mais saudáveis e proporcionam níveis de estresse mais baixos.[5] Os realistas, que se percebem com mais exatidão, experimentam baixa autoestima e mais depressão e, em geral, são menos saudáveis do ponto de vista físico e mental.[6] Em contraste, as pessoas mais saudáveis se veem com certo brilho quente, ainda que um tanto ilusório.[7]

Os sistemas imunitários psicológico e biológico atuam em estreito entrosamento. Ambos nos servem bem, mas podem surtir efeitos contrários se reagirem de maneira excessiva ou insuficiente. Daí a importância de equilibrarem duas necessidades concorrentes, conforme observa Daniel Gilbert.[8] O sistema imunitário biológico precisa identificar e eliminar invasores externos, como vírus, mas não pode destruir as células boas do corpo. Do mesmo modo, pode ser adaptativo e bom para a autoestima se o sistema imunitário psicológico induzi-lo a pensar que você é melhor que a maioria dos pares. A história, porém, é diferente se você começar a achar que é melhor que todo mundo.

Mesmo que faça um bom trabalho de equilíbrio entre autopromoção e realismo, o sistema imunitário psicológico não raro nos leva a prever, erroneamente, como nos sentiríamos se acontecessem coisas terríveis. Se nos pedissem para imaginar qual seria nossa reação se ficássemos paraplégicos, logo anteveríamos uma vida terrivelmente infeliz, conforme mostraram Gilbert e outros pesquisadores. No entanto, se o infortúnio realmente acontecer, nosso sistema imunitário psicológico felizmente nos ajudará a fazer o melhor possível dentro da situação, e logo nos sentiremos muito melhor do que supúnhamos. O lado negativo é nos tornar maus previsores da felicidade futura; o lado positivo é nos tornar melhores sobreviventes quando a vida não vai bem. O que acontece, porém, quando o sistema imunitário psicológico fracassa?

PERDENDO AS LENTES COR-DE-ROSA

Aaron Beck, pioneiro no desenvolvimento da terapia cognitivo-comportamental, desde os anos 1970, atividade a que ainda se dedica, sugeriu que os portadores de depressão grave veem o mundo, a si mesmos e o futuro de maneira irrealisticamente negativa.[9] Ele conceituou depressão como disposição mental negativa, como um par de lentes escuras, que tornam tudo sombrio. Poderia, porém, a autoimagem negativa refletir em parte o reconhecimento realista, pelas pessoas deprimidas, da própria falta de habilidades e de competências interpessoais positivas? Talvez os indivíduos depressivos *sejam* realmente menos habilidosos do ponto de vista social e, portanto, sejam percebidos de maneira mais negativa, tanto por outras pessoas que os observam quanto por si mesmos.

Para investigar essas possibilidades, trabalhei com Peter Lewinsohn e seus colegas, da Clínica de Psicologia da Universidade de Oregon, em 1980, para avaliar como os pacientes clinicamente depressivos avaliam o próprio desempenho.[10] Precisávamos conseguir não só as autoavaliações de indivíduos depressivos quanto ao próprio desempenho, em interações sociais, mas também as avaliações de observadores independentes quanto ao mesmo desempenho, para que pudéssemos avaliar a congruência. Comparamos então os padrões de pacientes depressivos com os de pacientes psiquiátricos, que também enfrentavam problemas mentais graves, mas não eram depressivos, assim como com os de participantes sob controle ambulatorial, sem problemas de depressão, presentes ou passados, mas com características etárias e demográficas semelhantes.

Os participantes se sentavam em pequenos grupos, em ambientes informais confortáveis, e eram informados de que os pesquisadores queriam estudar a maneira como pessoas estranhas se relacionavam umas com as outras. Os participantes dessas pequenas reuniões se apresentavam ao grupo com um breve monólogo e depois ficavam sozinhos para conversar durante vinte minutos. Os observadores, treinados com cuidado e ignorantes dos diagnósticos e histórias dos participantes, avaliavam o que viam por trás de uma vidraça de observação, por meio de escalas de avaliação padronizadas, que listavam muitos atributos desejáveis: amigável, popular, assertivo, atraente, caloroso, comunicativo, socialmente habilidoso, interessado nos outros, compreensivo, bem-humorado, fluente, aberto e extrovertido, com perspectiva positiva da vida, e assim por diante. Logo depois de cada sessão, os participantes avaliavam o próprio desempenho nas interações grupais com base nas mesmas escalas de avaliação padronizadas, usadas pelos observadores.

Os indivíduos depressivos, longe de se verem através de lentes escuras, como tínhamos presumido, sofriam de autopercepção normal: em comparação com outros grupos, suas autoavaliações de qualidades positivas eram as mais compatíveis com as avaliações dos observadores. Em contraste, tanto os pacientes psiquiátricos não depressivos quanto os participantes do grupo de controle haviam inflado as autoavaliações, vendo-se de maneira mais positiva que a avaliação dos observadores. Os pacientes depressivos simplesmente não se viam sob as lentes cor-de-rosa que os outros usavam ao se avaliar.

Nos meses seguintes, enquanto eram tratados com terapia cognitivo-comportamental na Clínica de Psicologia da Universidade de Oregon, os pacientes depressivos começaram a melhorar as autoavaliações, aos poucos considerando-se mais competentes socialmente. Embora os observadores não soubessem do tratamento, também começaram a avaliar os pacientes depressivos de maneira mais positiva. No entanto, embora os pacientes depressivos se vissem de maneira mais positiva depois do tratamento, ainda eram mais realistas nas autoavaliações e percebiam-se a si mesmos mais como os outros os viam. Igualmente importante, as diferenças nas autoavaliações entre os três grupos diminuíram: os depressivos sentiam-se melhor e, tanto quanto se supõe, seu sistema imunitário psicológico melhorou o nível das autoavaliações.

Se os observadores — que eram os critérios de exatidão nessa pesquisa — fossem incumbidos de avaliar-se a si mesmos, eles provavelmente também tenderiam para a sobrestimação, como ocorrera com os participantes do grupo de controle. Vemos os outros com exatidão, mas usamos lentes cor-de-rosa nas autoavaliações se tivermos a sorte de não sermos depressivos. Com efeito, esse tipo de excesso na autovalorização pode ser o que protege a maioria das pessoas contra a depressão.[11]

COMO OS SENTIMENTOS DISTORCEM O PENSAMENTO

O que mais me surpreende, por mais que eu estude suas manifestações, é a força das emoções negativas ao tripudiarem sobre o pensamento frio e ao gerarem precipitações que distorcem não só o que experimentamos no presente, mas também o que esperamos e como nos autoavaliamos. Para analisar como o processo funciona, Jack Wright e eu estudamos como sentimentos felizes e tristes causam impacto no desempenho numa tarefa complexa de solução de problemas.[12] Jack, que foi meu aluno em Stanford e que hoje é professor na Universidade Brown, pediu a estudantes universitários voluntários, numa das condições, que imaginassem, com detalhes vívidos, uma situação que os faria se sentir muito felizes e, em outra condição, uma situação que os deixaria muito tristes. Nós os estimulamos a afigurar com os "olhos da mente" as pessoas e os objetos circundantes para apreciar o panorama, ouvir os sons, experimentar o acontecimento, refletir sobre as próprias ideias e ter as sensações que teriam se realmente estivessem lá. Por exemplo, para induzir uma disposição de espírito feliz, um aluno imaginou a formatura, no futuro, em uma faculdade de direito, e viu-se a si mesmo naquele dia "tão almejado, pelo que tanto lutei; e lá estava eu, sabendo que consegui, me sentindo vitorioso, naquele momento que finalmente chegara". Para engendrar uma disposição de espírito triste, outro estudante imaginou "que fui rejeitado em todas as faculdades de direito em que tentei me matricular".

Sob essas disposições de espírito, os participantes tinham de combinar pares de figuras tridimensionais rotativas no computador em diversos ângulos, variando, em grau de dificuldade, do muito fácil para o quase insolúvel. Ao longo de muitas tentativas, eles recebiam feedback falso, mas completamente confiável, indicando que tinham acertado ou errado nas situações mais difíceis. A descoberta mais impressionante foi o efeito desastroso da combinação do sentimento de tristeza com a percepção de fracasso. Os estudantes com disposição de espírito triste reagiam em demasia ao feedback de desempenho negativo, rebaixando a maneira como avaliavam o próprio desempenho e as expectativas quanto ao próximo conjunto de tarefas com muito mais intensidade que os colegas que recebiam o mesmo feedback, mas estavam imbuídos de disposição de espírito feliz. Os estudantes que haviam sido induzidos a ter sentimentos felizes formavam expectativas muito mais altas quanto ao desempenho futuro, lembravam-se mais das experiências bem-sucedidas e se autodescreviam de maneira mais favorável. Avaliavam-se como mais inteligentes, mais autoconfiantes, mais populares, mais bem-sucedidos, mais habilidosos nos relacionamentos sociais e mais otimistas quanto ao desempenho futuro em comparação com os que haviam sido induzidos a ter emoções negativas.[13]

JANTAR COM JAKE

Tento me lembrar dos benefícios da autopromoção ao pensar em "Jake". Certa vez, em um jantar formal, me vi sentado ao lado de Jake, um self-made man que acumulara fortuna no mercado financeiro. A autopromoção dele era tão excessiva que, apesar do enorme sucesso, sob muitos critérios, ele se tornou insuportável, pelo menos para o meu sistema quente. Convencido de que era fascinante, me contou sucessivas histórias ininterruptas sobre suas qualidades especiais, a começar pelos próprios feromônios, que, na versão dele, o torna-vam irresistível para jovens mulheres, ansiosas para ficar com ele.

Considerando os benefícios comprovados da autopromoção, fiquei pensan-do por que antipatizei tão rapidamente com Jake, que a meus olhos pareceu o protótipo da autoafirmação extrema. Talvez os autopromotores habituais sejam mais saudáveis, ainda que solitários. Tenderiam os autopromotores a repelir outras pessoas, por serem tão autoabsortos e tão pouco empáticos? Estariam eles tão empenhados em se autopromover a ponto de não perceberem o que passa pela cabeça dos circunstantes e interlocutores? Ao se fazerem essas perguntas, os pesquisadores descobriram que quem se vê de maneira mais favorável do que a impressão que desperta nos outros tem amizades tão du-radouras, intensas e positivas quanto as dos autodepreciativos.[14]

O que aconteceu de errado então naquele jantar? A maioria dos autopro-motores adaptativos faz avaliações sutis e automáticas sobre as situações em que a autopromoção pública é ou não é apropriada, e onde se espera e não se espera modéstia. Frequentemente, nos autopromovemos para nós mesmos, fo-mentando o autorrespeito e a autoaquietação, privativamente, não em público. Com base no tênue fiapo do comportamento de Jake, que tolerei, o problema dele parecia ser o de não saber quando e onde ser autopromotor. Receio que a indiscrição dele tinha a ver com outro déficit: uma teoria da mente (TdM) mal desenvolvida.

Como já vimos, TdM é uma capacidade mental importante que se ma-nifesta no começo da infância e que nos permite compreender que nossas crenças podem ser falsas, que as aparências às vezes não refletem a realidade e que outras pessoas talvez não percebam a mesma cena ou acontecimento da mesma maneira como nós os vemos. No desenvolvimento normal, as crianças pré-escolares já apresentam TdM, que se correlaciona fortemente com a capacidade de conter as respostas impulsivas. Se o objetivo de Jake era me impressionar, a TdM dele não estava funcionando bem; mas talvez o propósito dele fosse outro, o de impressionar-se, caso em que sua TdM não poderia ser menos relevante.[15] Ao contrário de Jake, as pessoas cuja autopromoção se associa ao desejo de também fazer com que outras pessoas se sintam bem consigo mesmas desfrutam de uma grande vantagem: são capazes de construir relacionamentos estreitos mutuamente solidários e satisfatórios que não só produzem benefícios óbvios, mas também promovem seus atributos positivos e autorrespeito.[16]

AVALIANDO O SISTEMA IMUNITÁRIO PSICOLÓGICO

O sistema imunitário psicológico que impulsiona o autorrespeito e se correlaciona com boa saúde mental e física foi visto como sistema de defesa frágil por muitos psicoterapeutas desde a época de Freud até os anos 1990, que não raro tentavam ajudar os pacientes a desativar a imunidade e a abrir as defesas. E essa ainda é a tendência de alguns profissionais: se você entrar no consultório de um psicoterapeuta hoje, sem antes verificar seus antecedentes, sua formação e sua orientação, é alta a probabilidade de que ele venha a tratar seu sistema de autopromoção como problema a ser superado em vez de como recurso a ser explorado. Já os terapeutas com formação cognitivo-comportamental — a atual abordagem fática para o tratamento de problemas psicológicos — tenderão a seguir o método oposto. Tipicamente, eles trabalharão para fortalecer o sistema imunitário psicológico ao mesmo tempo que também se empenharão em controlar seus excessos.

Enquanto os psicólogos da saúde, os neurocientistas cognitivos e os pesquisadores comportamentais demonstram o valor do sistema imunitário psicológico e as qualidades pessoais que o mantêm vigoroso, os economistas comportamentais e muitos psicólogos enfatizam seu lado negativo. Na opinião deles, caso não se sujeitem a controles muito rigorosos, o otimismo, a autoafirmação e as qualidades positivas correlatas geram vieses que propiciam excesso de confiança, propensão a risco e tomada de decisões perigosas em praticamente todas as profissões e negócios que se analisem em profundidade.[17] Por mais cuidadosas que sejam as triagens e por mais importante que seja o currículo do indivíduo, o viés otimista "Sim, eu posso!", que também se manifesta na forma "Sim, eu sei!", leva esses profissionais altamente qualificados e bem-sucedidos a assumir riscos excessivos — mesmo quando são modelos honestos, bem treinados e bem-intencionados de autocontrole e de autodisciplina implacáveis ao longo da vida. Esses riscos facilmente podem terminar em desastre, e as pessoas vulneráveis a cometer esses erros expõem o próprio sucesso a capotagens bruscas quando a autoconfiança os leva a infringir normas sociais e princípios éticos, não raro os lançando às primeiras páginas dos jornais e às chamadas dos noticiários.

O escândalo do general Petraeus, diretor da agência central de inteligência dos Estados Unidos, a CIA, ilustra o poder da percepção de imunidade às consequências.[18] Esse é um exemplo do sistema quente à plena força — mesmo que a probabilidade de exposição seja clamorosamente óbvia para o sistema frio. O general de quatro estrelas David Petraeus era tido na mais alta conta, servindo como modelo de controle cognitivo frio. Personificava a autodisciplina espartana, inclusive pelas corridas diárias, de muitos quilômetros, nas colinas de Cabul, quando comandava as tropas americanas no Afeganistão. Foi nomeado chefe da CIA em setembro de 2011, mas logo foi afastado, em novembro de 2012, quando veio à tona a longa sucessão de e-mails que revelou detalhes de seu caso adúltero com a sua biógrafa. A correspondência foi descoberta pelo FBI e levou à renúncia imediata do general. A ironia trágica da situação (ou, dependendo da perspectiva, a insensatez) é shakespeariana.

HÚBRIS: O CALCANHAR DE AQUILES

A história de Petraeus nos lembra que até o quase invencível herói Aquiles, da mitologia grega, tinha um calcanhar vulnerável, o único ponto quente exposto que poderia acarretar sua queda, o que o tornava humano. Embora reconhecendo, no entanto, que todos temos nossos pontos quentes, que nos tornam vulneráveis, ainda esperamos que as pessoas excelentes em autocontrole também sejam mais atentas e sensíveis aos riscos futuros, de longo prazo.

Como já analisamos, os mais dotados de autocontrole estão mais protegidos contra o estresse, o que, por seu turno, pode torná-los mais sensíveis aos sinais de perigo. Do mesmo modo, por serem mais tendentes ao sucesso e à maestria ao longo da vida — desde melhor saúde até maiores ganhos financeiros —, também são mais propensos a alguns vieses decisórios destrutivos, sobretudo em consequência da ilusão de controle. Como mostra a história de Petraeus, a ilusão de controle pode levar o indivíduo altamente competente e dotado de extraordinário autocontrole a revelar informações por e-mail capazes de demolir a vida de vitórias que construiu.

As consequências da ilusão de controle às vezes são catastróficas, mormente em algumas situações de risco financeiro, quando pessoas altamente autocontroladoras podem sentir-se no controle e, por excesso de segurança, não reagir adequadamente ao feedback externo e aos sinais de perigo. Foi o que aconteceu no mundo real durante o desastre financeiro de 2008. Em 2013, a ilusão de controle foi simulada e analisada por Maria Konnikova, na Universidade Columbia, em cinco experimentos sobre assumir riscos com dinheiro em jogo, embora não aos bilhões.[19] Ao se manterem calmos, otimistas e autoconfiantes, os decididores com elevado autocontrole ignoraram o feedback sobre suas perdas, blindaram-se contra o estresse e perderam mais dinheiro que os decididores com baixo autocontrole, que ficaram ansiosos mais cedo, reagiram ao feedback e desistiram antes de quebrar. No final das contas, em algumas condições, são os menos dotados de autocontrole, com menos autoconfiança e mais ansiedade, que podem terminar na frente.

Os benefícios, contudo, talvez não sejam duradouros. Os pesquisadores induziram a percepção ilusória de controle elevado em participantes com autocontrole baixo, levando-os a acertarem em um jogo de cara ou coroa ou a se lembrarem de situações em que tomaram boas decisões e demonstraram autocontrole elevado. Sentindo-se mais confiantes, esses participantes logo perderam a vantagem inicial: começaram a parecer-se com os dotados de autocontrole elevado — e, em consequência, a fazer as mesmas escolhas erradas e a perder dinheiro.

POUSADA, JUNTA DE AVALIAÇÃO E PÉS QUEIMADOS

Revendo a literatura paradoxal em que os otimistas do tipo "Acho que posso" não raro estragam a própria vida e a das pessoas que dependem dele, Daniel Kahneman, ganhador do prêmio Nobel de Economia e meu colega em psicologia, observa: "O viés otimista entra em cena — atuando às vezes como protagonista — sempre que indivíduos ou instituições assumem voluntariamente riscos significativos. Com muita frequência, os indivíduos propensos a assumir riscos subestimam as chances adversas e não dispendem esforço suficiente para avaliá-las".[20] Apresenta, então, evidências convincentes de que o otimismo produz inventores entusiásticos e fecundos, assim como empreendedores corajosos e trabalhadores, ansiosos por ganhar o dia, mas cuja autoconfiança também fomenta delírios e os leva a minimizar os riscos e a sofrer consequências onerosas. Questionados sobre a probabilidade de sucesso de "qualquer negócio como o seu", 1/3 dos empreendedores americanos responderam que as chances de sucesso eram zero. Na verdade, porém, só 35% desses negócios nos Estados Unidos sobrevivem por mais de cinco anos. Essa realidade parece se estender a qualquer tipo de iniciativa, desde uma pequena pousada até uma start-up do Vale do Silício, que acena com a próxima grande inovação. Talvez o único aspecto tranquilizador em tudo isso seja o fato de que os empreendedores otimistas são ainda mais propensos a assumir riscos excessivos com o próprio dinheiro que com o dinheiro alheio, ou seja preferem investir a própria poupança a pedir dinheiro emprestado.

Thomas Astebro, pesquisador que estudou o destino de quase 1100 novas invenções apresentadas por inovadores ansiosos, constatou que menos de 10% delas chegaram ao mercado e, das que o fizeram, 60% obtiveram retorno negativo.[21] Metade dos inventores desistiu, depois de receber análises objetivas prevendo o fracasso de suas invenções, mas 47% da outra metade dobrou o prejuízo inicial antes de desistir.

Seis das mais ou menos 1100 invenções, no entanto, foram grandes sucessos, gerando retornos superiores a 1400%, do tipo altamente improvável e imprevisível, que leva os otimistas inabaláveis a continuar comprando bilhetes de loteria. Essas mesmas chances remotas também os estimulam a puxar as alavancas das máquinas caça-níqueis e a lançar o dado depois de pequenos rituais para aumentar a sorte nas mesas de jogo dos cassinos. Em experimentos de laboratório, programas de estímulos que geram grandes recompensas, embora raras e imprevisíveis, induzem os pombos em gaiolas a bicarem continuamente uma alavanca, sem desistir, como demonstraram B. F. Skinner e seus alunos. A mesma possibilidade remota de vitória seduz jogadores, que continuam perdendo até não conseguirem levantar outro empréstimo. Também induz empreendedores e inovadores otimistas a trabalhar milhares de horas na esperança de se tornarem o próximo grande milionário.

Os perigos e os custos do excesso de confiança não se restringem ao mundo do empreendedorismo nem ao mercado financeiro. Também se aplicam a qualquer especialista suficientemente otimista para prever resultados sujeitos à chance ou em grande parte desconhecidos. Em um estudo, por exemplo, os diagnósticos de médicos altamente competentes, enquanto os pacientes ainda estavam vivos nas unidades de tratamento intensivo dos hospitais, foram comparados com os resultados de autópsias. Os médicos que estavam "absolutamente convencidos" de seus diagnósticos na realidade estavam errados 40% das vezes.[22]

No começo de minha carreira, perdi muitos amigos na área de psicologia clínica ao chamar a atenção para a discrepância entre a confiança com que os clínicos previam resultados, como a probabilidade de que determinados pacientes de psiquiatria voltassem ao hospital em poucos anos, e a espantosa falta de validade, reiteradamente consistente.[23] As previsões de renomados especialistas em diagnóstico não eram mais exatas que as de observadores leigos. O peso das pastas dos pacientes, resumindo seu passado psiquiátrico, era, de longe, o melhor previsor da incidência e da proximidade da re-hospitalização, superando em muito qualquer combinação dos melhores exames, entrevistas e avaliações clínicas especializadas.[24]

Descobri o problema da confiança injustificada nas previsões de especialistas não só analisando os fracassos alheios. Encontrei-o também em minhas próprias pesquisas. Trabalhei no primeiro projeto Peace Corps, que enviou jovens voluntários para lecionar na Nigéria no começo da década de 1960. Enquanto os voluntários recebiam treinamento em Harvard, usamos um processo de avaliação dispendioso e complexo que se baseava sobretudo em entrevistas conduzidas por especialistas treinados, em avaliações feitas pelo corpo docente e numa bateria de testes de personalidade avançados. Uma junta de avaliação composta de especialistas em várias disciplinas e com experiências diversificadas se reuniu durante muitas horas para analisar cada voluntário e chegar a um consenso sobre suas características de personalidade e sua probabilidade de sucesso no magistério. Chegou-se a alto grau de concordância entre as avaliações dessas diversas fontes, aumentando a confiança dos avaliadores na própria capacidade de previsão de até que ponto esses voluntários seriam bem-sucedidos em suas atribuições no campo.

Um ano depois, as previsões da junta de avaliação se revelaram de validade zero: não se correlacionavam positivamente com o desempenho real relatado pelos supervisores dos voluntários na Nigéria. Em contraste, os simples autor-relatos dos participantes sobre suas atitudes, qualidades e crenças apresentaram pelo menos valor preditivo moderado.[25] Embora tenha sido chocante na época, a experiência, em retrospectiva, se revelou profética: constatou-se que a mesma falta de validade das previsões de especialistas, feitas dessa maneira, eram a regra, não a exceção, aplicando-se às previsões de longo prazo sobre o mercado de ações, sobre o comportamento dos pacientes de psiquiatria, sobre o sucesso das empresas e, praticamente, de qualquer outro resultado distante no tempo, conforme documentado à exaustão no livro de Kahneman, de 2011, *Rápido e devagar: Duas formas de pensar.*[26]

Em suma, o sistema imunitário psicológico nos protege de nos sentirmos muito mal quando nossas previsões falham, mas também pode nos manter aferrados às crenças em face de evidências que as desmentem reiteradamente, levando-nos a cometer erros graves e onerosos. Às vezes é difícil desmentir as ilusões otimistas, mesmo quando elas queimam o pé dos crentes. Em julho de 2012, em San Jose, Califórnia, 21 pessoas apresentaram queimaduras nos pés por terem tentado caminhar sobre carvão em brasa, inspiradas por palestrantes motivacionais que exaltavam o poder do pensamento positivo.[27] Mesmo com os pés queimados, comprovando mais uma vez o poder do sistema imunitário psicológico e a capacidade humana de reduzir a dissonância cognitiva, muitos desses indivíduos aparentemente ainda sentiam, depois de esfriar os pés, que tinham passado por uma experiência transformadora positiva. Mesmo quando o córtex pré-frontal não nos protege e a convicção "Acho que posso!" queima os pés, o sistema imunitário psicológico continua exercendo sua função.

14. Quando pessoas inteligentes parecem estúpidas

Nos dias em que o impeachment parecia iminente para o presidente dos Estados Unidos, em 1998, um jornalista me telefonou para saber se poderíamos confiar no que o presidente Clinton fazia quando trabalhava em sua mesa no Salão Oval, agora que sabíamos o que acontecia debaixo dela. Outros jornalistas eram menos diretos, mas demonstravam a mesma preocupação. Essas perguntas refletiam a crença comum de que qualidades como autocontrole, conscienciosidade e confiabilidade são traços amplos que caracterizam o comportamento de uma pessoa não só de maneira estável, ao longo do tempo, mas também de modo consistente em muitas situações diferentes: presume que a pessoa capaz de mentir e trapacear em um tipo de situação também tende a ser desonesta em muitas outras situações, enquanto outra que é conscienciosa também o será, tanto quanto se pode prever, em diversos contextos.[1] Essas expectativas são desmentidas sempre que as manchetes alardeiam a queda de outra pessoa famosa, em função de confiança, que revela uma vida secreta e expõe outro lado de sua personalidade em tudo diferente da persona pública. Como seria de prever, segue-se uma torrente de especulações que suscita a questão: "Quem ele é *realmente?*".

O padrão do presidente Clinton não era de modo algum único. Um dos exemplos mais impressionantes dessa inconsistência de comportamento foi a queda de Sol Wachtler da posição de presidente do Tribunal de Recursos do Estado de Nova York para a de recluso em presídio federal por prática de crime grave. O juiz Wachtler ficara famoso e era reverenciado por defender leis para criminalizar o estupro marital, além de ser profundamente respeitado por sentenças paradigmáticas sobre liberdade de expressão, direitos civis e direito à eutanásia.[2] Depois de a amante o abandonar, porém, o magistrado alegadamente passou meses assediando-a, enviando-lhe cartas obscenas, dando-lhe telefonemas lascivos e ameaçando raptar a filha dela. Como será que esse modelo de judiciosidade e de sabedoria moral se corrompera de tal maneira a ponto de ser levado de algemas para o presídio? O juiz Wachtler atribuiu o próprio comportamento a problemas com uma obsessão romântica incontrolável. Ao responder a uma pergunta sobre Wachtler, um especialista sugeriu que ele talvez tivesse um tumor no cérebro do tamanho de uma bola de futebol. Não tinha.

As manchetes exploram com sensacionalismo histórias sobre celebridades e figuras públicas do entretenimento, de instituições religiosas, dos negócios, dos esportes e da academia — nenhuma área está isenta. Tiger Woods, herói estelar do golfe, personificava e representava o ideal da disciplina rigorosa não só pelo domínio de suas habilidades físicas, mas também pela extraordinária capacidade de concentrar a atenção.[3] Supunha-se que era feliz no casamento, mas ele acabou confessando que tinha outra vida privada com amantes, o que ia contra sua imagem pública bem cultivada. O ídolo dos esportes sofreu uma das quedas instantâneas mais memoráveis, se não do estado de graça, pelo menos da exaltação popular — durante algum tempo. A essa história de decadência seguiu-se a do ciclista maratonista Lance Armstrong, cuja carreira e vida extraordinárias foram maculadas por um escândalo de doping.

AUTOCONTROLE CONTEXTUALIZADO

"Como entender esses caras?", perguntam sempre os repórteres.

Eles querem respostas curtas. Dou-lhes a versão mais abreviada: o presidente Clinton tinha autocontrole e capacidade de esperar que lhe renderam uma Bolsa de Estudos Rhodes, graduação em direito por Yale e vitória nas eleições para presidente dos Estados Unidos, embora, aparentemente, tivesse pouco interesse — talvez falta de capacidade e, decerto, falta de disposição — para autocontrolar-se em relação a determinadas tentações, como junk food e estagiárias atraentes. Do mesmo modo, o juiz e o golfista tinham habilidades de autocontrole para serem excelentes na realização de seus objetivos profissionais mais importantes, mas não em outras situações. Conseguir retardar a satisfação e exercer o autocontrole é uma *capacidade*, um conjunto de habilidades cognitivas que, como qualquer capacidade, pode ser usada ou não usada, dependendo basicamente da motivação. A capacidade de esperar pode ajudar crianças pré-escolares a resistir a um marshmallow agora para conseguir dois depois, mas elas precisam querer isso.

Usar ou não usar as habilidades de autocontrole depende de várias considerações, mas a maneira como percebemos a situação e as consequências prováveis, nossa motivação e objetivos, assim como a intensidade da tentação se destacam como especialmente importantes. Isso talvez pareça óbvio, mas enfatizo-o aqui por se tratar de algo facilmente mal compreendido. A força de vontade tem sido mal interpretada como atributo diferente de "habilidade" por nem sempre ser exercida de maneira consistente ao longo do tempo. Como no caso de todas as habilidades, porém, exercemos o autocontrole apenas quando estamos motivados. A habilidade é estável, mas a motivação muda assim como o comportamento.

Muitas celebridades e figuras públicas expostas nas manchetes provavelmente não quiseram resistir às tentações. Ao contrário, não raro pareciam esforçar-se, procurando-as e perseguindo-as. As ilusões otimistas e a autovalorização inflada, compartilhadas com o resto da humanidade, embora, talvez, ainda mais grandiosas aos próprios olhos, os levavam a se sentir invulneráveis. Não esperavam ser pegos, ainda que já o tivessem sido no passado. Também acreditavam que, se fossem descobertos, ainda poderiam escapar incólumes, o que não é expectativa absurda para alguns, considerando as experiências passadas. Suas histórias de sucesso e seu poder notório talvez também os encorajem a tecer teorias de direitos adquiridos que os isentariam das regras usuais e os estimulem a fazer o que é proibido para pessoas menos poderosas. Como teria dito Leona Helmsley, ex-bilionária, rainha dos hotéis de Nova York, antes de iniciar o cumprimento da pena de reclusão: "Só gentinha paga imposto".[4] Se não fizerem observações desse tipo, suas perspectivas de recuperação são excelentes, mesmo que tenham sido descobertos. Os modernos heróis decaídos não raro se erguem de novo, como a fênix renascida, das cinzas dos jornais que anunciaram sua queda, para dirigir programas de notícias e de entrevistas ou tornar-se consultores bem remunerados.

A capacidade de exercer autocontrole e de esperar pelos marshmallows não implica que será exercida em todos os domínios e contextos nem que será usada para objetivos virtuosos. É possível ter excelentes habilidades de autocontrole e usá-las criativamente para bons propósitos, valorizados pela sociedade. Também é possível explorar as mesmas habilidades para manter famílias ocultas, abrir contas bancárias no exterior e viver vidas secretas. Do mesmo modo, ainda é possível ser responsável, consciencioso e confiável em algumas áreas da vida e não em outras. Se observarmos de perto o que as pessoas realmente *fazem*, não o que dizem, em diferentes situações, em relação a qualquer dimensão do comportamento social, constata-se que elas *não* são muito coerentes.

O PARADOXO DA CONSISTÊNCIA

Quando olhamos para as pessoas que conhecemos, nada é mais óbvio que o fato de serem muito diferentes nas características pessoais e no comportamento social sob todos os aspectos. Em geral, algumas são mais conscienciosas, sociáveis, amigáveis, agressivas, belicosas, extrovertidas ou neuróticas que outras. Fazemos esses julgamentos com facilidade e quase todos concordamos não só uns com os outros, mas também com as autopercepções das pessoas que estamos julgando.[5] Essas impressões amplamente compartilhadas de nossa própria natureza são muito úteis, na verdade vitais, para navegar no mundo social, possibilitando previsões razoáveis sobre o que esperar de outras pessoas.

As situações também exercem importante influência sobre o comportamento social, dependendo de como são percebidas. Não importa quão conscienciosa a pessoa tenda a ser ou não ser, a maioria será mais conscienciosa quanto à pontualidade ao pegar os filhos na creche que ao se encontrar com um amigo num café, e também será mais sociável e extrovertida em grandes festas que em funerais. Esse tipo de variabilidade é evidente.

O conceito de traços humanos, todavia, parte de mais uma premissa — a saber, que o indivíduo será coerente na expressão de uma característica em muitas situações diferentes em que o mesmo traço é desejável. Presume-se que alguém altamente consciencioso será mais consciencioso que outra pessoa não tão conscienciosa em muitas situações diferentes. Se Johnny é considerado mais consciencioso que Danny "no todo", também se deve esperar que ele seja mais bem avaliado que Danny na qualidade dos deveres de casa e nos registros de frequência na escola, assim como na organização do quarto em casa e em quão confiável é ao cuidar da irmãzinha. Serão essas premissas justificáveis? Nas mais diferentes situações, a pessoa que se destaca por qualquer característica psicológica importante irá se manter sempre acima de outra pessoa que não sobressai pela mesma característica psicológica?

A suposição de que as pessoas são amplamente consistentes no que fazem, pensam e sentem, em situações muito diferentes, é intuitivamente convincente.[6] Ela é alimentada pelo sistema quente, que rapidamente forma impressões com base nos mais tênues indícios de comportamento e as generaliza para tudo o que pareça mais ou menos semelhante. Mas será que essa premissa se sustenta quando usamos o benefício do córtex pré-frontal para analisar atentamente o que as pessoas realmente fazem em diferentes situações, seja o presidente Clinton, seja nossa família e amigos, ou nós mesmos?

Quando eu me preparava para ministrar meu primeiro curso sobre avaliação, como novo professor da Universidade Harvard, passei a fazer algumas perguntas: Você pode se basear na conscienciosidade de seu colega de trabalho no escritório para pressupor que ele se comporta com a mesma conscienciosidade em casa? Posso prever como meu colega — conhecido como "pavio curto" nas reuniões de trabalho — se comporta com os filhos? Para minha surpresa, sucessivos estudos não validaram a premissa do traço básico: a pessoa que apresenta alto grau de certa característica em uma situação muitas vezes apresenta baixo grau da mesma característica em outra situação.[7] A criança agressiva em casa pode ser menos agressiva que a maioria dos colegas na escola; o paciente que transpira de ansiedade no consultório do dentista pode ser frio e corajoso ao escalar a encosta íngreme de uma montanha; e o empreendedor de negócios ousado pode evitar por todos os meios os riscos sociais.

Em 1968, fiz uma análise abrangente das correlações constatadas em dezenas de estudos que tentavam ligar o comportamento em determinada situação (como conscienciosidade em relação às obrigações e compromissos no trabalho) ao comportamento em outras (como conscienciosidade em casa).[8] As descobertas chocaram muitos psicólogos ao revelarem que, embora geralmente a correlação não seja zero, elas eram muito mais baixas do que se supunha. Os pesquisadores que não conseguiram demonstrar a consistência do comportamento em diferentes situações atribuíam o fracasso ao uso imperfeito e insuficiente de métodos confiáveis.[9] Comecei, então, a indagar

159

se a explicação não seria o fato de estarem erradas nossas premissas sobre a natureza e a consistência das características humanas.

Embora o debate prosseguisse, nada mudou o fato de que a consistência generalizada do comportamento de uma pessoa quase sempre é muito fraca quando o objetivo é prever com exatidão, com base em seu comportamento em um tipo de situação, o que a pessoa fará em outro tipo de situação.[10] O comportamento depende do contexto. A capacidade de autocontrole altamente desenvolvida pode se manifestar em algumas situações diante de certas tentações, mas não em outras, como demonstram a toda hora as histórias de figuras públicas decaídas.

Daí resultam problemas para a vida cotidiana que se tornaram nítidos para mim quando precisei contratar alguém para tomar conta de meus filhos pequenos durante duas semanas ao viajar para o exterior. Pensei na baby-sitter de meus vizinhos, "Cindy". Ela me disse que tirava boas notas na escola, que trabalhara como salva-vidas no verão passado e que não fumava. Pareceu-me ser boa garota, com o que concordavam os vizinhos. Mas eu também sabia, como já disse, que geralmente não podemos prever comportamentos em situações muito diferentes. Por exemplo, como Cindy se comportaria em festas, com os amigos, quando passassem a bandeja com bebidas. Também não tínhamos condições de prever como ela se comportaria como baby-sitter durante duas semanas, com base no comportamento dela como baby-sitter numa noite isolada. No entanto, é assim que se formam as impressões automáticas. Comprimimos fragmentos de informação em simplificações convincentes, criando um estereótipo que nos leva a supor que o verdadeiro em uma situação também é verdadeiro em outras situações. Mesmo especialistas altamente confiantes e bem treinados que geralmente acertam muitas vezes também erram — sobretudo quando tentam prever comportamentos específicos em novas situações diferentes.[11]

Não contratei Cindy — achei-a jovem demais —; preferi um jovem casal, que me pareceu maduro e responsável. Causaram-me excelente impressão durante uma longa visita em que os entrevistei e lhes apresentei meus filhos, que gostaram deles. Quando voltei da viagem, entretanto, encontrei a casa na maior bagunça, com todas as coisas por lavar havia mais de dez dias. As crianças sobreviveram, mas estavam muito tristes e passaram a detestar o casal — que também desenvolvera forte aversão por elas. A partir dessa experiência, intensificou-se o meu interesse por fazer mais pesquisas sobre a consistência ou inconsistência de comportamentos, em especial autocontrole e conscienciosidade.

Com o passar do tempo, minha equipe e eu realmente encontramos consistência não onde supúnhamos, mas sim analisando atentamente o que diferentes indivíduos faziam enquanto os observávamos discretamente, hora após hora, dia após dia, durante meio verão, em colônia de férias para tratamento residencial de crianças.[12] Foi um laboratório natural onde analisamos, em alta resolução, como o comportamento de alguém se expressa ao longo do tempo e em situações do cotidiano. Daí resultaram algumas surpresas que mudaram a compreensão da personalidade. A história começa em Wediko.

15. Assinaturas de personalidade
Se-Então

Wediko é uma colônia de férias para crianças na bucólica Nova Inglaterra. Quando fizemos nossa pesquisa lá, crianças e adolescentes de sete a dezessete anos viviam em cabanas rústicas, durante seis semanas, em pequenos grupos do mesmo sexo, semelhantes em idade, com cerca de cinco adultos orientadores por cabana. As crianças eram indicadas para o programa por causa de problemas sérios de desajuste social em casa e na escola, sobretudo por conta de problemas de agressão, retraimento e depressão. As crianças eram principalmente da área de Boston. O objetivo do ambiente terapêutico do campo era promover comportamento social mais adaptativo e construtivo.

Minha colega de pesquisa havia muito tempo, Yuichi Shoda, e eu tivemos permissão para desenvolver um projeto de pesquisa de grande escala na colônia de férias, em meados da década de 1980, pelo que somos gratos aos coordenadores de Wediko e a Jack Wright, diretor de pesquisa da Wediko Children's Services. Jack, Yuichi e a equipe de pesquisa observavam sistematicamente o comportamento das crianças ao longo das seis semanas. Os pesquisadores, meticulosamente, mas com discrição, registravam as interações sociais das crianças no dia a dia em todo um conjunto de diversas atividades e contextos, como na cabana, ao ar livre, no salão de refeições, durante as atividades artísticas e manuais e assim por diante. Era um esforço maciço de coleta de dados no qual Yuichi e eu colaboramos com Jack no planejamento do projeto e na análise das descobertas.

IDENTIFICANDO OS PONTOS QUENTES

Os observadores registravam o que as crianças faziam durante as interações no mesmo conjunto de situações, dia após dia, ao longo de todo o verão. Jack, Yuichi e eu nos concentramos na análise dos comportamentos negativos provocados pelo sistema quente — principalmente agressões verbais e físicas — as mesmas que, para começar, determinavam a ida das crianças para Wediko.

Em geral, não se deflagravam emoções fortes quando as crianças exerciam atividades manuais ou exercícios físicos, como natação, desde que tudo corresse bem. Elas logo se manifestavam, entretanto, se uma criança deliberadamente destruísse a torre em cuja construção outra vinha trabalhando com afinco ou se reagisse impulsivamente a um convite amigável de outra para trabalharem juntas na torre, insultando-a ou ridicularizando-a com maldade. Para identificar essas situações psicológicas "quentes", que disparavam a agressão das crianças, os pesquisadores primeiro registraram como as crianças e o staff conversavam espontaneamente entre si quando lhes pediam para se descrever. As crianças menores quantificavam suas descrições: Joe chuta, bate e grita — às vezes. Pete briga com todo o mundo — o tempo todo. As descrições dos orientadores e das crianças mais velhas, contudo, tornavam-se mais condicionais quando sondadas com mais profundidade e eram contextualizadas em determinados tipos de situações interpessoais que despertavam emoções — os "pontos quentes" que detonavam o desentendimento.[1] "Joe sempre fica zangado", seria a primeira declaração; depois de algumas generalizações, porém, começavam a especificar os gatilhos quentes: "*Se* as crianças implicam com ele por causa dos óculos" ou "*Se* fica de castigo".

Orientadas por essas descrições "*Se-então*", a equipe observou o que cada criança fazia reiteradamente durante as interações sociais comuns na colônia de férias de Wediko. Cinco tipos de situações foram identificados: três negativos ("assédio, provocação ou ameaça por colega"; "repreensões por adulto" e "punição por adulto") e dois positivos ("elogio por adulto" e "aproximação pró-social por colega"). O comportamento social de cada criança (por exemplo, agressão verbal, agressão física, retraimento) foi registrado à medida que ocorria em cada uma das cinco situações. Daí resultou amostra sem precedentes de interações sociais observadas diretamente e repetidas com frequência no mesmo conjunto de situações, com a média de 167 horas de observações por criança durante as seis semanas. Essas observações também possibilitaram o teste de duas predições diferentes, refletindo diversas suposições sobre a natureza humana e sobre como se expressam várias disposições e tendências comportamentais: consistência transituacional de personalidade e assinaturas comportamentais de personalidade.

1. O conceito clássico e intuitivamente convincente de traços sugere que, em determinado aspecto do comportamento social, como agressividade e conscienciosidade, as pessoas mantenham com regularidade a hierarquia de traços em diferentes tipos de situações.[2] Se reunirmos observações suficientes, deveremos ser capazes de predizer como as pessoas se comportarão em diferentes tipos de situações. Retornando às figuras públicas decaídas, nas manchetes, seria de esperar que um presidente consciencioso na vida pública também fosse consciencioso na vida privada. Do mesmo modo, seria de esperar que uma criança altamente agressiva em Wediko também fosse agressiva em muitos tipos de situações diferentes, com alguns indivíduos consistentemente mais agressivos e outros indivíduos consistentemente menos agressivos. Essa é a chamada consistência transituacional de personalidade.

2. Em contraste, suponha que nosso comportamento social seja gerado não por traços amplos estáveis, que se expressam consistentemente em diferentes situações, mas por nossa capacidade de estabelecer distinções sutis, com base em como interpretamos e percebemos as diferentes situações; nas expectativas com que as vivenciamos; em nossas experiências passadas em situações semelhantes; nas emoções que elas nos despertam; na importância e valor de que se revestem para nós; e assim por diante. Nesse caso, até as crianças mais agressivas serão *seletivamente* agressivas em algumas situações, mas não em outras, dependendo do que a situação significa para elas. O sistema quente as tornará previsivelmente zangadas e as induzirá a comportamentos explosivos, no subconjunto específico de situações que disparam a agressividade — seus pontos quentes individuais. Denominamos esse padrão de comportamento situacional específico de "assinatura comportamental da personalidade".

"Jimmy" e "Anthony" são nomes fictícios de crianças reais que participaram do estudo de Wediko cujo comportamento exemplifica as revelações da pesquisa. Veem-se as assinaturas situacionais comportamentais *Se-Então* de

Jimmy e Anthony nos cinco tipos de situações psicológicas que identificamos nos gráficos seguintes:

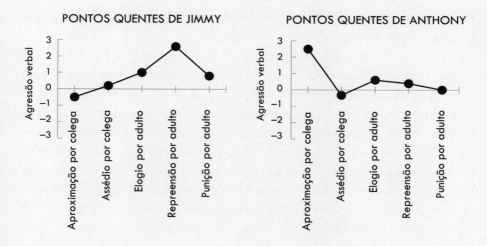

Os gráficos mostram os níveis de "agressão verbal" de cada criança em cada uma das cinco situações durante as seis semanas da colônia de férias. A linha horizontal de cada figura, na marca zero, representa o nível médio de agressão das crianças de Wediko em cada uma das situações naquele verão. As linhas em zigue-zague descrevem os padrões individuais de afastamento da média de Jimmy (à esquerda) e de Anthony (à direita). Elas revelam os pontos quentes singulares de cada criança: as situações específicas em que a agressividade foi significativamente maior que a dos colegas nas mesmas situações. Agressão verbal, o comportamento aqui exposto, é eufemismo de xingamentos tradicionais mais ou menos pesados.

Vê-se que Jimmy, em comparação com os colegas, era excepcionalmente agressivo *se* advertido ou punido por adultos. Com efeito, Jimmy era muito mais agressivo com os adultos que os colegas, não importa o que fizessem, mesmo quando eram simpáticos ou o elogiavam. Quando os adultos o ameaçavam com punições iminentes, ele ficava furioso. Com os colegas, no entanto, Jimmy não era geralmente agressivo, mesmo quando o assediavam ou o provocavam.

Em contraste, Anthony era tipicamente muito mais agressivo que outras crianças na colônia de férias *se* abordado positivamente por um colega. Para ele, aquele tipo de abertura amigável era o ponto quente que disparava sua agressividade, ao passo que ser assediado pelos colegas ou repreendido ou punido pelos adultos o afetava não mais que o padrão entre os colegas de Wediko. As pessoas, na maioria, não tendem a ser especialmente agressivas quando abordadas de maneira amistosa. Anthony é anormal ao ser mais agressivo com quem tenta ser agradável com ele, fórmula infalível para criar um mundo miserável para si mesmo. Ele não poderia ser mais diferente de Jimmy, que era cordial com os colegas, embora tivesse ponto quente altamente sensível com os adultos, independente se o estivessem punindo ou elogiando.

Embora os dois garotos fossem parecidos no nível total de agressividade, seus padrões *Se-Então* revelam pontos quentes nitidamente diferentes. Depois de reconhecê-los, estamos em condições de começar a pensar no que eles significam e indicam sobre cada pessoa. Como os padrões *Se-Então* tendem a ser muito estáveis em diferentes situações, com gatilhos quentes iguais ou semelhantes,[3] o mapeamento deles permite prever comportamentos futuros em situações semelhantes, identifica as vulnerabilidades individuais, e pode, então, orientar o tratamento e os planos educacionais para manejá-los melhor.[4]

ASSINATURAS DE COMPORTAMENTO *SE-ENTÃO* ESTÁVEIS

Desde a pesquisa de Wediko, estudos de outros pesquisadores com outros grupos e tipos de comportamento mostraram que padrões *Se-Então* estáveis caracterizam a maioria das pessoas quando se analisa com atenção o comportamento delas.[5] A assinatura comportamental da personalidade sugere o que é previsível no comportamento do indivíduo *se* ocorrer determinado gatilho situacional.[6] Essas assinaturas comportamentais caracterizam tanto adultos quanto crianças e se manifestam sob todas as formas, como conscienciosidade e sociabilidade ou ansiedade e estresse. Em conjunto, essas descobertas contradizem a suposição clássica intuitiva dos traços psicológicos, de ampla aceitação, de que as pessoas são altamente coerentes ou consistentes em muitos tipos diferentes de situações. Na verdade, o que é estável e consistente é o padrão distintivo *Se-Então* de cada indivíduo, que nos ajuda a prever não só *quanto* cada pessoa apresentará de certa característica comportamental, mas também *quando* e *onde* ele ou ela se comportará dessa maneira. Essa informação lança luz sobre o que impulsiona o comportamento e sobre como mudá-lo.

O que encontramos sobre agressão em Wediko também se aplicava à conscienciosidade entre alunos do Carleton College, em Minnesota.[7] Essa história começou mais de cinco anos antes dos estudos de Wediko, quando Philip K. Peake, amigável e sorridente, entrou garbosamente em minha sala, em Stanford, no outono de 1978. Ele acabara de concluir os estudos de graduação em Carleton, queria trabalhar comigo no doutorado em psicologia e precisava de um lugar onde guardar com segurança as muitas caixas, repletas de novos dados, que trouxera consigo. Essa foi a única vez em minha vida que um estudante chegou não só com uma boa ideia, mas também com enorme quantidade de dados necessários para testá-la. Embora ainda estudante universitário, Phil trabalhara com Neil Lutsky, orientador dele em Carleton, com quem acompanhara sistematicamente o comportamento dos alunos de Carleton College ao longo de um conjunto de diferentes situações durante muitos meses. Ele havia avaliado os estudantes sob diversos critérios de "conscienciosidade acadêmica", selecionados pelos próprios estudantes, como frequência às aulas, cumprimento dos compromissos com os instrutores, pontualidade na devolução dos livros à biblioteca, anotações em sala de aula e assim por diante.

Da mesma maneira como em Wediko quanto à agressividade, também entre os estudantes de Carleton era baixa a consistência da conscienciosidade em diferentes situações. E as crenças deles — na verdade, suas convicções intuitivas — de que eram consistentes não refletiam a consistência de fato constatada em diversos contextos. Os mesmos alunos que sempre se atrasavam para compromissos com os instrutores podiam ser altamente conscienciosos ao se prepararem cuidadosamente para os exames, com antecedência de semanas. Assim sendo, em que se baseavam essas crenças? Ou eram apenas ilusões de consistência?[8] Constatou-se que as crenças se associavam — com muita intensidade — aos seus padrões de conscienciosidade *Se-Então*: quanto mais repetitivos ou estáveis eram esses padrões ao longo do tempo, mais os alunos se julgavam consistentes na conscienciosidade em diferentes situações, e assim se consideravam porque conheciam suas assinaturas comportamentais *Se-Então* previsíveis e duradouras. Um aluno de Carleton College se julgava consistente na conscienciosidade na escola porque sabia, por exemplo, que era sempre pontual nas aulas e nos compromissos com os professores, assim como reconhecia que seu quarto e suas anotações eram sempre uma bagunça e que sempre se atrasava nos trabalhos e nos estudos. É a estabilidade de nossos padrões *Se-Então* ao longo do tempo que nos leva a pensar que somos consistentes na apresentação de determinado traço.[9] Nossa intuição de consistência não é nem paradoxal nem ilusória. Só não é o tipo de consistência que os pesquisadores procuraram durante boa parte do século passado. É bom saber disso porque nos indica onde procurar, se quisermos prever o que outras pessoas farão — assim como o que nós mesmos tendemos a fazer.

Essas descobertas facilitaram minhas respostas às perguntas dos repórteres sobre se o presidente Clinton era confiável. Não se deve esperar que comportamentos noturnos com estagiárias da Casa Branca no Salão Oval sejam indicadores da consciensiosidade e responsabilidade do comportamento do presidente ao se relacionar com chefes de Estado no Rose Garden para negociar acordos na manhã seguinte. Quando me perguntaram: "Quem é o *verdadeiro* Bill Clinton?", minha resposta longa foi que ele é altamente consciencioso e autocontrolado em alguns contextos, mas não em outros; e essas duas facetas são reais. Caso se queira considerar todos os seus comportamentos conscienciosos, em qualquer contexto, ele será, na média, altamente consciencioso — embora a definição de quão consciencioso dependa do padrão de comparação ou de quem se compara com ele. Como você avalia o comportamento geral dele ou se você gosta e respeita os padrões *Se-Então* dele, é com você.[10]

MAPEANDO OS PONTOS QUENTES: ASSINATURAS DE ESTRESSE *SE-ENTÃO*

Se você desenhar um mapa do que dispara o seu sistema quente, é provável que o resultado seja surpreendente. O mapa de suas assinaturas situacionais comportamentais *Se-Então* pode alertá-lo de seus pontos quentes e de quando e onde você tende a reagir de maneiras de que depois se arrependerá. O automonitoramento para descobrir esses pontos quentes pode ser um passo à frente para reavaliar e esfriar as situações, permitindo-lhe mais controle sobre o próprio comportamento em busca dos objetivos e valores que lhe pareçam mais importantes. Mesmo quem não quiser esfriar essas reações automáticas ainda poderá se beneficiar com o monitoramento delas e com a observação de suas consequências.

Em um estudo, adultos que sofriam de estresse elevado foram instruídos a adotar o método de avaliação *Se-Então* para descobrir os pontos quentes que provocavam o estresse. Em diários cuidadosamente estruturados, rastrearam as situações psicológicas específicas que ativavam neles o estresse elevado e descreveram suas reações a cada um desses gatilhos quentes durante vários dias.[11] Por exemplo, "Jenny" apresentava, em média, níveis de estresse normais ao longo de diversas situações — na verdade, ficava até um pouco abaixo da média. Sua assinatura de estresse problemática se manifestava somente quando ela se sentia vítima de exclusão social; nessas situações, seus níveis de estresse disparavam. Ao se considerar excluída, ficava angustiada, sentia-se culpada, atribuía culpa ainda maior a outras pessoas e tornava-se esquiva. Ajudá-la a descobrir as situações em que experimentava ou não experimentava estresse e a identificar suas reações em cada caso foi o primeiro passo para desenvolver uma intervenção específica que lhe permitisse enfrentá-las de maneira mais adaptativa. Embora esse estudo se concentrasse em assinaturas de estresse *Se-Então*, o mesmo automonitoramento em um diário ou em dispositivos de rastreamento pode ser usado para mapear gatilhos de reações exageradas, resultantes de sentimentos ou comportamentos de preocupação. Depois de conhecer os estímulos *se* e as situações que disparam comportamentos indesejáveis, você está em condições de mudar suas avaliações e reações.

O AUTOCONTROLE ESFRIA AS TENDÊNCIAS AGRESSIVAS

Os padrões de comportamento altamente agressivos que levam as crianças a tratamento em Wediko não só as expõem ao alto risco de vidas cheias de problemas, mas também criam riscos para que outras pessoas se tornem vítimas potenciais de agressões descontroladas. Analisei em capítulos anteriores como a capacidade de autocontrole pode exercer efeito protetor contra, por exemplo, as consequências destrutivas da alta sensibilidade à rejeição. Poderia a capacidade de autocontrole também ajudar a controlar as manifestações de fortes tendências agressivas?

A pesquisa em Wediko foi uma oportunidade para testar essa hipótese. Em estudo liderado por minha então aluna de pós-doutorado Monica Rodriguez (hoje professora da Universidade do Estado de Nova York, em Albany), as crianças de Wediko participaram de uma versão do Teste do Marshmallow, em que as guloseimas eram confeitos M&M — poucas agora ou um saco maior depois. Algumas crianças adotaram espontaneamente uma estratégia de esfriamento para reduzir a frustração, evitando olhar para os confeitos e para a campainha e distraindo-se deliberadamente da tentação. Como as outras crianças de Wediko, essas que se distraíram enfrentavam riscos de agressividade descontrolada, mas se mostraram muito menos agressivas em termos verbais e físicos durante toda a temporada em comparação com as que não adotaram estratégia de esfriamento no esforço para conquistar mais confeitos.[12] As mesmas habilidades cognitivas e de função executiva que lhes permitiram se distrair durante o teste pareceram ajudá-las a esfriar e a controlar as reações agressivas quando seus pontos quentes foram ativados em conflitos interpessoais na colônia de férias. Na fração de segundo entre sentir raiva e atacar com violência, elas conseguiram esfriar-se o suficiente para impedir a completa perda de controle. Por maior que seja o autocontrole, porém, certas situações podem neutralizar a força de vontade e traumatizar pessoas saudáveis, de maneira à primeira vista irracional, na verdade, melhor dizendo, insanas.

16. Paralisia da vontade

O conto de John Cheever "O anjo da ponte",[1] de 1961, mostra a facilidade com que o sistema frio pode ser desativado mesmo quando as habilidades de autocontrole são excelentes, o sistema imunitário psicológico funciona bem e a motivação e a força de vontade para exercer o autocontrole não poderiam ser mais fortes. O protagonista de Cheever é um empresário bem-sucedido, residente em Manhattan, que, uma noite, ao aproximar-se da ponte George Washington, depara com uma violenta tempestade no auge da força. O vento sopra com ferocidade, a enorme ponte parece balançar, e nosso protagonista anônimo (vamos chamá-lo de "Homem da Ponte") entra em pânico ante o pensamento assustador de que a ponte está desabando. Enfim, consegue voltar para casa, mas logo descobre que desenvolveu medo incapacitante não só daquela ponte, mas também de qualquer outra. O trabalho do Homem da Ponte exige que ele atravesse pontes com frequência, e ele tenta desesperadamente usar a força de vontade para superar o medo, mas todos os seus esforços são inúteis, o que o deixa cada vez mais deprimido, convencido de que está perdendo o autocontrole mais e mais.

CONEXÕES QUENTES

Naquele dia, quando o personagem atravessava a ponte George Washington e de repente se surpreendeu sob uma tempestade assustadora, a estrutura que ele tantas vezes transpusera com tranquilidade passou a exercer sobre ele outro impacto emocional. Sufocado pelo estresse, seu sistema quente automaticamente associou a ponte, até então neutra, à experiência emocional terrível que enfrentara ao senti-la balançando e ao entrar em pânico, achando que ela estava caindo e vendo-se arrastado pelas águas turbulentas lá embaixo. Quando um estímulo neutro, uma ponte bela e forte, passa a ser associado, no sistema quente, a uma experiência de pavor intenso, a sensação de terror pode rapidamente se alastrar para muitos outros estímulos — nesse caso, para muitas outras pontes grandes e altas. Nas memórias quentes da amígdala, até a ideia de cruzar qualquer ponte reativava a sensação de pânico na tempestade.[2] Por mais que o Homem da Ponte tentasse usar o sistema frio para reavaliar a experiência, exercer a força de vontade, superar a aflição, se autodistanciar e encarar a situação de outra perspectiva, era impossível para ele vencer o medo com base apenas na pura vontade.

Quando se formam essas conexões quentes entre uma resposta de medo inata e um estímulo até então neutro, não raro nos sentimos tão desamparados quanto os cães nos estudos de laboratório clássicos sobre "condicionamento ao medo" que ocorreram no começo do século passado. Os cães infelizes recebiam um choque elétrico sempre que soava uma campainha, e logo se tornavam vítimas emocionais da campainha: mesmo quando o alarme não mais sinalizava o choque elétrico, os animais ainda ficavam aterrorizados.[3] O comportamento do Homem da Ponte na travessia já não era autocontrolável; ele estava sob o controle de um estímulo, dominado de maneira automática e reflexiva pelo sistema quente. Em consequência, todos os esforços dele para exercer a força de vontade o deixavam cada vez mais desesperado, receoso de estar ficando louco.

Felizmente, na história de Cheever, um "anjo" socorreu o personagem. O final feliz aconteceu num dia ensolarado em que ele não conseguiu encontrar um roteiro sem ponte para o destino e, ao chegar a uma ponte que teria de cruzar, mais uma vez foi acometido pelo pavor. Incapaz de prosseguir, parou o carro no acostamento. Então, um anjo adorável, na forma de uma garotinha com uma pequena harpa, aproximou-se e pediu carona, incentivando-o a ir adiante. À medida que ela o acalmava, na travessia da ponte, com uma bela canção, ele se sentia cada vez mais tranquilo até que venceu o medo. Ele ainda tinha o cuidado de evitar tanto quanto possível a ponte George Washington, mas a travessia de outras pontes logo se tornou rotina.

A história de Cheever antecedeu por muitos anos à terapia cognitivo-comportamental e questionou o então dominante modelo médico de doença com que se travavam os problemas psicológicos. Conforme essa abordagem clássica, é essencial para o médico segregar as queixas expostas e as causas aparentes, para, então, esclarecer a etiologia. Por exemplo, para um paciente com sintoma de dor nas costas resultante de tumor canceroso, prescrever analgésicos em vez de remover o câncer obviamente seria desastroso. Já no caso de condições psicológicas incapacitantes, porém, a manifestação externa — como o terrível medo de pontes — não raro *é* o problema a ser enfrentado e eliminado.

A crença de que o modelo médico de doença também se aplicava às fobias foi objeto de ampla aceitação durante muitos anos. O receio predominante de tratar apenas os problemas comportamentais, os "sintomas", era que, assim, somente se substituiria um sintoma por outro e se criariam problemas muito mais graves. Presumia-se que as causas se situavam em traumas sofridos no começo da infância, dos quais o indivíduo não tinha consciência, e que era necessário descobrir essas causas remotas por meio de longo processo de análise.

RESTABELECENDO AS CONEXÕES

Joseph Wolpe, psiquiatra que questionou a teoria psicanalítica, assumiu o risco de tentar promover mudanças comportamentais em pacientes sujeitos a ataques de ansiedade e pânico, como o da história de Cheever, ao propor: "Caso se consiga produzir resposta antagônica à ansiedade a estímulos evocativos de pânico, para que a eles se siga supressão total ou parcial das respostas de ansiedade, a ligação entre esses estímulos e as respostas será enfraquecida".[4]

Wolpe achava que exercícios de relaxamento profundo dos músculos e da respiração poderiam ajudar os pacientes a desenvolver as necessárias respostas antagônicas à ansiedade, para que, então, aos poucos, a resposta de relaxamento se conectasse ao estímulo temido até que o medo se dissipasse. Nesse tipo de terapia, a resposta de relaxamento de início se conecta a estímulos que apenas se relacionam com o estímulo traumático (por exemplo, imagens de pequenas pontes sobre lagos rasos e plácidos banhados pelo sol). Então, passo a passo, à medida que se supera a ansiedade em relação a essas versões mais brandas da ameaça, o paciente avança para nova representação, mais amedrontadora, do estímulo — até que enfim a resposta de relaxamento se associa à lembrança do estímulo e, em última instância, ao próprio estímulo assustador. A essa altura, se o objeto de pavor é a ponte George Washington, o paciente consegue atravessá-la em estado de relaxamento. Como sugere a história de Cheever, esse processo lento às vezes pode ser abreviado drasticamente quando o evento tranquilizante, antagônico à ansiedade, ocorre de repente, na íntegra, na forma de um anjo adorável que o embala com canções maviosas, ainda que mais provável na ficção que na vida real.

A história de Cheever foi uma antevisão do que logo se converteria em método padrão para superar todos os tipos de fobias, sem necessidade de esperar pela aparição de anjos.[5] Em muitos estudos, a pessoa em pânico era colocada em situação segura em que ele ou ela observava modelos ousados que, aos poucos, mas com destemor, passo a passo, aproximavam-se do estímulo amedrontador e demonstravam que eram capazes de manter-se calmos e incólumes. Mais ou menos na mesma época em que se realizavam os experimentos do marshmallow, em Stanford, Albert Bandura, meu colega enquanto estive lá durante mais de vinte anos, estudava crianças pré-escolares que haviam desenvolvido pavor de cachorros. A uma distância segura, as crianças pré-escolares observavam um modelo que, sem medo, se aproximava de um cachorro. De início, o modelo (estudante de pós-graduação que ajudava na pesquisa) apenas acariciava o cachorro durante algum tempo, com o animal confinado num cercado, abraçando-o com afeição e oferecendo-lhe comida.[6] As crianças que assistiam à cena em breve e em pouco tempo também começavam a afagar e a alimentar o animal. Bandura e colegas conseguiram resultados semelhantes e de maneira ainda mais econômica para ampla variedade de medos, em crianças e adultos, expondo os participantes temerosos a modelos destemidos, atuando em cenários cinematográficos. Esses estudos converteram-se em fundamentos importantes para o tratamento de medos em terapias cognitivo-comportamentais.

A pesquisa de Bandura mostrou que a melhor maneira de superar fobias é primeiro observar os modelos destemidos e, então, com a orientação e apoio deles, tentar a "proeza", para depois realizá-la sozinho.[7] Recorrendo a várias "experiências de domínio dirigidas",[8] crianças e adultos venceram não só o medo de cachorro, de cobra, de aranha e assim por diante, mas também o mais profundo e incapacitante transtorno de ansiedade, a agorafobia: o medo de sair de casa. Ao analisar sua pesquisa, Bandura comentou que, embora alguns dos indivíduos fóbicos estudados fossem afligidos por pesadelos recorrentes havia décadas, os tratamentos de domínio dirigidos tinham transformado até seus sonhos: "Ao passar a dominar a fobia por cobras, uma mulher sonhou que uma jiboia constritora fizera amizade com ela e a estava ajudando a lavar a louça. Os répteis logo desapareceram de seus sonhos. E as mudanças foram duradouras. Indivíduos fóbicos que haviam conseguido apenas melhoras parciais com modos alternativos de terapia alcançaram plena recuperação com o tratamento de domínio dirigido, independentemente da gravidade das disfunções fóbicas".[9]

O elogiado filme *O discurso do rei*, de 2010, mostrou a eficácia da modificação direta do comportamento para ajudar o homem que veio a ser o rei George VI da Inglaterra a superar sua aflitiva dificuldade de fala. Ao vencer a gagueira, Sua Majestade se tornou o monarca forte de que o país tanto precisava durante a guerra. Seu senso de autovalorização e sua vida pessoal floresceram; a vitória sobre a gagueira, qualquer que fosse a causa básica, só gerou ganhos — sem perdas, sem custos de substituição.

Trinta anos depois da superação da gagueira pelo rei, em experimento muito menos dramático, mas muito bem controlado e convincente, o psicólogo Gordon Paul trabalhou em diferentes condições com estudantes universitários que detestavam falar em público.[10] Em um grupo, os alunos aprenderam procedimento de dessensibilização para, de maneira sistemática, conseguir relaxamento profundo ao imaginar situações relacionadas com o discurso público. O objetivo do aprendizado era ficarem relaxados à medida que a situação se tornava cada vez mais ameaçadora ao lerem o discurso sozinhos no quarto; ao se vestirem de manhã, no dia em que teriam de falar em público; ao fazerem o discurso diante do público. Outro grupo participou de breve psicoterapia orientada para o insight, com um clínico especializado, para explorar as possíveis razões da ansiedade. Um terceiro grupo recebeu "tranquilizantes" placebo, que deveriam ajudá-los a enfrentar o estresse. O vencedor inequívoco, sob todos os critérios, desde as medições da ansiedade durante o discurso até indicadores psicológicos da ansiedade, foi o grupo que aprendeu o procedimento de dessensibilização. Os estudantes nessa condição não só superaram o medo de falar em público, mas também melhoraram significativamente o desempenho acadêmico. Ajudar as pessoas diretamente a superar problemas como distúrbios da fala, medos irracionais ou trejeitos faciais — que podem ser ou não sintomas de outros problemas — não gera problemas mais graves.

Quando conduzido da maneira correta, o procedimento leva as pessoas a sentir-se bem em relação a si mesmas e a melhorar a qualidade de vida.

Precisou-se de muitas décadas e de muitos estudos para, primeiro, superar as preocupações de alguns terapeutas com a substituição de sintomas e, depois, para desenvolver tratamento acessível, baseado em evidências, capaz de ajudar os pacientes a superar associações negativas do sistema quente. A terapia cognitivo-comportamental é hoje, em grande parte, prática padrão nos Estados Unidos. Em muitas regiões do mundo, contudo, ela ainda não foi aceita ou, na melhor das hipóteses, é considerada insuficiente. Há pouco tempo, conversei com uma boa amiga, clínica praticante que trabalha com crianças portadoras de transtornos, sobre "O anjo da ponte", achando que a história talvez lhe fosse útil no trabalho. Ela sorriu, deu de ombros, e a hipótese foi descartada como tratamento superficial — mero paliativo, tão inadequado quanto prescrever analgésicos no tratamento de câncer. Para minha amiga clínica, o medo da ponte é expressão de ansiedade subjacente profunda. Ela não tem dúvida de que, ao ser removido sem eliminação das causas, o medo da ponte será substituído por sintoma mais grave, uma vez que a ansiedade subjacente que o provocou continua enterrada pela repressão no sistema quente. Necessita-se de análise prolongada, argumenta ela, para chegar ao fundo. Quando lhe perguntei como agiria se estivesse tratando do Homem da Ponte, a resposta foi rápida. Ela argumentou que o medo dele consistia realmente em cair no vazio existencial e que o tratamento precisaria atacar esse medo mais profundo e arrancar suas raízes. Fiquei impressionado com a natureza poética da resposta, mas duvidei que aquela abordagem fosse capaz de ajudar o personagem a atravessar a ponte George Washington.

O dilema do Homem da Ponte ilustra como pode ser difícil, até para alguém geralmente capaz de exercer o autocontrole, superar as associações automáticas do sistema quente. Para resumir, essas associações podem ativar, de modo instantâneo e reflexo, reações emocionais intensas (sobretudo medo), disparadas pela amígdala, ao estímulo que estava presente quando ocorreu pela primeira vez o fato gerador do medo, mesmo que o estímulo, até então, fosse emocionalmente neutro. Superar esse dano colateral, criado por acidente, exige a reformulação das conexões. O medo que acometeu o Homem da Ponte ao sentir que a ponte balançava durante a tempestade repentina precisava ser dissociado ou desligado do estímulo "ponte" em geral. Nem o personagem nem ninguém é capaz de fazer isso sozinho, mas um primeiro passo é compreender como se formam essas associações geradoras de medo e reconectá-las com o prazer da travessia segura de uma ponte para chegar ao outro lado. Na falta de anjo ou harpa, ou até de um terapeuta, um amigo poderia conduzir de automóvel a pessoa temerosa, primeiro em pontes curtas e baixas, sobre águas rasas, e depois, talvez no mesmo dia, em pontes mais longas e mais altas, quem sabe até ao som de harpas no rádio do carro. Em seguida, o amigo poderia sentar-se no banco do carona e deixar que o amigo tomasse a direção e tentasse dirigir primeiro em pontes pequenas, talvez sobre áreas secas, e depois, aos poucos, em pontes maiores e mais altas, à medida que cada etapa parecesse mais segura. Esse tipo de dessensibilização possibilita superar o controle exercido pelo estímulo e restabelecer o controle exercido por si mesmo, ou autocontrole, e, assim, reativar a vontade paralisada.

17. Fadiga da vontade

O público exausto esperava que o programa começasse na recepção do elegante consulado húngaro no Upper East Side de Nova York. Era tarde da noite, e a multidão de "patronos das artes", na casa dos quarenta anos e muito mais, a maioria em trajes de negócios, cinza ou preto, olhando para os Rolex e iPhones, as pálpebras às vezes fechando. Depois de longa espera, as caixas de som de repente explodiram, a todo volume:

I WANT TO DO THE BAD THING NOW! AND I DON'T MIND SUFFERING LATER!

A banda de maltrapilhos no palco gritava com exuberância, tocando com entusiasmo os violinos e guitarras, batendo nos tambores e latas, sacudindo as castonholas e chocalhos, usando minúsculos chapéus e roupas hippie, e paquerando abertamente uns aos outros e o público austero, para promover o turismo na Hungria. A cena eletrizou a multidão sonolenta, arrancando aplausos e gritos entusiásticos que lembravam a vibração de crianças e adolescentes num concerto de rock. Se, em vez disso, o programa tivesse começado com um vídeo convencional e uma palestra sobre as maravilhas de Budapeste, os acessos de pigarro e as saídas constrangidas seriam inevitáveis.

Antes de serem sacudidos pela banda, os convidados pareciam estar sofrendo de fadiga da vontade, exaustos pelo excesso de autocontrole. O exercício contínuo da força de vontade, apenas para resistir à jornada de trabalho longa e estressante, às vezes é extenuante. Estavam predispostos a liberar as cigarras reprimidas, *imediatamente*, e aceitaram com prazer o convite da banda para soltar a franga, para desinibir-se, deixando que o sistema quente se divertisse, enquanto o sobrecarregado sistema frio fazia uma pausa.

A VONTADE CANSADA

Estaria nossa capacidade de autocontrole e de adiamento da satisfação sujeita a limites antes de a fadiga da vontade se manifestar? O conceito de fadiga da vontade, que se exauriria pelo uso excessivo, é a ideia básica subjacente à teoria científica hoje mais influente sobre a natureza da força de vontade e do autocontrole. E tem implicações importantes para a maneira como se encara a própria capacidade de se autorregular.

Roy Baumeister e seus colegas consideram a força de vontade um recurso biológico vital, mas limitado, que facilmente pode se esgotar durante algum tempo. O "modelo de força do autocontrole" propõe que o autocontrole depende de alguma capacidade interna que, por seu turno, dispõe de quantidade de energia limitada.[1] A ideia é muito semelhante ao conceito tradicional de "vontade" como entidade ou essência fixa: algumas pessoas têm muito, outras têm pouco. De acordo com o modelo, o autocontrole é como um músculo: quando se exerce esforço volitivo excessivo manifesta-se a "depleção do ego" e logo a fadiga muscular se instala. Em consequência, a força de vontade e a capacidade de resistir a comportamentos impulsivos diminuirão durante algum tempo em ampla variedade de tarefas que exigem autocontrole, o que pode afetar muitas coisas, como resistência mental e física, pensamento racional e solução de problemas, inibição de respostas, supressão de emoções e qualidade das escolhas.

Suponha que você esteja faminto e ansioso por comer alguma coisa na confraternização de fim de ano do escritório. Se você resistir à tentação de devorar a vistosa torta de chocolate à sua frente e enfrentar a estoica bandeja de salada escondida em algum lugar, o modelo de força sugere que logo em seguida você se esforçará menos em tarefas díspares que continuam a exigir autocontrole. As evidências dessa ideia apareceram em um experimento clássico que se tornou protótipo no estudo da depleção do ego. Estudantes universitários que cursavam a disciplina psicologia introdutória na Case Western University, em Ohio, foram incumbidos de participar de experimentos de psicologia como parte do curso, e os que iam para o laboratório do professor Baumeister para cumprir a exigência da matéria eram incluídos no Experimento do Rabanete.[2] Os alunos chegavam com fome porque diziam a eles para fazer jejum antes. No laboratório, pediam-lhes para resistir à tentação dos biscoitos e balas, esforçando-se para que se satisfizessem com alguns rabanetes. Logo depois, eram incumbidos de trabalhar em problemas de geometria, que, na verdade, eram insolúveis. O estudo mostrou que quem tinha comido rabanete desistia com muito mais rapidez do que quem tinha comido biscoitos e balas.

Em mais de uma centena de outros experimentos, os pesquisadores chegaram a resultados semelhantes: o exercício de autocontrole no tempo 1 reduzia a capacidade de autocontrole no tempo 2, que se seguia imediatamente ao tempo 1, qualquer que fosse o tipo de autocontrole praticado pelos estudantes.[3] Os resultados eram os mesmos, não importa que tivessem inibido as reações emocionais a um filme altamente emotivo sobre o que acontece com as espécies naturais em um deserto nuclear (*Mundo Cão*, cujo título original é *Monde Cane*) ou evitado pensamentos sobre ursos-brancos, depois de terem sido predispostos a se lembrar desses animais (experimente para ver se é fácil), ou reagido com cortesia ao mau comportamento de um colega.

MENTE SOBRE MÚSCULO

De fato, a redução do esforço subsequente em muitos estudos semelhantes ficou comprovada; estudos posteriores, todavia, mostraram que a redução do esforço provavelmente não decorreu das razões presumidas de início pelos pesquisadores.[4] À medida que aumentavam as demandas de autocontrole penoso e de trabalho tedioso, mas os incentivos continuavam os mesmos, a atenção e a motivação dos alunos mudavam. Em vez de sofrerem de depleção dos "músculos" da força de vontade, os participantes provavelmente ficavam chateados, com o sentimento de que já tinham atendido a muitas exigências dos experimentadores para realizar tarefas desagradáveis. Em um caso, por exemplo, depois de passar cinco minutos riscando todos os "e's" em texto impresso, os alunos teriam de não riscar "e's" seguidos de vogal. E quando as pessoas recebem fortes incentivos para persistir em tarefas como essas, elas continuam durante mais tempo. À medida que aumenta a motivação para exercer autocontrole, o esforço prossegue por mais tempo, o que não acontece com o mesmo nível de motivação.[5] De acordo com essa interpretação, a redução do autocontrole não decorre da perda de recursos: reflete, ao contrário, mudanças na motivação e na atenção.

A sensação de exaustão, a percepção de estar "esgotado" pelo trabalho penoso, é real e nem um pouco rara. Também sabemos, porém, que, quando bastante motivados, podemos prosseguir — às vezes até com mais zelo. Quando estamos apaixonados, somos capazes de correr ansiosamente ao encontro da pessoa amada mesmo depois de um dia, de uma semana ou de um mês estafante. Para alguns indivíduos, o sentimento de fadiga não é um alerta para ligar a televisão, mas para praticar corrida ou para malhar na academia. A interpretação motivacional da persistência penosa simplesmente argumenta que mentalidades, autopadrões e objetivos entram em ação quando nos sentimos vigorosos, não quando estamos exaustos pelo esforço, e quando precisamos relaxar, cochilar, nos autogratificar e liberar a cigarra reprimida.

Quando se acredita que a persistência em tarefas difíceis é energizante em vez de extenuante, será que essa obstinação evita a fadiga? Na verdade, sim. Quando se é levado a pensar que o esforço revigora em vez de exaurir, melhora-se o desempenho em tarefas subsequentes. Por exemplo, quando as pessoas foram induzidas a acreditar que seriam energizadas pelo controle das expressões faciais (para não demonstrar as emoções que estão sentindo), elas executaram melhor a tarefa subsequente de apertar um aparelho de fortalecimento das mãos. O desempenho posterior não foi prejudicado pelo esforço anterior, e os egos não foram extenuados.[6]

Na Universidade Stanford, Carol Dweck e colegas descobriram que quem acreditava na capacidade da estâmina de reabastecer-se depois de esforço mental intenso não sofria redução do autocontrole depois da experiência debilitante. Em contraste, quem acreditava que a energia se desgastava após uma experiência exaustiva realmente mostrou redução do autocontrole e precisou descansar para se revigorar.[7]

A equipe de Dweck continuou acompanhando os estudantes universitários em três momentos diferentes, o último dos quais era o exame final, que exigia forte autocontrole. Os seguidores da teoria implícita da força de vontade como recurso ilimitado se saíram muito melhor durante o período de exames, de alto estresse, que os adeptos da teoria implícita da força de vontade como recurso limitado, que relataram ingerir alimentos menos saudáveis, procrastinar mais e autorregular-se com ineficácia enquanto tentavam se preparar para os testes. Essas descobertas salientam a importância para o autocontrole da maneira como pensamos a respeito de nós mesmos e de nossas capacidades e enfraquecem a ideia de que nossa capacidade de exercer esforço em busca de objetivos é processo imutável e biológico.[8]

QUANDO VOCÊ CONTROLA AS GULOSEIMAS: PADRÕES DE AUTORRECOMPENSA

Experimentos científicos ou mesmo filosóficos não são necessários para que se saiba que o excesso de vontade pode ser tão autodestrutivo quanto sua falta. Sempre postergar a satisfação e prosseguir no trabalho, à espera de mais marshmallows, pode ser uma escolha insensata. Quando o mundo está cheio de descontrole da inflação, falência de bancos e promessas de retornos futuros que nunca são cumpridas, há boas razões objetivas para tocar a campainha e recusar-se a esperar. E as razões subjetivas são ainda mais convincentes. No extremo, o adiamento da gratificação se torna sufocante, resulta em uma vida sem alegrias, de prazeres adiados, de diversões postergadas, de emoções nunca experimentadas, de possibilidades não exploradas. Somos formigas e cigarras. Inibir o sistema emocional quente e viver sempre dominado pelo sistema cognitivo frio, a serviço de um futuro possível, pode se converter em uma história de vida tão insatisfatória quanto seu oposto.

Quando nos sentimos no direito de nos comportar mais como cigarras que como formigas? Quando nos permitimos relaxar, ceder ao controle do sistema quente, nos autogratificar com nossos marshmallows preferidos, e esquecer os e-mails pendentes e os afazeres de amanhã?

O que determina nossa disposição para nos permitir o prazer de não fazer nada, o fim de semana não programado na praia, a viagem inesperada à cidade grande, ou simplesmente a ociosidade em casa para comemorar a vida? Talvez não precisemos agir com tanta insensatez quanto aqueles heróis decaídos das manchetes, mas parece que todos temos regras implícitas sobre quando suspender o autocontrole e curtir o lazer *agora* ou, ao contrário, postergar os prazeres imediatos e continuar buscando recompensas maiores no futuro. Como desenvolvemos essas regras? As respostas a essas perguntas têm implicações diretas na maneira como criamos os filhos e como tratamos a nós mesmos.

Hoje, os pais americanos de classe média alta parecem viver em função dos filhos, correndo entre a casa e o trabalho para dedicar o máximo de "tempo de qualidade" às crianças, recompensando-as com afeição e presentes e deixando-as assumir a liderança. Não raro é possível ver pais permitindo que os filhos se esgoelem sem limites no McDonald's, por exemplo, porque o hambúrguer está demorando um pouco para chegar. Em contraste, os pais franceses têm a fama de criar crianças pré-escolares capazes de frequentar restaurantes elegantes em Paris, onde ostensivamente se sentam em silêncio, à espera do *entrecôte* com *haricots verts*, enquanto os pais bebericam um aperitivo.[9] Para criar as crianças ideais, uma mãe sino-americana oferece uma longa lista do que deve ser proibido, como dormir fora de casa, ir a festas infantis, ver televisão, jogar jogos eletrônicos e tirar qualquer nota abaixo de A.[10] Essa é a fórmula que Amy Chua propôs, em 2011, no livro *Grito de guerra da mãe-tigre* para educar uma criança capaz de ser ao mesmo tempo excelente no piano ou no violino e a melhor aluna da turma na escola (exceto, talvez, na academia de ginástica).

Há cerca de doze anos, Judith Rich Harris argumentou que qualquer teoria sobre a criação de filhos realmente não tinha importância porque a socialização com os colegas e a herança genética eram os dois fatores-chave que de fato moldam a vida das crianças.[11] Para ir além de casos específicos e de opiniões pessoais, teríamos de realizar experimentos que reproduzissem exatamente o que acontece sob diferentes condições de educação na vida real, mas esses estudos são impossíveis. Podemos formular e responder a perguntas relevantes, contudo, por meio de experimentos de curto prazo, com modelos adultos, sob condições realistas que sejam significativas para crianças.[12]

Comecei a me interessar por essa área quando minhas filhas estavam na escola de ensino fundamental e traziam para casa suas primeiras tarefas de que mais se orgulhavam — como uma sandália azul e preta feita de cerâmica por minha filha caçula. Daí parti para uma série de estudos sobre como estabelecemos padrões para nossas realizações no começo da vida e como nos recompensamos ou não pelo cumprimento desses padrões. A questão era: quais são as experiências de socialização e as regras implícitas que orientam a forma de autorrecompensa e de autorregulação? Quando as crianças desenvolvem fadiga da vontade e concluem que é hora de se recompensar, de ser um pouco autocomplacentes? Quando persistem e retardam a satisfação até cumprirem padrões mais rigorosos? Ou o esforço contínuo em si já se tornaria fonte de prazer?

MODELAGEM DE AUTOPADRÕES

Eu estava ansioso por estudar como os modelos orientam os padrões que desenvolvemos desde a infância para autoavaliação e autorregulação. As características e os comportamentos dos modelos adultos afetam o que as crianças pequenas aprendem, imitam e transmitem para outras. Em Stanford, simultaneamente com os estudos marshmallow, meus alunos e eu começamos a fazer experimentos para ver como as crianças desenvolviam autopadrões. Nesses estudos, variamos os atributos e os comportamentos de autorrecompensa dos modelos para averiguar como influenciavam o que as crianças pequenas incorporavam nos próprios padrões quando os adultos saíam da sala.[13]

Meu aluno Robert Liebert e eu selecionamos garotos e garotas da quarta série, a maioria com dez anos, nas escolas de ensino fundamental locais perto de Stanford. Em sessões individuais, apresentamos cada criança a uma mulher jovem (a modelo), que mostrou a ele ou a ela "um tipo de jogo de boliche" que uma empresa de brinquedos estava testando abertamente para ver até que ponto as crianças gostavam da novidade. Era uma miniatura, com cerca de um metro, de uma pista de boliche, com luzes sinalizadoras na extremidade final que registravam os pontos ganhos em cada tentativa. A área-alvo da pista tinha uma tela para que o jogador não visse o que a bola acertara e confiasse no resultado apresentado pelas luzes sinalizadoras como feedback. Esses pontos eram predeterminados e não se relacionavam com o desempenho real, mas sem comprometer sua confiabilidade. Ao alcance da mão, havia uma grande bandeja, cheia de fichas coloridas como as de pôquer, que a criança e a modelo usariam como recompensa pelo desempenho. Diziam-lhes que as fichas podiam ser trocadas por prêmios valiosos no final. Os prêmios, em embrulhos vistosos, ficavam expostos ostensivamente na sala, mas não eram comentados.

FAÇA O QUE DIGO OU FAÇA O QUE FAÇO

Para brincar com o jogo, a modelo e a criança se revezavam, uma tentativa de cada vez. No intuito de simular diferentes estilos de educação recebida pelas crianças, criamos três cenários diferentes de como a modelo recompensava o próprio desempenho e de como orientava a criança a avaliar e a recompensar o desempenho dela. Cada criança participava de apenas uma dessas condições.

No cenário de "padrões duros", a modelo era igualmente severa consigo mesma e com a criança. Pegava uma ficha só quando a pontuação obtida era muito alta (vinte), fazendo comentários de autoaprovação como: "Ótimo, vale uma ficha!" ou "Estou orgulhosa desse resultado! Acho que mereço um prêmio". Quando a pontuação era inferior a vinte, ela não pegava ficha e se criticava (por exemplo, "Fui mal nessa; não mereço ficha!"). Ela tratava o desempenho da criança da mesma maneira, elogiando as pontuações altas e criticando as baixas. No enredo "duro com a modelo, mole com a criança", a modelo era rigorosa consigo mesma, mas leniente com a criança, deixando-a que se autorrecompensasse mesmo depois de ter obtido uma pontuação baixa. No cenário "mole com a modelo, duro com a criança", a modelo era leniente consigo mesma, mas induzia a criança a adotar padrões rigorosos, premiando-se apenas pelas melhores jogadas.

Depois que as crianças participavam de uma dessas condições, observávamos discretamente seus comportamentos de autorrecompensa quando jogavam boliche sozinhas no pós-teste, condição em que as fichas ficavam à disposição delas, sem restrições. As crianças adotavam os padrões mais rigorosos de autorrecompensa quando haviam aprendido com uma modelo dura consigo mesma e igualmente dura com as crianças. Essa modelo as encorajava a se recompensar apenas por pontuações altas e adotava o mesmo padrão consigo mesma. Quando os padrões modelados e impostos eram consistentes, as crianças seguiam os mesmos padrões sem um único desvio na ausência da modelo, por mais rigoroso que fosse o critério e por maior que fosse a atratividade das recompensas. A pesquisa também mostrou que esses efeitos eram ainda mais fortes quando as crianças acreditavam que a modelo era poderosa e controlava muitas das guloseimas e recompensas mais desejáveis.

As crianças que tinham sido encorajadas a ser lenientes consigo próprias assim se mantinham no pós-teste, quando ficavam sozinhas, mesmo quando haviam observado uma modelo rigorosa consigo mesma. No grupo de crianças que haviam sido induzidas a adotar o modelo rigoroso de autorrecompensa durante o treinamento, mas tinham aprendido com uma modelo leniente consigo mesma, metade reteve os padrões mais rigorosos que lhes haviam sido ensinados e metade seguiu os padrões mais liberais que haviam observado na modelo em relação a si mesma.[14] O estudo sugere que, quando se quer que os filhos adotem elevados padrões de autorrecompensa, é boa ideia orientá-los a adotar esses padrões e também modelá-los com base no próprio comportamento.[15] Se você não for consistente, sendo dura com as crianças, mas leniente consigo mesmo, são boas as chances de que adotem os padrões de autorrecompensa que observaram em você como modelo, não os que você lhes impôs.

MOTIVAÇÃO E ESFORÇO: A EQUIPE VERDE

Quando saímos do laboratório, é possível observar as condições psicológicas e as qualidades humanas que motivam as pessoas a se impor os extremos do autocontrole. Um dos melhores exemplos são os Seals da Marinha dos Estados Unidos. Em autobiografia de 2012, Mark Owen (pseudônimo) descreve o ataque em que ele e a equipe mataram Osama bin Laden, thriller que vai além da excitação do ataque para analisar as motivações e o treinamento que ajudaram a forjar indivíduos como Mark, levando-os a desafiar a fadiga da vontade.[16]

Mark era filho de missionários no Alasca. Na escola de ensino médio, abriu *Men in Green Faces* [Homens de rosto verde], livro de um ex-Seal que descreve os combates e emboscadas no Delta do Mekong, no Vietnã, destacando a caçada de um coronel norte-vietnamita delinquente. Mark ficou fascinado logo na primeira página e em breve concluiu que seria um Seal: "Quanto mais lia, mais vontade tinha de me pôr à prova. Durante o treinamento, nas águas do oceano Pacífico, conheci outros homens como eu: homens avessos ao fracasso, motivados pela ânsia de serem os melhores. Tive o privilégio de servir todos os dias com esses homens, aos quais queria me igualar. Trabalhar junto deles me fez uma pessoa melhor".[17]

O treinamento das equipes Seal (a sigla corresponde ao acrônimo "Sea, Air, Land", combatentes por "mar, ar e terra") é brutal, envolvendo corridas exaustivas sem fim sob frio congelante ou calor causticante; esforço físico extremo, como puxar carros e ônibus; e buscas e tiroteios em *kill houses*, nas condições mais realistas possíveis. Para pessoas como Mark, chegar à centésima flexão de braço é sinal para aumentar a altura da barra e tentar mais trinta; dar o melhor de si é o alvo móvel, o autopadrão que essas pessoas sempre tentam superar — e não uma pista para render-se à fadiga e jogar a toalha. Em um programa no qual 75% dos homens de cada turma não completam o treinamento, Mark finalmente entrou na Equipe Verde, o último passo para concluir o treinamento e ser selecionado — talvez — para a tropa de elite Team Six da Marinha americana, que executa as missões de extermínio mais difíceis e perigosas. Se fosse selecionado, Mark realizaria seu objetivo de toda a vida.

As experiências e triunfos de Mark ilustram a importância de uma teoria implícita da força de vontade, praticamente ilimitada, com o reforço de objetivos ardentes que impulsionam e sustentam o empenho e a garra em contextos sociais que fornecem modelos e apoios inspiradores. Tudo isso entra em ação no treinamento e na autodisciplina implacáveis, indispensáveis para ser realmente excepcional — interpretando Bach no Carnegie Hall, ganhando o prêmio Nobel de física, colecionando medalhas de ouro nos jogos olímpicos, erguendo-se da pobreza no South Bronx para a Universidade Yale, tornando-se um Seal da Marinha ou, na versão da pré-escola, conquistando marshmallows — quando quinze minutos parecem uma vida.

Parte III

Do laboratório para a vida

Comecei a Parte I com a história do Teste do Marshmallow e dos experimentos que revelaram as estratégias adotadas por crianças pré-escolares para resistir a tentações. A Parte II mostrou que as mesmas estratégias também poderiam capacitar adultos a adiar prazeres e a poupar mais para o futuro. Nela também mostrei que os mesmos mecanismos subjacentes às estratégias de controle bem-sucedidas ajudavam pessoas com o coração partido a superar a dor, indivíduos sensíveis à rejeição a preservar relacionamentos e Seals da Marinha americana a fazer ainda mais flexões de braço mesmo depois de exaustos. Em conjunto, o que apresentamos sobre domínio do autocontrole leva a várias conclusões importantes:

1. Algumas pessoas são melhores que outras na capacidade de resistir às tentações e de regular as emoções dolorosas. (Conclusão menos surpreendente.)
2. Essas diferenças tornam-se visíveis já nos anos de pré-escola, mantêm-se estáveis ao longo da vida, para a maioria mas não para todas as pessoas, e indicam resultados psicológicos e biológicos extremamente importantes no curso dos anos. (Conclusão surpreendente.)
3. A crença tradicional de que a força de vontade é traço inato que se tem ou não se tem em alta dose (mas nada se pode fazer a respeito) é falsa. Ao contrário, as habilidades de autocontrole, tanto cognitivas quanto emocionais, podem ser aprendidas, aprimoradas e exploradas para que se ativem automaticamente quando se precisa delas. Isso é mais fácil para algumas pessoas, porque recompensas e tentações emocionalmente quentes não são tão quentes para elas, que também conseguem esfriá-las com mais rapidez. Não importa, porém, quão

bons ou ruins sejamos "naturalmente" no autocontrole, podemos melhorar as habilidades de autocontrole e ajudar nossos filhos a conseguir o mesmo resultado. Além disso, podemos não conseguir desenvolver as habilidades de autocontrole e, ainda que as tenhamos em abundância, talvez nos faltem os objetivos, os valores e o apoio social necessários para usá-las de maneira construtiva.

4. Não precisamos ser vítimas de nosso passado social e biológico. As habilidades de autocontrole podem nos proteger contra nossas vulnerabilidades; talvez não eliminem de todo as vulnerabilidades, mas podem nos ajudar a funcionar melhor com elas. Por exemplo, alguém com alta sensibilidade à rejeição, que também tenha bom autocontrole, será mais capaz de proteger os próprios relacionamentos que receia perder.

5. O autocontrole envolve mais que determinação; exige estratégias e insights, assim como objetivos e motivação, para facilitar o desenvolvimento da força de vontade e para aumentar as recompensas da persistência (também denominada garra).

Na Parte III, passo do laboratório para a vida, analisando primeiro como essas descobertas se relacionam diretamente com as políticas públicas. Em seguida, sumarizo e exemplifico as estratégias centrais que podem tornar o exercício da força de vontade na vida cotidiana menos penoso e mais espontâneo para nossos filhos e para nós mesmos. No capítulo final, "Natureza humana", analiso como a pesquisa sobre autocontrole e plasticidade do cérebro humano muda nossos conceitos de quem somos.

18. Marshmallows e políticas públicas

Muitos anos atrás, quando eu era aluno do programa de pós-graduação em psicologia clínica na City College of New York, trabalhei como assistente social não credenciado com grupos de crianças e adolescentes pobres. Reunia-me com eles no Henry Street Settlement, uma agência nas "favelas" do Lower East Side de Manhattan. Eu me sentia muito curioso sobre as teorias e métodos clássicos da psicologia clínica que estava aprendendo na escola e muito ansioso por aplicá-los no trabalho de assistência social.

Uma noite, na Henry Street, eu estava cercado por um grupo de garotos adolescentes que me ouviam enquanto tentava usar minhas novas ideias para interpretar a raiva de um jovem especialmente hostil, um garoto cujo irmão aguardava a execução no corredor da morte do presídio estadual. Os garotos pareciam muito atentos e ansiosos por aprender, mas logo, literalmente, senti cheiro de fumaça e vi que a parte de trás de meu paletó estava pegando fogo, ateado por um dos garotos. Depois de abafar as chamas, reconheci que os métodos e conceitos clínicos fascinantes que eu estava aprendendo eram no mínimo irrelevantes para aqueles jovens que necessitavam de ajuda. Esse insight foi um dos fatores que me levaram à carreira de pesquisador, na qual eu esperava encontrar maneiras mais eficazes de contribuir para que crianças como aquelas, da Henry Street, melhorassem de vida.[1]

Meio século depois, comecei a ouvir falar de educadores que tentavam aplicar as descobertas de pesquisas sobre autocontrole e diferimento da satisfação aos imensos desafios com que se defrontavam, à medida que se ampliava a distância entre o topo e a base da pirâmide econômica e social nos Estados Unidos. Embora grande parte da educação pública continue a se deteriorar, é sempre estimulante conhecer líderes educacionais dedicados e criativos que estão tentando desenvolver alternativas. É um privilégio observar o que estão fazendo, conhecer as inovações que estão desenvolvendo, e assistir a seus sucessos, frustrações e desafios. O empenho deles em fomentar nos alunos as qualidades essenciais para o sucesso e o esforço deles para aplicar as descobertas das pesquisas em seu trabalho diário me motivaram a escrever este livro. Neste capítulo, analiso como as descobertas das pesquisas sobre autocontrole podem ser aproveitadas nas intervenções educacionais e examino como as implicações daí resultantes podem aumentar a eficácia das políticas públicas.

PLASTICIDADE: O CÉREBRO HUMANO EDUCÁVEL

Uma revolução silenciosa no conceito de natureza humana vem ganhando impulso, lentamente, nas duas últimas décadas à medida que os cientistas revelam a plasticidade do cérebro humano. A descoberta inesperada é a grande maleabilidade nas áreas do córtex pré-frontal que exercem a função executiva.[2] Conforme demonstramos em todo o livro, esses mecanismos nos permitem esfriar e conter nossas reações quentes impulsivas para melhor servir a nossos objetivos e valores e para regular as emoções, adaptando-as ao contexto.

A importância da função executiva para o estilo de vida e, em especial, para nossa capacidade de não se deixar levar pelos impulsos e, ao contrário, de assumir o autocontrole é inquestionável. As consequências dessa constatação para as políticas públicas dependem de acreditarmos ou não que as habilidades da FE e a capacidade de autocontrole são essencialmente inatas e fixas. Se forem genéticas e rígidas, as intervenções de pouco adiantarão. Se, porém, forem cultiváveis e maleáveis, o potencial das políticas públicas é enorme e requer iniciativas educacionais urgentes para desenvolver essas habilidades o mais cedo possível na vida.

Sabemos hoje que, quando uma criança pré-escolar consegue esperar pelos dois marshmallows, as áreas do córtex cingulado anterior e pré-frontal lateral do cérebro devem se ativar com intensidade. Essas áreas são partes importantes do sistema cognitivo frio, necessárias para controlar a impulsividade do sistema emocional quente. As imagens de ressonância magnética ainda estavam a décadas de distância no futuro quando, durante o Teste do

Marshmallow, eu ficava estudando as reações das crianças pela vidraça de observação e nem podia imaginar o que se passava no cérebro delas enquanto esperavam pelas guloseimas na Sala de Surpresas. Desde então, intervenções bem controladas em laboratório mostram que o treinamento direto da FE não só melhora o autocontrole, mas também altera as atividades neurais correspondentes no cérebro.

Em 2005, uma equipe de pesquisa sob a liderança de Michael Posner realizou experimentos para mostrar como o treinamento e a genética, em conjunto, influenciam as habilidades cognitivas e de controle da atenção, que permitem às crianças pré-escolares controlar o sistema quente.[3] Os pesquisadores expuseram crianças com idade entre quatro e seis anos a sessões diárias de treinamento da atenção, de quarenta minutos por dia, durante cinco dias. Nelas as crianças brincavam com vários jogos de computador destinados a explorar e aprimorar diferentes aspectos da capacidade de controle da atenção — em especial, a de se concentrar em um objetivo e de convergir a atenção para alcançá-lo, inibindo impulsos interferentes inibidores. Em um jogo, por exemplo, usavam um joystick para acompanhar o desenho de um gato na tela do computador. O objetivo era orientar o gato para as áreas gramadas, que se encolhiam, evitando que fosse para as áreas enlameadas, que se ampliavam, o que tornava a tarefa cada vez mais difícil.

A pergunta que os pesquisadores tentavam responder era: "Será que essa experiência de treinamento influenciaria a pontuação subsequente das crianças em diferentes testes-padrão de controle da atenção?". O controle da atenção das crianças treinadas de fato melhorou significativamente em comparação com o do grupo de controle não treinado, descoberta encorajadora, considerando a simplicidade e a brevidade do treinamento. O mais surpreendente é que mesmo esse curto período de treinamento serviu para melhorar as medidas de inteligência não verbais.

O mesmo grupo de pesquisadores também descobriu, em estudos correlatos, que genes específicos, capazes de influenciar a capacidade da criança de esfriar e de controlar emoções negativas e de reduzir a hiperatividade, também influenciam a capacidade de atenção e de autocontrole. O gene DAT1, em especial, é importante em vários transtornos relacionados com a dopamina, inclusive TDAH, bipolaridade, depressão clínica e alcoolismo. A notícia promissora para as políticas públicas é a descoberta de que até em pessoas com vulnerabilidade genética, o controle da atenção pode ser melhorado significativamente por meio de intervenções, inclusive melhores métodos de educação, durante o desenvolvimento. É a natureza e a educação se influenciando em plena integração.

No que diz respeito à importância da FE para o desenvolvimento social, assim como para as habilidades cognitivas e para o autocontrole, a pesquisa de Adele Diamond, da Universidade de British Columbia, dá pistas.[4] Seus experimentos tentaram verificar se a FE é de fato maleável e lecionável por meio de intervenções educacionais simples na pré-escola. Em 2007, Diamond e seus colegas relataram na revista *Science* os resultados de um de seus maiores estudos. O programa "Ferramentas da Mente" [Tools of Mind], destinado a reforçar o desenvolvimento da FE, submeteu crianças pré-escolares (média de 5,1 anos), todos os dias, intensamente, a quarenta atividades promotoras da FE, envolvendo exercícios semelhantes a jogos, em que as crianças diziam a si mesmas o que deveriam fazer, além de representações dramáticas, prática de tarefas simples para melhorar a memória, e aprendizado deliberado do foco e do controle da atenção. Os estudos de Diamond, realizados em mais de vinte turmas de escolas distritais de baixa renda, compararam os efeitos sobre as competências de FE das Ferramentas da Mente, de um lado, e do currículo padrão de alfabetização equilibrada, de outro, cujos conteúdos didáticos eram semelhantes, com a diferença de que este último não incluía o desenvolvimento da FE. Para eliminar possíveis discrepâncias na qualidade dos professores, todas as turmas dispunham de recursos semelhantes e de pessoal docente com formação e apoio equivalentes. Além disso, todas as crianças eram oriundas das mesmas áreas, eram distribuídas aleatoriamente entre os dois programas e tinham idade e antecedentes similares.

No segundo ano da pré-escola, quando as crianças dos dois programas foram comparadas em exames cognitivos e neurais padrões, o programa Ferramentas da Mente foi o vencedor por margem substancial. E se mostrou mais eficaz para crianças que tinham começado com os níveis mais baixos de FE. Com efeito, o progresso das crianças submetidas ao programa Ferramentas da Mente foi tão impressionante que, depois do primeiro ano, os educadores de uma das escolas insistiram em terminar o experimento para que as crianças do grupo de controle, que participavam do currículo padrão de alfabetização equilibrada, também pudessem participar do programa Ferramentas da Mente.

A oportunidade de influenciar o desenvolvimento da FE através de intervenções não se limita aos anos de pré-escola. Na faixa etária de onze a doze anos, com apenas poucos anos de treinamento, crianças com mau desempenho na escola receberam ajuda para usar planos de implementação *Se-Então* específicos para melhorar a qualidade dos trabalhos escolares, a média das notas, a assiduidade e a conduta.[5] Em outro estudo, crianças com TDAH participaram de treinamento de cinco semanas para desenvolver a "memória de trabalho" — capaz de reter informações durante breves períodos, como o número de telefone de sete dígitos que você ouve e tenta registrar durante tempo suficiente para discar. A memória de trabalho é componente essencial da FE, indispensável para a realização dos objetivos. Esse treinamento não só melhorou a memória de trabalho, mas também reduziu os sintomas de TDAH e os comportamentos problemáticos.[6]

Exercícios simples de meditação e de atenção plena também podem melhorar substancialmente a função executiva.[7] O treinamento de "atenção plena" ajuda as pessoas a concentrar foco intenso no momento: o indivíduo, sem esforço, conscientiza-se de cada sentimento, sensação ou pensamento que lhe ocorre, aceitando e reconhecendo tudo o que experimenta, sem julgamentos e sem elaborações.[8] Em um grupo de jovens adultos, com cinco dias de treinamento durante vinte minutos por dia, esses exercícios, além de breve meditação, atenuaram a fadiga e reduziram as respostas fisiológicas e psicológicas ao estresse em comparação com o grupo de controle, que passou o mesmo tempo sob treinamento de práticas de relaxamento convencionais. O treinamento de atenção plena também reduziu os pensamentos dispersivos, facilitou a concentração e melhorou o desempenho de estudantes universitários em testes-padrão, como o Graduate Record Examination, usado por muitas escolas de pós-graduação nos Estados Unidos como requisito de admissão.

Do mesmo modo, o adulto normal e o cérebro em envelhecimento podem beneficiar-se de intervenções relativamente simples que melhoram a FE. Dois dos mais notáveis são exercícios físicos, mesmo em quantidade moderada e durante breves períodos, e praticamente qualquer coisa que minimize a solidão, que proporcione apoio social e que fortaleça as ligações e relacionamentos do indivíduo com outras pessoas.[9]

IMPLICAÇÕES: CONSENSO CIENTÍFICO SOBRE POLÍTICAS PÚBLICAS

Em síntese, já não há dúvida de que intervenções eficazes para melhorar a FE estão ao nosso alcance. De acordo com o National Scientific Council on the Developing Child [Conselho Científico Nacional para o Desenvolvimento da Criança], as implicações daí decorrentes para o desenvolvimento da criança são igualmente claras. Esse órgão compõe-se de um grupo de cientistas respeitados que estudam o estresse crônico e seus efeitos tóxicos, típicos da vida de crianças em condições de pobreza extrema, e analisam intervenções capazes de reduzi-lo substancialmente. Em 2011, chegaram a um consenso inequívoco: o fortalecimento da função executiva é fundamental para que as crianças desfrutem de estilo de vida que lhes permita desenvolver todo o seu potencial. À luz de evidências cada vez mais profusas e convincentes "de que essas capacidades podem ser melhoradas por meio de programas de intervenção intensivos prematuros, as iniciativas em apoio ao desenvolvimento dessas habilidades merecem muito mais ênfase na elaboração de programas de assistência e educação no começo da infância".[10]

Até onde podem ir as recomendações de um conselho científico, a mensagem é uma convocação para a ação passional e urgente. Essas conclusões se atêm com rigor aos dados das melhores pesquisas e evitam qualquer traço de emoção — razão por que continuam em grande parte enterradas nos arquivos acadêmicos, com acenos de aprovação de outros pesquisadores e com manifestações ocasionais favoráveis nas páginas de opinião da grande imprensa. Os editoriais acirram a paixão e salientam com propriedade que a enorme disparidade de resultados em nossa sociedade é dolorosa e destrutiva para quem vive e são os "sujeitos" dessas pesquisas. Inúmeras são as crianças em idade pré-escolar que não conhecem a diferença entre a primeira capa e a quarta capa dos livros, como disse um guru; crianças que vivem sem nunca terem ouvido histórias instigadoras da imaginação, que pouco conversam, que caminham famintas em ruas perigosas para suas escolas pobres e que voltam para casas onde predominam o brilho matizado da televisão onipresente e as brigas ruidosas de famílias desestruturadas.[11] O alto estresse é crônico nessas crianças.

Diante da magnitude dessa realidade, inovadores solidários esforçam-se ao máximo para avivar e aplicar as mensagens e recomendações dos cientistas.

Muitos estão tentando incorporar o que foi aprendido nas pesquisas sobre autocontrole, resistência à tentação e desenvolvimento cerebral nos currículos escolares. Algumas dessas iniciativas estão agitando as ideias dos educadores sobre seus programas à medida que tentam aumentar a eficácia da educação para a autodisciplina e para o bem-estar emocional, começando com crianças pré-escolares.

SOCIALIZANDO O COME-COME

Um dos esforços mais notórios, concebido por inovadores em educação da primeira infância, é *Vila Sésamo*, série educativa para crianças pré-escolares produzida pela Sesame Workshop. O programa vai ao ar em todo o mundo e pretende educar e divertir crianças pré-escolares. Tive recentemente o privilégio e o prazer de prestar consultoria ao notável grupo de Educação e Pesquisa da Sesame Workshop sobre como modelar as habilidades de autocontrole, tentando socializar o Come-Come. Enfatizo *tentar* socializá-lo porque o Come-Come definitivamente tem a cabeça feita. Ele personifica o desejo visceral em estado selvagem principalmente em relação a biscoitos, de preferência os de chocolate. Ele é ainda impulsionado por um sistema quente conectado precariamente com um córtex pré-frontal primitivo, que parece empenhado, acima de tudo, em assisti-lo na busca de mais biscoitos, pouco se interessando em ajudá-lo a inibir esse impulso específico muito quente. Esse personagem azul impulsivo, de olhos esbugalhados, tem uma personalidade indisciplinada, assertiva e extrovertida. Proclamando em altos brados: "Eu querer biscoitos! Eu querer biscoitos!", ele sai devorando qualquer biscoito ao alcance da boca. Na 43ª e na 44ª temporadas, *Vila Sésamo* impôs-lhe um desafio: controlar impulsos incontidos, esfriando o sistema quente, para tornar-se membro do refinado e exclusivo Clube dos Degustadores de Biscoitos.[12] As crianças pré-escolares aprendem algumas lições com ele, que mostram como as descobertas sobre autocontrole podem informar e orientar o conteúdo e a missão educacional dos programas de pré-escola.

Em um segmento, o Come-Come aparece na televisão como participante de um programa de jogos em que disputa prêmios com outros competidores. No plano de fundo, uma banda limbo canta: "O melhor é de quem espera". O apresentador simpático, mas firme, pergunta a Come-Come se ele está pronto para participar do Jogo de Espera.

> COME-COME: Jogo de Espera?! Ah, cara! Que sorte a minha! Logo eu no Jogo de Espera! O que é Jogo de Espera?
>
> APRESENTADOR: O jogo em que você ganha um biscoito! [Um biscoito aparece num cavalete na tela.]
>
> COME-COME: Ah, cara! Eu adorar esse jogo. Biscoitos! Hum! [Come-Come corre para devorar a guloseima, mas o apresentador o intercepta.]
>
> APRESENTADOR: Espera!
>
> COME-COME: Esperar para comer biscoito? Isso é loucura? Por que esperar?
>
> APRESENTADOR: Porque isso é um Jogo de Espera, e se você esperar até eu voltar para comer o biscoito, você ganha dois biscoitos!

A lição prossegue à medida que o apresentador, pacientemente, explica as regras novamente: "Se você esperar pelo biscoito até eu voltar, você recebe dois biscoitos!". Depois de um segundo, Come-Come conclui que é boa ideia: "Eu esperar, então", e o apresentador deseja-lhe boa sorte, mas Come-Come logo tem uma ideia quente — "Ah, tão zoando com a minha cara; eu não poder esperar! Eu comer o biscoito agora!" — e avança para agarrar o biscoito, mas logo é interceptado pelos Cantores do Jogo de Espera, que entram em cena cantando: "O melhor é de quem espera".

Os cantores explicam que cantar é uma boa estratégia quando é realmente difícil esperar, e Come-Come tenta, mas não consegue e não quer esperar: "Esquece, vou comer!". Mas os cantores intervêm novamente: "Você precisa de outra estratégia. Lembre-se, o melhor é de quem espera. Sim, o melhor é de quem espera".

E a lição prossegue enquanto Come-Come aprende a fingir que o biscoito está numa moldura, desenha uma moldura imaginária com os dedos, saca do nada uma moldura de verdade e nela enquadra o biscoito, torce os polegares, resmunga, mas logo se sente tentado de novo. Ele continua recebendo apoio e aprende novas estratégias, passo a passo, e fica surpreso ao começar a descobrir algumas sozinho: "Eu precisar de outra estratégia. Ah, já sei! Eu tirar os biscoitos da cabeça brincando com isto aqui". Puxa um cachorro de pelúcia e começa a cantar para si mesmo enquanto embala o bichinho, até que se cansa e inventa outra diversão: "Eu fingir que o biscoito é um peixe muito fedorento", enquanto o biscoito se transforma em peixe, no cavalete, e ele espera, abanando as mãos diante do nariz, como se estivesse sentindo o fedor. Depois de algum tempo, bastante tempo, com esforço desmedido e garra crescente, ele ganha o Jogo da Espera e é festejado pela banda, cantando triunfante: "O melhor é de quem espera!".

Esse episódio é um dos muitos nos dois anos de programação que *Vila Sésamo* está dedicando ao autocontrole. As temporadas de 2013 e 2014 do programa oferecem lições memoráveis e divertidas sobre as várias formas de autocontrole, transmitidas pelas travessuras e aventuras de seus personagens adoráveis, já há tanto tempo tão amados, desde Come-Come até Gugu, em sua lata de lixo. Eles envolvem as crianças pré-escolares em histórias simples e engraçadas enquanto lhes ensinam alguns dos aspectos mais essenciais do autocontrole, além de muitas outras estratégias e habilidades de que as crianças pré-escolares precisam para começar a desenvolver a função executiva, a autocontenção e a regulação das próprias emoções.

Os pesquisadores de *Vila Sésamo* se esforçaram muito para avaliar objetivamente o impacto do programa e, ao longo dos anos, reuniram evidências comprovando suas contribuições para muitos resultados positivos, inclusive em termos de preparação e sucesso na escola.[13] Embora as crianças que veem mais *Vila Sésamo* se saiam melhor, ainda não sabemos se é assim por causa dos ensinamentos do programa ou porque seus pais tendem a sintonizar mais a televisão em programas educacionais. O mais provável é que ambos os fatores contribuam para tornar esses programas úteis — e não só por manterem as crianças ocupadas e felizes, mas também por ajudá-las a desenvolver habilidades e a aprender importantes lições de vida, sociais, morais e cognitivas.

DO COME-COME ÀS ESCOLAS KIPP

Importantes cientistas que se preocupam com os efeitos do estresse tóxico sobre o cérebro das crianças e sobre a subsequente suscetibilidade a doenças mentais e físicas observam que os indivíduos de status socioeconômico (SSE) mais baixo apresentam maior morbidade e mortalidade por diversas doenças e sofrem do que tem sido denominado "biologia da desvantagem", que consiste nas consequências fisiológicas e psicológicas de viver sob estresse crônico desde a concepção.[14] Para educadores que trabalham com pessoas classificadas no extremo inferior da escala SSE, o desafio é como ajudar as crianças, os pais e os cuidadores a superar essa desvantagem. O caminho mais promissor é fornecer acesso à educação tão cedo quanto possível na vida, o que, por seu turno, pode ajudá-las a escalar a pirâmide SSE. A dúvida, porém, é com que tipo de educação e com que métodos.

A situação deprimente da educação pública nos Estados Unidos, em especial nos distritos escolares pobres, tem sido alvo de ampla atenção. A notícia estimulante em meio ao panorama sombrio é que, nos últimos dez anos, aproximadamente, e com frequência cada vez maior, diversas intervenções educacionais inovadoras têm sido desenvolvidas na tentativa de incorporar nos currículos escolares o que temos aprendido sobre desenvolvimento do cérebro, adiamento da gratificação, autocontrole e autodisciplina. Muitas dessas iniciativas estão contribuindo para aumentar a eficácia da educação em diferentes contextos escolares, sobretudo naqueles mais frequentados por crianças com a biologia da desvantagem.

Concentro-me aqui em uma iniciativa promissora que relaciona estreitamente seu conteúdo didático com descobertas na vanguarda da ciência da psicologia: o programa das escolas KIPP, em Nova York, que ajudou George Ramirez a encontrar seu caminho. No outono de 2012, visitei quatro das nove escolas acadêmicas KIPP, então em Nova York, com a décima em construção. Em avisos afixados em todas as escolas, anuncia-se orgulhosamente que KIPP significa Knowledge Is Power Program [Programa Conhecimento É Poder]. O objetivo da visita era ver como o programa estava funcionando no mundo real, na tentativa de educar crianças que moram em algumas das áreas SSEs mais pobres do país. Queria ter uma ideia do que era possível nesse tipo de escola.

O KIPP aos poucos se torna modelo para diferentes tipos de tentativas de transformar a educação pública.[15] Em meu caso, a apresentação foi feita por Dave Levin, com mais ou menos quarenta anos, motor aparentemente incansável que impulsiona o grupo KIPP de escolas. Essas escolas se dedicam a preparar crianças a partir do jardim de infância até a faculdade, e nelas se veem cartazes de faculdades em todas as paredes das salas de aula. Mais de 86% dos alunos são crianças oriundas de minorias pobres, residentes em áreas urbanas degradadas.[16] Os alunos chegam às 7h30 e saem entre 16h30 e dezessete horas. No verão, o período letivo se prolonga por mais duas ou três semanas. Estimula-se a participação dos pais, inclusive com visitas às escolas, em muitos programas. As crianças são selecionadas ao acaso, pela sorte, uma vez que as vagas são insuficientes para atender a todas que querem merecer a chance. As escolas KIPP de Nova York se baseiam em um programa que Dave Levin e Mike Feinberg começaram numa turma de quinta série, em Houston, Texas, em 1994.

Uma das escolas que visitei, a KIPP Infinity Elementary School, está situada no bairro do Harlem, em Manhattan, a poucos quarteirões da Universidade Columbia e ao sul do City College of New York. Essa escola KIPP foi inaugurada em 2010 e tem cerca de trezentos alunos desde o jardim de infância à quarta série, dos quais mais de 90% são afro-americanos ou hispânicos. Destes, mais ou menos a mesma porcentagem se qualifica para o programa gratuito ou a preço reduzido para as famílias de baixa renda. A escola é excepcionalmente atraente, brilhando de limpa e bem iluminada, com móveis e equipamentos confortáveis e modernos. Tendo frequentado escolas públicas de Nova York quando eu era criança e depois de revisitá-las recentemente para pesquisas, tive uma boa surpresa, de imediato, com o contraste na aparência.

Ao entrar numa sala de aula da primeira série, observei as crianças ouvindo atentamente a jovem professora, que falava com eles em voz baixa. Logo fui recebido e cumprimentado por "Malcolm", um garotinho de voz suave e maneiras gentis que se apresentou com educação. Ao estender a mão para um aperto caloroso, Malcolm perguntou meu nome e me deu boas-vindas à Columbia University Lions. Depois das apresentações, logo ouvi um rufo prolongado e aplausos animados enquanto a professora anunciava o Nome do Dia, não por causa de um aniversário, mas apenas como maneira afetuosa e entusiástica de homenagear uma criança a cada dia.

Todas as salas de aula têm o nome de uma universidade diferente e se afixam cartazes que são objeto de debates reiterados. Unite, por exemplo, é acrônimo de "Understand, Never Give Up, Imagine, Take a Risk, Explore" [Compreenda, nunca desista, imagine, corra riscos, explore]. Também há nas salas de aula uma "cadeira de recuperação" ou "cadeira de reflexão", que nada tem a ver com o castigo antigo de ficar em pé num canto. O objetivo da cadeira é ajudar os alunos a esfriar, quando alguém sente que está a ponto de perder

203

a calma ou quando a professora acha que os ânimos estão acirrados. Ao redor da cadeira, veem-se uma ampulheta e mensagens tranquilizantes na parede: evite situações quentes, respire fundo, conte de trás para a frente, imagine a raiva flutuando para longe em balões de gás e outras estratégias para acalmar, para restabelecer o controle e para esfriar a cabeça, permitindo ao aluno que saia da cadeira e junte-se à turma.

"Madeline", com dez anos, estava na quinta série, chegando ao fim de seu primeiro ano na KIPP, quando a conheci.[17] Ela fora transferida para a KIPP proveniente da escola pública situada no outro lado do prédio. "Lá era mais frio", disse Madeline sobre a escola pública, "e aqui os professores são mais rigorosos e esperam mais das crianças." E prosseguiu, manifestando entusiasmo: "Acho que estou aprendendo de outra maneira — as aulas são mais claras. Todos os dias aprendemos coisas novas e revemos o que já foi ensinado. Aqui levamos a escola mais a sério. Mais deveres de casa, mais revisões, mais relatórios sobre como estamos indo. Os relatórios de progresso nos dão a chance de mudar, prestando mais atenção e melhorando o comportamento. O boletim é apenas o resultado final".

O que ela será aos vinte anos? Será médica, veterinária ou professora. Como chegará lá? Ela respondeu com ponderação, lentamente, com muitos detalhes e exemplos, usando frases do tipo: "Quanto mais ouço, mais aprendo", fazendo o dever de casa durante três horas à noite, refletindo sobre ela mesma e sobre como está mudando: "Estou aprendendo mais, ficando mais trabalhadora... Temos noventa minutos em cada aula e aprendemos alguma coisa nova todos os dias".

"O que é inteligência social?", perguntei-lhe. Resposta: "É quando cai alguma coisa e você pega antes de lhe pedirem. É quando você pensa sem que ninguém lhe diga. Se alguém está agindo mal na turma, você não ouve". O que é autocontrole? "É como a inteligência social. Mesmo que alguém esteja fazendo alguma coisa engraçada na sala, você não ri — você precisa se controlar. Se você quer pegar alguma coisa, você se controla e fica quieto." Ela me lembrou da resposta que recebi de outra criança da mesma idade que estava lutando para ter mais autocontrole: "É pensar antes de fazer", me explicou com paciência.

Como pesquisador, sei que não posso generalizar com base em pequena amostra; sei que devo ser cuidadoso para não tirar conclusões apressadas de comportamentos pouco representativos e que devo moderar minhas impressões. Mas também sei que percorrer as salas de aula da KIPP, conhecer aquelas crianças, observar como ouvem e falam, e ver como os professores ensinam me deixou muito mais otimista quanto ao futuro de crianças em situações de risco.

Senti mais que um brilho morno. Meu sistema quente viu que, quando aplicadas com sabedoria por professores dedicados, as lições aprendidas no laboratório podiam dar a essas crianças a chance de mudar de vida, de descobrir seus objetivos e de trabalhar com afinco para alcançá-los. A KIPP exemplifica uma filosofia educacional e um sistema escolar que inserem descobertas de pesquisas no currículo diário e no estilo de vida. Também demonstra que o autocontrole pode ser inculcado, que a adoção de objetivos pode ser encorajada, que os objetivos realistas podem ser alcançados, que a curiosidade pode ser estimulada e que a persistência pode ser recompensada até que a garra seja sua própria recompensa.

Perguntei a Dave Levin se as escolas KIPP realmente "salvam vidas", para usar a frase de George Ramirez. Dave fez questão de afirmar que eles *não* salvam a vida de ninguém. E insistiu: "Somos os líderes de torcida; as crianças é que estão jogando. Elas fazem o serviço pesado. Estabelecemos as condições; o trabalho duro é tarefa de cada um". A missão da KIPP, explicou, é ajudar as crianças a ter muitas escolhas na vida. Escolha não significa uma estrada para todos — e nem sempre é uma universidade de elite, nem mesmo qualquer faculdade, de modo algum. Escolha é dar condições para que as crianças tenham opções autênticas quanto ao que farão na vida, quaisquer que sejam suas condições demográficas.

CONSTRUINDO "HABILIDADES DE CARÁTER"

Dave e eu conversamos frequentemente sobre como ele acha que a KIPP precisa evoluir para ser ainda mais eficaz e sobre como o programa está mudando. No começo, na década de 1990, a educação superior e o treinamento acadêmico indispensáveis para a graduação pareciam ser o passaporte para superar a pobreza tóxica e ingressar em um mundo de oportunidades e escolhas. Portanto, o objetivo abrangente da KIPP era, e continua sendo, fazer tudo o que é necessário para que os alunos concluam a faculdade. Dave diz que, em 2013, cerca de 3200 ex-alunos da KIPP cursavam o ensino superior, com taxa de conclusão do curso de aproximadamente 40%, em comparação com 8% a 10% de crianças com formação semelhante que não fizeram os programas da KIPP, e com 32% de média nacional americana.[18]

Dave acredita que essa taxa de sucesso reflete o fato de os alunos da KIPP aprenderem não só as habilidades acadêmicas necessárias para a faculdade, mas também as habilidades de caráter indispensáveis para o sucesso na escola e na vida. Para ele, o desafio contínuo é como incluir com mais eficácia a educação do caráter no currículo da KIPP. Fiquei preocupado quando ele falou em "caráter" porque, com muita frequência, o termo é associado a traços inatos, mas esse não é o significado nas escolas KIPP. Lá, caráter é visto, isto sim, como um conjunto de habilidades, comportamentos específicos e atitudes lecionáveis das quais a mais importante é o autocontrole, mas também abrange qualidades como garra, otimismo, curiosidade e entusiasmo. As escolas KIPP estão tentando promover educação do caráter que não se limite à afixação de slogans inspiradores nas salas de aula nem a sermões motivadores pelos diretores em reuniões semanais, mas, sim, que seja parte integrante da experiência de aprendizado diária de todos os alunos e, igualmente, dos professores e orientadores.

Perguntei a Dave como a KIPP conseguia tornar tangível a educação do caráter, ou seja, dar-lhe unhas e dentes na sala de aula. Ele acredita que o segredo é oferecer aos alunos a oportunidade de praticar na escola os comportamentos críticos que fomentam o autocontrole, a garra e outras habilidades. Nas palavras dele: "Se você quiser que as crianças aprendam a superar as frustrações com rapidez, a dar a volta por cima do fracasso e a trabalhar independentemente com foco, elas precisam ter a chance de fazer essas coisas nas turmas da escola, e os professores precisam estruturar as aulas para dar-lhes tempo de agir assim".[19] Portanto, o currículo prevê tempo suficiente para práticas em que o aluno trabalhe com independência, com um parceiro ou em pequenos grupos — mas sem a interferência de professores —, ou enfrentando projetos que exijam concentração e esforço sustentáveis. "O segredo é o professor não mais se postar diante da turma, fazendo preleções, mas, sim, induzir as crianças a levantar o peso."

Para monitorar o progresso na educação do caráter, os alunos se avaliam várias vezes por ano, no fim de cada período letivo, considerando a frequência (de "quase nunca" a "quase sempre") com que são bem-sucedidos na prática de um conjunto de comportamentos que definem cada habilidade de caráter — especificamente autocontrole, garra, otimismo, entusiasmo, inteligência social, curiosidade e gratidão. Cada habilidade é associada a comportamentos característicos com frases como: "Continuo motivado mesmo quando as coisas não vão bem", para otimismo; e "termino o que começo", para garra. O autocontrole se divide em dois tipos de autodisciplina: a capacidade de persistir nos objetivos e de manter o foco ao trabalhar ("Presto atenção e resisto às distrações") e a capacidade de manter a calma e de controlar a frustração em situações interpessoais perturbadoras ("Continuo calmo mesmo quando criticado ou provocado"). Para "entusiasmo", os atributos comportamentais são do tipo: "Enfrento novas situações com vibração e energia". E a inteligência social é definida por comportamentos como: "Demonstro respeito pelos sentimentos alheios". Pede-se aos professores que observem e avaliem o progresso não só dos próprios alunos, mas também de si mesmos, com base em critérios semelhantes de desenvolvimento do caráter para avaliar o progresso de toda a comunidade escolar e para evitar que entre em decadência. Esses esforços para melhorar as habilidades de caráter ainda não foram avaliados sistematicamente, mas as crianças e os professores participantes desse programa estão, pelo menos, começando a pensar e a falar nessa linguagem sobre se estão construindo com sucesso as habilidades de caráter desejadas.

Ao tomar conhecimento das habilidades de caráter com que a KIPP está trabalhando com afinco para desenvolver nos alunos, fiquei impressionado com a semelhança delas com as qualidades que diferenciavam as crianças pré-escolares capazes de esperar no Teste do Marshmallow em relação àquelas que rapidamente tocavam a campainha quando as observamos como adolescentes uma década depois (como vimos no capítulo 1). Veja a "garra", por exemplo, que é avaliada pela "escala de garra" de Angela Duckworth, com itens como "Os retrocessos não me desanimam". Essa afirmação é quase descrição literal das qualidades que, segundo os pais, caracterizam os filhos adolescentes que, quando criança, mais esperaram no Teste do Marshmallow na pré-escola.[20] É estimulante constatar a sobreposição dos comportamentos e atitudes que distinguiam as crianças mais capazes de esperar à medida que cresciam e das habilidades de caráter que a KIPP tenta promover nos alunos para melhorar suas chances de alcançar sucesso no futuro.

Por muitas razões, escolas como a KIPP geralmente começam no jardim de infância e não em anos anteriores da pré-escola, quando as crianças são altamente vulneráveis e a biologia da desvantagem lança raízes.[21] A pré-escola é também a época em que as crianças estão mais preparadas para aprender estratégias capazes de ajudá-las a enfrentar o estresse e a desenvolver as habilidades cognitivas essenciais para o sucesso na escola. Para ajudar a estreitar o hiato crescente entre os ricos e os pobres, o presidente Obama, no discurso do Estado da União de 2013, clamou para que se universalizasse a educação pré-escolar nos Estados Unidos. Se essa convocação for atendida, o sucesso do esforço dependerá em parte da eficácia com que as pré-escolas vão aproveitar em seu trabalho as lições das pesquisas. E ainda que as pré-escolas ajudem a construir os alicerces, os ganhos de longo prazo dependerão de como as escolas e as famílias vão colaborar para que as crianças continuem a usar e desenvolvam ainda mais essas habilidades, para cultivar comportamentos conscienciosos, autocontrole, responsabilidade e objetivos de vida valorizados pela sociedade. Resta ver se e como frutificará a proposta de Obama de acesso universal à pré-escola nos Estados Unidos. Há, porém, boas razões para acreditar que o melhor acesso à pré-escola, não importa como se realize, é necessidade urgente, e para esperar e defender que, caso se materializem, essas escolas ajudem as crianças pequenas a desenvolver as habilidades de caráter e a motivação interior de que tanto precisam para ter as chances a que fazem jus.

19. Aplicando estratégias centrais

Os conceitos e estratégias de autocontrole expostos neste capítulo não serão novidades para você, uma vez que analisamos as pesquisas sobre cada um deles ao longo do livro. Neste capítulo, eu os reúno, mostro como se interligam, resumo os principais pontos e me concentro explicitamente nas maneiras como aplicá-los à vida cotidiana, para ajudá-lo no esforço de autocontrole, quando e se você quiser experimentá-los.

Para começar, resistir à tentação é difícil porque o sistema quente tem forte viés imediatista: considera integralmente as recompensas imediatas, sem pensar nas recompensas postergadas. Os psicólogos demonstraram esse "desconto do futuro" tanto em humanos quanto em animais,[1] e os cientistas o formalizaram em modelo matemático simples.[2] David Laibson, professor de economia da Universidade Harvard e meu colega de pesquisas, a ele recorreu para explicar por que raramente vai à academia, apesar das boas intenções de frequentá-la com regularidade. As pessoas diferem entre si a estimativa do valor presente do futuro, e o exemplo dele adota taxa de desconto que reduz à metade o valor presente das recompensas postergadas. Para a maioria das pessoas, a taxa de desconto é ainda mais alta. No intuito de desenvolver um modelo de desconto do futuro, Laibson atribui um valor numérico a cada atividade, avaliando quanto sacrifício (número negativo) ou quanta recompensa (número positivo) a atividade proporciona. Para ele, o custo presente de se exercitar hoje é de –6 e o ganho futuro é de +8. Evidentemente, esses números sempre dependem dos valores do indivíduo que toma a decisão.

Eis como Laibson explica a própria procrastinação: ele pode exercitar-se hoje (para ele, com custo presente de –6) para auferir recompensas postergadas para a saúde (para ele, com valor futuro de +8). O valor presente líquido (ou benefício líquido) de exercitar-se hoje para alguém com o mesmo viés imediatista é (−6 + 0,5[8] = −2). Nessa equação, o valor futuro +8 foi reduzido à metade por causa do desconto automático do futuro, gerando o benefício líquido de −2 do exercício hoje. Em contraste, exercitar-se amanhã gera custo de esforço postergado de −6 e benefício postergado de +8, ambos divididos por dois por se situarem no futuro (0,5 [−6+8] = +1). Para Laibson, o valor futuro líquido de adiar a academia é de +1, melhor que o valor presente líquido de −2 de exercitar-se hoje. Em consequência, ele raramente vai à academia. Essa ponderação varia muito não só entre as pessoas, mas também para o mesmo indivíduo, dependendo do tipo de atividade: você pode ir à academia todos os dias, mas nunca arrumar o armário.

A predisposição do cérebro emocional para sobrestimar as recompensas imediatas e para descontar demais o valor das recompensas postergadas mostra o que devemos fazer se quisermos assumir o controle: é preciso reverter o processo, esfriando o presente e esquentando o futuro. As crianças pré-escolares bem-sucedidas revelaram como fazer isso. Elas esfriavam a tentação imediata, dela se distanciando fisicamente. Elas a empurravam para a borda da mesa, viravam-se na cadeira e olhavam em outra direção, inventavam maneiras imaginosas de se distrair de propósito, enquanto se fixavam no objetivo (dois marshmallows). Nos experimentos em que sugeríamos estratégias de esfriamento para ajudá-las a esperar por recompensas maiores, elas esfriavam a tentação imediata transformando-a cognitivamente, tornando-a mais abstrata e mais distante do ponto de vista psicológico, o que facilitava muito o autocontrole e lhes permitia esperar mais tempo do que conseguíamos suportar como observadores.

PRINCÍPIO FUNDAMENTAL: ESFRIE O "AGORA" E ESQUENTE O "DEPOIS"

Qualquer que seja a idade, a estratégia básica para reforçar o autocontrole é esfriar o "agora" e esquentar o "depois" — afastar a tentação diante de você para o mais longe possível, no espaço e no tempo, e aproximar as consequências distantes para o mais perto possível na mente. Meus colegas e eu demonstramos esse princípio nos experimentos com o anseio por fumo e comida, descritos no capítulo 10. Quando induzimos os participantes a se concentrar no "depois" e nas consequências de longo prazo de comer ("posso engordar demais"), eles experimentaram menos anseio por comida, tanto no que sentiam quanto nas atividades cerebrais. Do mesmo modo, quando fumantes inveterados se concentravam no "depois" e nas consequências de longo prazo do cigarro ("Posso ter câncer de pulmão), o anseio por fumo diminuía. Concentrar-se no "agora" e no efeito imediato do curto prazo ("A sensação será boa"), evidentemente, surtia o efeito oposto, tornando impossível resistir ao desejo intenso.

Fora do laboratório, quando nosso sistema quente faz com que nos concentremos na tentação presente, ninguém nos induz a esquentar as consequências distantes e esfriar a satisfação imediata. Para dominar o autocontrole, precisamos nos instruir, o que não acontecerá naturalmente, porque, em face de tentações, o sistema quente assume o controle: desconta as consequências futuras, ativa-se com mais rapidez que o sistema frio e, à medida que acelera, o sistema frio desacelera. Esse domínio do sistema quente deve ter sido útil para nossos ancestrais nos ambientes naturais, mas também nos incute o reflexo comum de ceder às tentações, induzindo até pessoas brilhantes a se comportar com insensatez. Se sentirmos arrependimento pelas falhas do autocontrole, o sentimento provavelmente será efêmero, pois nosso sistema imunitário psicológico é excelente em nos proteger e defender, racionalizando nossa falta de autocontrole ("O dia foi uma loucura", "Foi culpa dela"), para não nos sentirmos mal durante muito tempo. Isso torna ainda mais improvável que nos comportemos de maneira diferente no futuro.

OS PLANOS DE IMPLEMENTAÇÃO *SE-ENTÃO* AUTOMATIZAM O AUTOCONTROLE

Como contornar esse problema? Para exercer o autocontrole, precisamos encontrar maneiras de ativar automaticamente o sistema frio quando ele se torna necessário, exatamente no momento mais difícil de fazê-lo, se não estivermos preparados. Lembre-se de como as crianças pequenas resistiram à sedutora Caixa do Palhaço, que as urgia a conversar e a brincar agora, em vez de continuar no trabalho, deixando a conversa e a brincadeira para depois (capítulo 5). Elas se prepararam para o encontro ensaiando, primeiro, planos de implementação *Se-Então*. Por exemplo: "Quando a Caixa do Palhaço fizer aquele barulho *bzzt* e pedir para você olhar para ela e brincar com ela, você pode simplesmente concentrar-se no trabalho, respondendo: 'Não, não posso; estou trabalhando'". Esses planos *Se-Então* ajudavam as crianças a persistir nos objetivos, a se concentrar no trabalho e a resistir às tentações sedutoras da Caixa.

Na vida, a adoção dos planos de implementação *Se-Então* ajuda crianças e adultos a controlar com mais sucesso os próprios comportamentos.[3] Se contarmos com planos de implementação bem ensaiados, a reação de autocontrole será automática, disparada pelo estímulo a que estiver conectada ("*Se* eu me aproximar da geladeira, *então* eu não abrirei a porta"; "*Se* eu deparar com um bar, *então* atravessarei a rua"; "*Se* o despertador tocar às sete horas, *então* irei à academia"). Quanto mais ensaiarmos e praticarmos esses planos de implementação, mais automáticos eles se tornarão, eliminando o esforço do autocontrole até então penoso.

ENCONTRE O *SE* DOS PLANOS *SE-ENTÃO*

O primeiro passo na criação de um plano *Se-Então* é identificar os pontos quentes que disparam as reações impulsivas a serem controladas. Nos estudos da colônia de férias Wediko (capítulo 15), os pesquisadores observavam não só o grau de agressividade das crianças, mas também as situações psicológicas em que eram agressivas. Em vez de serem amplamente coerentes em muitos tipos diferentes de situações, os comportamentos problemáticos eram altamente contextualizados e dependiam da situação específica. Enquanto "Anthony" e "Jimmy", por exemplo, demonstravam níveis de agressividade em média semelhantes, os pontos quentes que deflagravam os acessos eram completamente diferentes. Anthony era explosivo *se* interagisse com os colegas, mesmo quando os colegas eram cordiais com ele, enquanto Jimmy perdia o controle *se* interagisse com adultos, mas não com os colegas, mesmo quando o assediavam e o provocavam.

Uma maneira de identificar nossos pontos quentes é fazer um diário para anotar os momentos em que perdemos o controle, como o automonitoramento que descrevemos no capítulo 15, para acompanhar as reações ao estresse. As pessoas rastreavam as ocorrências psicológicas específicas que provocam o estresse diário, identificando cada situação que gerava estresse e anotando sua intensidade. Os pontos quentes eram, em geral, mais específicos do que supunham. Lembre-se de que "Jenny", por exemplo, descobriu que seus níveis de estresse, na maioria das situações, não eram superiores à média e, não raro, ficavam abaixo da média; seus níveis de estresse só eram extremamente altos nas situações em que se sentia excluída. Nesses momentos ela se achava segregada, com raiva dos outros e de si mesma. Depois de identificarmos com exatidão nossos pontos quentes, monitorando quando são detonados, teremos condições de elaborar e praticar planos de implementação *Se-Então* para mudar a maneira como os enfrentamos.

No caso de "Bill" (apresentado no capítulo 12), sensível a rejeições, situação especialmente problemática que lhe despertava raiva era quando sentia que a mulher estava concentrada no jornal, não nele nem na conversa durante o café da manhã. Ele poderia adotar planos de implementação para esse cenário específico de modo que, quando ela se voltasse para as manchetes, ele automaticamente ativasse uma estratégia de esfriamento por autodistração, como fazer contagem regressiva a partir de cem, até se acalmar o suficiente para inibir o acesso destrutivo iminente. Esfriando-se, ele poderia adotar uma atitude mais construtiva ("Por favor, você poderia me emprestar o caderno de economia?"), reforçando, assim, passo a passo, o relacionamento que receava perder. Parece simplista, mas pode ser admiravelmente eficaz na prática, como Peter Gollwitzer e Gabriele Oettingen demonstraram reiteradamente em suas pesquisas. A parte mais difícil é persistir na mudança ao longo do tempo, o que se aplica à maioria dos esforços para promover o autocontrole, tanto na dieta quanto no fumo.[4] Se perseverarmos, contudo, o sentimento de gratificação resultante do novo comportamento ajuda a sustentá-lo: o novo comportamento em si passa a ser valorizado não como encargo, mas como fonte de satisfação e de autoconfiança. Como em todos os esforços para mudar padrões enraizados e para adotar novos comportamentos, seja tocar piano, seja exercer o autocontrole, para não magoar as pessoas que amamos, a receita é "praticar, praticar, praticar" até se tornar automático e intrinsecamente recompensador.

PLANOS FADADOS AO FRACASSO

Ao antever que não serão capazes de se controlar, as pessoas, muitas vezes, assumem compromissos prévios e adotam medidas preventivas para reduzir as tentações no ambiente: não deixam em casa as comidas irresistíveis que lhes fazem mal; livram-se das bebidas e descartam os maços de cigarro; e prometem não comprar mais produtos tentadores — ou, se compram, o fazem em quantidades menores e mais dispendiosas, na esperança de que assim os tornem demasiado onerosos. Essas estratégias de pré-compromisso — como clubes de poupança para o Natal, apólices de seguro e planos de pensão — podem ser maneiras relativamente baratas de colher benefícios valiosos.[5] Quando, porém, as adotam sem um compromisso firme, sem um plano de implementação específico Se-Então que lhes dê força, é provável que tenham o mesmo destino das resoluções de Ano-Novo. Nossa criatividade é maravilhosa para assumirmos compromissos mornos e depois encontrarmos as desculpas mais estapafúrdias para não cumpri-los.

Constatei esse padrão em um amigo e colega, já falecido há bastante tempo. Ele era um renomado psicólogo pesquisador que tentava, meio desanimado, deixar o fumo, adotando a estratégia de compromisso prévio de não comprar cigarro. Em contrapartida, no entanto, passou a pedir um a quem quer que estivesse fumando perto dele. Nas proximidades do Natal, os escritórios da Universidade Columbia estavam quase vazios, o que dificultava seus esforços; mas, desesperado, ele começou a procurar guimbas nas calçadas de Manhattan. Descreveu-me, então, seu grande momento de vergonha: ele finalmente encontrara uma guimba na Broadway, com aparência tentadora, e abaixou-se para pegá-la. Ao levantar-se com a guimba na mão, deparou com a carranca de um morador de rua que fazia ponto naquela esquina. O morador de rua também correra para apanhar a mesma guimba, mas não chegara com rapidez suficiente, e agora exclamava para meu amigo bem vestido: "Não acredito!".

A história de meu amigo é exemplo de como os compromissos prévios estão fadados ao fracasso, embora ele o soubesse melhor do que ninguém. Em vez de convocar outras pessoas a ajudá-lo a cumprir seu objetivo ostensivo, pedindo-lhes para não lhe dar cigarros por mais que implorasse, as reações educadas dos colegas contribuíram para o fracasso da tentativa. Ele tinha plena consciência de que, para combater o poder da tentativa imediata de fumar, seria necessário tornar o custo de não cumprir o compromisso de parar de fumar muito mais alto que o valor de conseguir um cigarro tão logo seu sistema quente o quisesse (o que era muito frequente). Como dizem os psicoterapeutas aos pacientes, qualquer que seja o método ou estratégia, você precisa querer mudar, com ênfase em *querer*.

PLANOS DE COMPROMISSO PRÉVIO CAPAZES DE FUNCIONAR

Para que as estratégias de pré-compromisso sejam eficazes, converta-as em planos de implementação *Se-Então*. Encontram-se muitos exemplos disso na terapia cognitivo-comportamental. Na situação de meu amigo, ele teria de se pré-comprometer de alguma maneira, como emitindo cheques de importâncias elevadas em nome das causas que mais detestasse (e havia muitas), com base em contrato, autorizando o terapeuta a enviá-los aos destinatários, um de cada vez, sempre que ele pedisse ou fumasse um cigarro. A estratégia também pode ser adotada sem o apoio de um terapeuta, pedindo a um contador, um advogado, um inimigo ou até ao melhor amigo para remeter os cheques.[6]

As altas taxas de desconto das recompensas futuras impõem alto valor presente líquido ao diferimento da satisfação, como no caso de seguros-saúde e de planos de aposentadoria. Milhões de pessoas nos Estados Unidos, por exemplo, se surpreendem com o quanto pouparam para a aposentadoria quando o eu futuro distante se converte em eu presente, aos 65 anos (como analisamos no capítulo 9). Reconhecendo a abrangência e a seriedade desse problema, alguns pesquisadores ajudaram os empregadores a contornar as limitações do autocontrole humano, convertendo em escolha padrão dos novos empregados a adesão aos planos de pensão das empresas. Em uma grande organização, a taxa de participação nos fundos de pensão, depois de um ano na empresa, era de 40%, quando a escolha padrão era a não adesão; a partir do momento em que, ao contrário, a escolha padrão passou a ser a adesão, exigindo-se algum tipo de iniciativa para a não adesão, a taxa de participação aumentou para 90%.[7]

Caso os empregadores não sejam tão previdentes, podemos tentar, nos dias de glória, nos conectar mais estreitamente com o eu futuro para nos lembrarmos de quem ou o que queremos ser na tentativa de construir uma história de vida que tenha continuidade, direção e objetivos de longo prazo e que seja visível não só quando olhamos para trás, mas também quando olhamos para a frente. No nível de ação concreta, podemos usar planos de implementação para nos alertar e selecionar a opção de investir o máximo possível em um plano de aposentadoria no dia da admissão no novo emprego. Ou, se continuarmos no mesmo emprego, podemos assumir o compromisso de verificar com o RH, na segunda-feira, às dez horas, as alternativas disponíveis de fundos de pensão. Essas estratégias podem ser úteis para contornar a equação do desconto — assumindo que o plano de aposentadoria não dê o calote quando precisarmos dele, e que ainda estejamos aqui para usufruí-lo.

REAVALIAÇÃO COGNITIVA: NÃO É GULOSEIMA, É VENENO

Na Parte I, vimos que a maneira como as crianças pré-escolares representavam mentalmente as tentações determinava até que ponto conseguiam se controlar. Quando reavaliavam as tentações quentes para esfriá-las, eram capazes de esperar pelas guloseimas. Vinte anos depois, tive um insight, quando, de repente, percebi o significado dessas descobertas em minha própria vida. Isso aconteceu em 1985, mas ainda está vívido na lembrança como se tivesse sido ontem.

Uma terrível erupção cutânea aparecera em meus dois cotovelos, dolorosa como se eu os tivesse mergulhado em ácido. Ela continuou alastrando e piorando até que, depois de um ano de agonia, consultei um dermatologista de renome que me explicou tratar-se de uma versão da doença celíaca. O tratamento prescrito me ajudaria a administrá-la, mas eu teria de mantê-lo indefinidamente. Recomendou que eu fizesse exames de sangue frequentes para monitorar os graves efeitos colaterais do medicamento. Logo melhorei, mas continuei com uma versão mais branda da erupção. Muitos meses depois, descobri na biblioteca da escola de medicina (isso foi antes do Google e das pesquisas fáceis na internet) que, embora pouco se soubesse na época sobre a doença celíaca, ela era consequência de reação autoimune ao glúten, substância proteica existente no trigo, na cevada e no centeio. A única solução era a dieta sem glúten. Embora o medicamento prescrito pelo médico aliviasse os sintomas, ele não evitava os efeitos destrutivos de longo prazo da doença.

Perguntei ao dermatologista por que ele não me dissera que eu deveria adotar uma dieta sem glúten. Ninguém tem autocontrole suficiente para seguir uma dieta sem glúten em um mundo cheio de glúten, respondeu ele; portanto, não havia razão para falar sobre isso. Um quarto de século depois, muitas pessoas em todo o mundo estão sendo diagnosticadas com a doença celíaca — e muitas delas, inclusive eu, estão conseguindo manter dietas sem glúten. E assim tem sido não porque esses indivíduos sejam ótimos em autocontrole, mas sim porque a notícia de que o glúten é tóxico para eles alterou o valor das recompensas na equação de desconto. Tentações até então irresistíveis, como tortas de chocolate, baguetes francesas e fettuccine Alfredo, de repente se tornaram veneno.

O fato de as consequências de simplesmente degustar qualquer coisa com glúten quase sempre serem inevitáveis, rápidas e dolorosas para os portadores da doença celíaca torna a renúncia muito mais fácil, quase automática. Para comportamentos como deixar o fumo, fazer dieta, controlar a raiva ou poupar para a aposentadoria, as consequências negativas se situam no futuro remoto e incerto em vez de no presente imediato e certo. Elas são abstratas, ao contrário da comichão dolorosa e do desconforto gastrointestinal. Portanto, é preciso reavaliá-las para torná-las concretas (imagine a imagem de seus pulmões com câncer que o médico lhe mostrará ao dar-lhe a má notícia) e visualize o futuro como se fosse presente.

AUTODISTANCIAMENTO: SAINDO DO PRÓPRIO EU

Não obstante os melhores planos de autocontrole, raiva, ansiedade, rejeição e outras emoções negativas são partes inevitáveis da vida. Considere a sensação de coração partido de pessoas rejeitadas pelo parceiro ou pelo cônjuge depois de anos de vida em comum (capítulo 11). Muita gente que foi magoada dessa maneira revive a experiência terrível, reabastecendo continuamente a tristeza, a raiva e o ressentimento, e ficando cada vez mais deprimida. À medida que o estresse aumenta, o sistema quente torna-se cada vez mais dominante, desativando o sistema frio e desencadeando um círculo vicioso: aumento do estresse > domínio do sistema quente > emoções negativas > angústia duradoura > depressão profunda > perda de controle > estresse crônico > consequências psicológicas e fisiológicas tóxicas cada vez mais intensas > aumento do estresse.

Para escapar da armadilha, talvez seja útil suspender temporariamente a percepção autoimersa que temos de nós mesmos e do mundo. Observe mais uma vez a experiência dolorosa — não com os próprios olhos, mas como se a estivesse vendo à distância, como uma mosca na parede, assistindo ao que acontece com outra pessoa. Essa mudança de perspectiva altera a avaliação e a compreensão da experiência.[8] Ao aumentar a distância psicológica do acontecimento, você reduz o estresse, esfria o sistema quente e usa o córtex pré-frontal para reavaliar e reinterpretar os acontecimentos, encerrar a ocorrência e seguir adiante.

Os mecanismos que possibilitam essas mudanças ainda estão sendo estudados, mas o deslocamento da autoimersão para o autodistanciamento reduz significativamente a angústia psicológica e biológica e possibilita melhor controle dos pensamentos e sentimentos. Portanto, vale a pena tentar a acrobacia mental de tornar-se mosca observadora na parede. Não é fácil conseguir esse resultado sem ajuda, mas a terapia cognitivo-comportamental usa muitas das descobertas e abordagens analisadas em todo este livro para ajudar nas lutas mais difíceis.[9] Esse tipo de terapia pode ser extremamente útil quando os próprios esforços de autocontrole fracassam, como aconteceu na história de John Cheever, "O anjo da ponte". Quando o sistema quente estabelece associações geradoras de ansiedade extrema, disparadas automaticamente, a consequência é pânico incapacitante. Sem ajuda, essas associações negativas podem resistir até aos melhores esforços de autocontrole, a não ser que tenhamos sorte suficiente para encontrar nosso próprio anjo da ponte.

O QUE OS PAIS PODEM FAZER?

Ao fim de todas as palestras que dou em escolas, depois de enfatizar que o autocontrole não é de modo algum inato, os pais perguntam: "O que podemos fazer para ajudar nossos filhos?". Dependendo do tempo disponível, começo dizendo-lhes que é muito importante manter os níveis de estresse baixos durante a gravidez e nos primeiros anos da infância. Sabe-se que a exposição a estresse extremo e prolongado no começo da vida pode provocar danos terríveis. O mais surpreendente é o fato de as crianças que vivem sob estresse crônico aparentemente brando no primeiro ano de vida, como pela exposição a conflitos persistentes, ainda que não violentos, entre os pais podem experimentar no cérebro reações mais intensas ao estresse simplesmente quando ouvem vozes zangadas durante o sono.[10] Para manter baixos os níveis de estresse nas crianças, um primeiro passo para os pais pode ser reduzir o próprio estresse, reconhecendo que ele geralmente aumenta com a chegada dos recém-nascidos. As mesmas estratégias que esfriam e controlam as reações do sistema quente a impulsos, a tentações e a experiências de rejeições se aplicam ao lidar com crianças chorosas e exigentes o tempo todo, inclusive à noite, sobretudo para quem já se sente exausto.

A começar do primeiro ano, os cuidadores podem usar estratégias de distração para afastar a atenção da criança dos sentimentos de angústia, concentrando-a, em vez disso, em estímulos e atividades diferentes, o que em si já é fundamental para desenvolver a função executiva. Os pais podem ser guias úteis nessa transição. "Bruce", escritor que trabalhava em casa, passava grande parte do tempo cuidando do filho de quatro anos. Certa vez, quando esperava o programa de televisão favorito, que demorava para entrar no ar, o garoto teve um ataque de mau humor. Bruce ouvira sobre as pesquisas marshmallow e sobre como a autodistração ajuda as crianças a esperar as guloseimas, e decidiu fazer a experiência com o filho. Acalmou-o e disse-lhe que havia maneiras de tornar a espera muito mais fácil. Basta distrair-se e fazer coisas engraçadas, reais ou imaginárias, até a hora do programa. O filho, então, pegou os brinquedos favoritos, afastou-se da televisão e brincou feliz até o começo do programa. Bruce ficou satisfeito com a facilidade do processo e sentiu-se ainda melhor quando se deu conta de que o filho parecia ter aprendido com a experiência ao continuar usando a autodistração para tornar a demora mais aceitável em outras situações.

As distrações não funcionam, porém, quando as crianças estão agredindo umas às outras, principalmente na ausência dos cuidadores. "Elizabeth" é terapeuta e orientadora profissional credenciada, bem treinada em terapia cognitivo-comportamental, que geralmente trabalha com crianças com dificuldade de autocontrole, e também com os pais. Pedi-lhe exemplos de estratégias que ela usa para ajudar as crianças pré-escolares a controlar comportamentos agressivos. Ela me deu algumas dicas, baseadas nas tentativas de ajudar o próprio filho de três anos, na época, a vencer a agressividade. Eis o que ela me disse:

> Às vezes, ele mordia até três crianças por dia na escola. Depois de tentar muitas estratégias, o que finalmente funcionou foi uma muito simples: a norma "Garotos que mordem não comem sobremesa". E, assim, ao pegá-lo na escola, perguntava se ele tinha mordido alguém; se tivesse, não haveria sobremesa naquela noite. Conversamos antes sobre a nova regra, repassamos tudo de novo na ida para a escola, e, no primeiro dia, ele me ouviu explicar para as professoras o que tínhamos combinado, antes de ir para o trabalho. Quando cheguei à escola para apanhá-lo, ele tinha dado uma mordida quase no fim do dia. Disse-lhe: "Tudo bem, nada de sobremesa esta noite". Ele respondeu: "Tudo bem, mamãe". Quando chegamos em casa, mostrei-lhe a sobremesa que eu tinha feito. Lembrei-lhe de que, se não mordesse no dia seguinte, poderia comê-la ao chegar em casa. Ele compreendeu. Sempre que acontecia algum incidente, imaginávamos outras estratégias e pensávamos em coisas que ele poderia fazer em vez de morder. E as praticávamos a caminho da escola. Sempre que ele usava uma estratégia alternativa, eu o elogiava por ter feito boas escolhas. Em três ou quatro dias ele parou de morder, e desde então não ocorreram outros incidentes.[11]

O exemplo de Elizabeth enfatiza a importância de ajudar as crianças a aprender desde cedo que elas têm escolhas, e que cada escolha tem consequências. Também mostra que as recompensas podem ser usadas judiciosamente para incentivar ações adequadas. A escolha das recompensas depende dos valores dos pais e das preferências de cada criança. Os pais que quiserem evitar o uso de comida como recompensa, por exemplo, podem facilmente encontrar outros mimos e experiências.

As estratégias de autocontrole desenvolvidas pelas crianças são moldadas por suas experiências de envolvimento com os cuidadores desde o começo da vida. Os pais desejosos de que os filhos continuem ligados a eles, mas também de que desenvolvam habilidades de autocontrole adaptativas, podem contribuir para esses resultados por meio do próprio comportamento. Se forem sensíveis às necessidades dos bebês, se oferecerem apoio e ajuda quando necessário, mas também estimularem a autonomia, suas chances serão maiores que as dos pais que controlam demais os filhos, de forma invasiva, ou que estão mais preocupados com as próprias necessidades do que com as dos filhos (capítulo 4).

Para promover o senso de autonomia e de responsabilidade nos filhos, podemos ajudá-los a compreender desde cedo na vida que eles têm escolhas e que lhes compete fazê-las, e que todas as escolhas trazem consequências: boas escolhas > boas consequências; más escolhas > más consequências. Lembre-se de George Ramirez, que se sentiu perdido e sem rumo na vida caótica de criança pequena no South Bronx, mas que persistiu e se tornou um aluno bem-sucedido da Universidade Yale. Para ele, o que denomina "vida redimida" começou aos nove anos, quando aprendeu a primeira lição sobre a conexão causal entre escolhas e consequências. No primeiro dia na KIPP, George constatou que realmente tinha escolhas, que cabia a ele fazê-las e que era responsabilidade dele enfrentar as consequências. Competia aos professores garantir que as escolhas resultassem nas consequências merecidas. Era a mesma lição Se-Então que Elizabeth ensinou ao filho pequeno sobre morder os colegas na pré-escola: criança que morde não ganha sobremesa. A lição de George foi que crianças da terceira série que não ouvem não aprendem, e "se sou educado com os outros, os outros são educados comigo" (capítulo 8).

Os pais podem contribuir muito para criar condições propícias ao sucesso dos filhos. Estratégia importante é trabalhar com eles em tarefas agradáveis, mas desafiadoras, que se tornem cada vez mais difíceis, como aprender piano, fazer montagens com Lego ou com outros blocos de construção e fazer escalada em ambientes naturais ou no ginásio da escola. O desafio para os pais é oferecer o apoio de que as crianças necessitam e que tanto almejam, e depois deixar que trabalhem sozinhas, não assumindo o controle nem fazendo o trabalho para elas. As primeiras experiências de sucesso ajudam as crianças a desenvolver o otimismo, a criar expectativas realistas, a cultivar competências e a preparar-se para descobrir por si mesmas os tipos de atividades que, em última instância, lhes proporcionam satisfação (capítulo 8).

Também podemos ajudar as crianças a desenvolver a mentalidade de "crescimento incremental", encarando seus talentos, capacidades, inteligência e comportamentos sociais não como reflexo de traços inatos, mas sim como habilidades e competências a serem cultivadas e em que investir esforços. Em vez de exigir boas notas e de aplaudir os filhos por serem "tão inteligentes", podemos elogiá-los por se esforçarem ao máximo. Como mostra a pesquisa de Carol Dweck (analisada no capítulo 8), orientar as crianças a encarar as próprias habilidades e inteligência como recursos maleáveis as induz a esforçar-se para melhorar o desempenho. Igualmente importante, podemos ajudá-las a compreender e a aceitar que os fracassos no percurso são parte da vida e do aprendizado, encorajando-as a encontrar maneiras construtivas de manejar esses retrocessos para que continuem tentando, em vez de tornar-se medrosas, deprimidas e esquivas. E se quisermos que se disponham a retardar a satisfação quando lhes prometemos recompensas postergadas é melhor ter o cuidado de cumprir as promessas.[12]

Em tese, porém, a melhor resposta para "O que podemos fazer para ajudar nossos filhos?" é ser o modelo do que queremos que sejam. Como os pais e outras figuras importantes na vida das crianças exercem ou não exercem o autocontrole — como lidam com o estresse, com as frustrações e com as emoções; os padrões que usam para avaliar as próprias realizações; a empatia e a sensibilidade aos sentimentos alheios; suas atitudes, objetivos e valores; suas estratégias disciplinares; sua falta de disciplina — tudo isso influencia profundamente a criança. Os pais atuam como modelos e ensinam às crianças um enorme repertório de possíveis reações a inúmeros incentivos, entre as quais as crianças selecionam e ajustam as mais compatíveis e mais eficazes para si mesmas ao longo do próprio desenvolvimento.

Muitas pesquisas demonstram os efeitos poderosos dos modelos, mesmo em experimentos de curto prazo, nas mais diversas situações, como enfrentar sentimentos agressivos na pré-escola, superar o medo de cachorros, recuperar-se de cirurgia cardíaca e evitar sexo inseguro. Nos experimentos na pré-escola, por exemplo, quando modelos adultos amigáveis repreendiam e castigavam uma boneca na Bing Nursery School da Universidade Stanford, as crianças que os tinham observado imitavam depois o comportamento agressivo, nos mínimos detalhes, quando brincavam sozinhas, e até acrescentavam outros detalhes.[13] Do mesmo modo, quando os modelos recompensavam o próprio desempenho, em jogo de boliche, somente quando sua pontuação era muito alta e induziam as crianças com quem estavam jogando a agir da mesma maneira, influenciavam intensamente os padrões de resultado e de autorrecompensa que as crianças depois adotavam para si mesmas, ao jogarem boliche sozinhas, na ausência do modelo.

As histórias sobre o que acontece com crianças fictícias, com filhotes adoráveis, como ursinhos e tigrinhos de pelúcia, e com locomotivas de desenho animado, que fazem todos os tipos de coisas construtivas e destrutivas, acarretando diferentes consequências, oferecem às crianças pequenas lições valiosas sobre bons e maus comportamentos. Essas são narrativas com que elas se deleitam sempre que as ouvem, não importa que as conheçam e quantas vezes já as tenham ouvido. As crianças pré-escolares não sabem que essas histórias da hora de dormir e que esses programas de televisão educativos lhes estão ensinando a função executiva. Os vários personagens atuam em histórias temáticas que transmitem valores sociais e emocionais positivos, como combater a tristeza, como usar palavras em vez de ações ao lidar com a raiva, como ser bom amigo, como expressar gratidão e como retardar a satisfação. Esses livros e programas podem ajudar crianças pequenas a lidar com o estresse e os conflitos pessoais, assim como a desenvolver a função executiva, tudo através de meios que lhes são muito prazerosos.

Não importa como aprendam as estratégias, as crianças terão sorte se, aos quatro ou cinco anos, conhecerem e adotarem métodos que tornem cada vez mais fácil e automático para elas esfriar o sistema quente quando necessário — seja brincando felizes, sozinhas, ou esperando mais guloseimas, no Teste do Marshmallow. Não posso, porém, concluir esta análise sem reiterar: a vida vivida com muito adiamento da satisfação pode ser tão triste quanto a cheia de prazeres imediatos e efêmeros. O grande desafio para todos nós — não só para as crianças — talvez consista em definir quando esperar por mais marshmallows e quando tocar a campainha e curtir os que já estão na mesa. Só teremos essa escolha, no entanto, se cultivarmos a capacidade de esperar.

20. Natureza humana

"Seu futuro num Marshmallow."

Quando vi pela primeira vez essa frase sobre minha pesquisa postada na internet, senti o estímulo que me levou a escrever este livro. Pesquisei-a no Google ao começar a redigir este último capítulo, e ela me levou a: "O destino pode não estar escrito nas estrelas, mas e se estiver escrito em nossos genes?".[1] As pesquisas descritas neste livro contam uma história que levam a conclusões muito diferentes do que sugerem as frases acima. É a história de como o autocontrole pode ser cultivado nas crianças e nos adultos para que o córtex pré-frontal seja usado deliberadamente com o objetivo de ativar o sistema frio e regular o sistema quente. Essas habilidades nos proporcionam liberdade para escapar do controle exercido pelo estímulo e alcançar o controle exercido por si mesmo, ou autocontrole, criando condições para realmente fazermos escolhas — em vez de nos deixarmos levar pelos impulsos imediatos e pelas pressões momentâneas. Uma das principais lições da ciência moderna é que, em vez de sermos predestinados pelo DNA e pelo útero, a arquitetura do cérebro é mais maleável do que se imaginava, e que podemos ter participação ativa na construção do próprio destino pela maneira como conduzimos a vida.[2]

Embora sendo muitas, a maioria das crianças pré-escolares que conseguiram retardar a satisfação no Teste do Marshmallow continuou a demonstrar bom autocontrole nas décadas seguintes, mas algumas delas perderam muito desse autocontrole com o passar do tempo. Ao contrário, algumas crianças que logo tocaram a campainha manifestaram o padrão oposto, aumentando a autorregulação à medida que amadureciam. Este livro tenta interpretar essa variabilidade, transmitir essa complexidade e apontar para algumas das escolhas a serem feitas no processo de desenvolvimento, capazes de influenciar a maneira como a vida pode ser.

FUNÇÃO EXECUTIVA E OBJETIVOS ARDENTES

As crianças que persistiram no Teste do Marshmallow não o teriam conseguido sem uma função executiva bem desenvolvida. Um segundo ingrediente crítico para o sucesso era a motivação para sustentar o esforço — ou garra. Por um tempo que deve ter parecido uma eternidade, continuaram usando o pensamento e a imaginação, desviando a atenção da guloseima, à espera de que o adulto voltasse, sem tocar a campainha. A conquista de dois marshmallows — ou biscoitos, ou qualquer outro mimo — tornou-se o objetivo ardente, bastante forte para sustentar o esforço heroico e fazer com que a espera valesse a pena. Fora da Sala de Surpresas, a lista de desejos para as pessoas que mais amamos decerto deve incluir a esperança de que elas deparem com os próprios objetivos ardentes, os descubram ou os criem, para motivá-las a construir a vida almejada.

Bruce Springsteen encontrou seu objetivo quando se viu ao espelho pela primeira vez, segurando a nova guitarra. George Ramirez diz que topou com o dele no primeiro dia como aluno da KIPP. Mark Owen descobriu o dele na escola de ensino médio, quando, por acaso, abriu o livro *Men in Green Faces*, escrito por um ex-Seal da Marinha, e percebeu na hora que aquilo era o que queria ser. Dave Levin afirma que, quando começou a lecionar, descobriu finalmente para que fora posto na Terra. Todos temos nossa história e podemos editá-la continuamente, à medida que ela se desenrola ao longo do tempo — quando olhamos para trás, imaginando quais poderiam ter sido os objetivos, mesmo que não soubéssemos que os tínhamos, ou quando olhamos para a frente, perscrutando para onde talvez estejamos indo.

Quando eu era muito jovem, o tio de quem eu menos gostava era um empresário bem-sucedido, dono de uma fábrica de guarda-chuvas, ansioso para que eu trabalhasse com ele. Meu tio sempre me torturava com perguntas sobre o que eu queria ser quando crescesse na esperança de que eu dissesse que queria ser como ele. Para mim, aquilo era exatamente o que eu não queria ser e, ao contrário, me levava a pensar o que eu queria fazer de mim mesmo.

Outro psicólogo, colega e amigo da vida toda, que teve uma das carreiras mais brilhantes e mais vitoriosas em toda a história da psicologia atribui seu desejo ardente ao pai. Durante a Grande Depressão, na década de 1930, o pai renunciou à própria ambição de formar-se em um curso superior e de alcançar muitas realizações para trabalhar incansavelmente com o objetivo de garantir a sobrevivência e prosperidade da família. Meu amigo atribui seu sucesso ao impulso de que se imbuíra para construir e viver a vida a que o pai renunciara como forma de homenageá-lo. Essa foi a sua missão.

As habilidades de autocontrole são essenciais para sermos bem-sucedidos na realização de nossos objetivos, mas são os objetivos em si que nos dão direção e motivação. São determinantes importantes da satisfação com a vida, e os que escolhemos no começo da vida exercem efeito marcante sobre os objetivos futuros que alcançamos e sobre nossa satisfação.[3] Não importa como se formem, os objetivos que impulsionam a história de nossa vida são tão importantes como a função executiva de que precisamos para alcançá-los.

O autocontrole, sobretudo quando é rotulado como "controle penoso", pode dar a impressão de exigir compromisso rigoroso com trabalho difícil e árduo — a aceitação voluntária de uma vida de labuta, sempre voltada para o futuro, sem os prazeres do momento. Um amigo me descreveu um jantar recente que tivera com amigos em Manhattan, durante o qual a conversa convergiu para o Teste do Marshmallow. Um dos amigos, romancista que morava em Greenwich Village, comparou a vida dele com a do irmão, banqueiro de investimentos muito rico e bem-sucedido, que vivia de paletó e gravata. Estava casado havia muitos anos e todos os filhos eram bem-sucedidos. O escritor, por seu turno, publicara cinco romances de pouco impacto e poucas vendas. Descreveu-se, contudo, como alguém que se divertia muito, que passava os dias escrevendo e que levava vida de solteiro à noite, saltitando entre sucessivos relacionamentos, todos intensos e efêmeros. E especulou que o irmão austero e puritano, no Teste do Marshmallow, teria esperado para sempre, enquanto ele logo teria tocado a campainha.

Na verdade, o romancista não teria publicado os cinco livros sem alta dose de autocontrole, e dificilmente teria mantido tantos relacionamentos divertidos sem criar laços mais profundos, sem esse atributo que tanto menosprezava. Tampouco teria conseguido se formar em uma faculdade elitista de artes se não tivesse autocontrole para ir até o fim. Portanto, a FE é necessária tanto para a vida criativa nas artes quanto para o sucesso financeiro nos negócios; apenas os objetivos são diferentes. Sem FE, não há como definir e perseguir objetivos. Esse é o desafio com que se defrontaram as crianças do South Bronx se não ganharam na loteria da vida para matricular-se na KIPP. Sem objetivos compulsivos e sem energia inesgotável, porém, a FE pode nos tornar competentes, mas ao mesmo tempo nos deixar à deriva.

VISÕES ALTERNATIVAS DE QUEM SOMOS

Suas reações às descobertas das pesquisas sobre a plasticidade do cérebro e sobre a maleabilidade do comportamento, expostas neste livro, dependem muito de suas próprias crenças sobre até que ponto as pessoas realmente são capazes de controlar-se e de transformar-se. Há duas maneiras conflitantes de interpretar essas descobertas no contexto mais amplo de quem somos e de quem podemos ser. Vale a pena usar o sistema frio para refletir sobre o que os resultados significam para você antes de chegar às conclusões já alcançadas pelo sistema quente.

A questão sobre se a natureza humana é, no fundo, maleável ou rígida tem sido preocupação constante não só de cientistas, mas também de cada um de nós na vida cotidiana, o que aumenta sua relevância.[4] Há quem considere a capacidade de autocontrole, a força de vontade, a inteligência e outros atributos traços fixos e imutáveis, presentes desde o começo da vida. Essas pessoas leem as evidências experimentais de que a função executiva e o autocontrole melhoram por meio de intervenções educacionais e as interpretam como efeitos de curto prazo, que dificilmente farão diferença duradoura, nada mais que pequenos truques que não mudam as características inatas. Elas discordam dos interlocutores para os quais essas evidências respaldam a visão de que somos suscetíveis a mudanças e capazes de alterar a maneira como pensamos e nos comportamos, que podemos construir a própria vida em vez de sermos vencedores ou perdedores no sorteio do DNA.

Se permitirmos que as evidências façam diferença em nossas teorias pessoais, a descoberta da plasticidade do cérebro indica que a natureza humana é mais flexível e mais aberta a mudanças do que durante muito tempo se supôs. Não chegamos ao mundo com um fardo de traços fixos e estáveis que determinam quem somos e o que nos tornaremos. Ao contrário, evoluímos em interações constantes com os ambientes social e biológico. Essas interações moldam as expectativas, os objetivos e os valores que nos impulsionam, a maneira como interpretamos os estímulos e as experiências, e as histórias de vida que elaboramos.[5]

Reiterando o que já foi dito na análise natureza-educação (capítulo 7), como observaram Kaufer e Francis, "o ambiente pode ser tão determinístico quanto já acreditamos que só os genes poderiam ser e... o genoma pode ser tão maleável quanto já acreditamos que só o ambiente poderia ser".[6] A mensagem básica deste livro é a de que há evidências substanciais no sentido de podermos ser agentes ativos capazes de controlar, em parte, como se desenrolam essas interações. Isso nos deixa com uma visão da natureza humana em que, potencialmente, temos mais escolhas e mais responsabilidade do que professava a visão científica puramente determinística do século passado. As opiniões então predominantes atribuíam as causas de nosso comportamento ao ambiente, ao DNA, ao inconsciente, à má educação recebida dos pais e ao acaso. A história narrada neste livro reconhece todas essas fontes como influências. Em última instância, porém, no fim da cadeia causal, o indivíduo é o agente da ação e decide quando toca a campainha.

Quando me pedem para resumir a mensagem fundamental da pesquisa sobre autocontrole, lembro-me do famoso dito de Descartes — *Cogito, ergo sum* [Penso, logo existo].[7] O que se descobriu sobre a mente, sobre o cérebro e sobre o autocontrole nos permite avançar da proposição de Descartes para outra — "Penso, logo posso *mudar* o que sou". Porque mudando como pensamos podemos mudar o que sentimos, fazemos e nos tornamos. E se isso leva à indagação: "Será que posso realmente mudar?", a que respondo com o que George Kelly dizia a seus pacientes de terapia quando lhe perguntavam se seriam capazes de controlar a própria vida. Ele olhava firme nos olhos deles e dizia: "Você gostaria?".

Agradecimentos

Sou especialmente grato às minhas filhas, Judy Mischel, Rebecca Mischel e Linda Mischel Eisner, a quem dedico este livro. Quando eram crianças, inspiraram e foram os primeiros "sujeitos" dos estudos; como adultas, generosamente me ajudaram a contar a história delas. Minha parceira, Michele Tolela Myers, manteve-me no curso, com orientação sábia, edição criativa e cuidadosa, apoio infindável, tolerância e encorajamento. Paul Mischel, meu sobrinho, contribuiu com expertise científica e sabedoria, olhar arguto e atenção zelosa, do começo ao fim. Ran Hassin atuou tanto como líder de torcida quanto como editor e assessor criativo, em muitas fases do desenvolvimento do manuscrito. Bert Moore, meu aluno e pesquisador, quando se realizaram os primeiros experimentos em Stanford, e meu amigo ainda décadas depois, leu, comentou e releu o manuscrito com paciência e cuidado. Também agradeço a muitos colegas e amigos (felizmente, numerosos demais para serem mencionados um a um) pela leitura do manuscrito e pelos comentários construtivos, no todo ou em parte, não raro repetidas vezes.

Meu agente, John Brockman, acreditou neste livro e ajudou a torná-lo realidade. Tracy Behar, minha editora na Little, Brown, editou-o e reeditou-o, frase a frase, para torná-lo tão claro quanto possível, e Sarah Murphy ajudou-a na tarefa. Amy Cole, minha assistente e mão direita, cuidou de todos os detalhes, pequenos e grandes, e leu e comentou as várias versões. Ela trabalhou em estreito entrosamento com Brooke Burrows, e juntas usaram minhas anotações para elaborar as notas finais.

Finalmente, expresso minha gratidão às crianças e às famílias cujas contribuições e cooperação irrestrita, frequentes, ao longo de muitos anos propiciaram as descobertas em que se baseia grande parte deste livro. Da mesma maneira, sou profundamente agradecido aos alunos e colegas mencionados no manuscrito, que se tornaram meus colaboradores e amigos e que conduziram as pesquisas, durante toda a minha vida, sem as quais este livro não existiria. As pesquisas, em geral, foram apoiadas por subsídios generosos e contínuos do National Institute of Mental Health e da National Science Foundation.

Notas

INTRODUÇÃO [PP. 9-14]

1. S. M. Carlson, P. D. Zelazo e S. Faja, "Executive Function". In: P. D. Zelazo (org.), *Oxford Handbook of Developmental Psychology*, Nova York: Oxford University Press, 2013. pp. 706-43.

2. Os nomes entre aspas são fictícios para proteger a confidencialidade.

3. W. Mischel, Y. Shoda e M. L. Rodriguez, "Delay of Gratification in Children", *Science* 244, n. 4907, 1989, pp. 933-8.

4. D. Goleman, *Emotional Intelligence: The 10th Anniversary Edition*. Nova York: Bantam, 2005, pp. 80-3.

5. D. Brooks, "Marshmallows and Public Policy", *The New York Times*, 7 maio 2006.

6. W. Mischel e D. Brooks, "The News from Psychological Science: A Conversation between David Brooks and Walter Mischel", *Perspectives on Psychological Science* 6, n. 6, 2011, pp. 515-20.

7. J. Lehrer, "Don't: The Secret of Self-Control", *The New Yorker*, 18 maio 2009.

8. Ver <www.kipp.org/> e <www.schoolsthatcan.org> como exemplos. Acesso em: 11 mar. 2016.

9. S. Benartzi e R. Lewin, *Save More Tomorrow: Practical Behavioral Finance Solutions to Improve 401(k) Plans*. Nova York: Penguin, 2012.

10. J. Metcalfe e W. Mischel, "A Hot/ Cool System Analysis of Delay of Gratification: Dynamics of Willpower", *Psychological Review* 106, n. 1, 1999, pp. 3-19.

PARTE I
SOBRE A CAPACIDADE DE ESPERAR: DESENVOLVENDO O AUTOCONTROLE [PP. 15-81]

1. NA SALA DE SURPRESAS DA UNIVERSIDADE STANFORD [PP. 19-30]

1. T. C. Schelling, *Choice and Consequence: Perspectives of an Errant Economist*. Cambridge, MA: Harvard University Press, 1984, p. 59.

2. L. J. Borstelmann, "Children before Psychology". In: P. H. Mussen e W. Kessen (orgs.), *Handbook of Child Psychology*. 4. ed. Nova York: Wiley, 1983, pp. 3-40, v. 1: History, Theory, and Methods.

3. W. Mischel, "Father Absence and Delay of Gratification: Cross-Cultural Comparisons", *Journal of Abnormal and Social Psychology* 63, n. 1, 1961, pp. 116-24; W. Mischel e E. Staub, "Effects of Expectancy on Working and Waiting for Larger Rewards", *Journal of Personality and Social Psychology* 2, n. 5, 1965, pp. 625-33; W. Mischel e J. Grusec, "Waiting for Rewards and Punishments: Effects of Time and Probability on Choice", *Journal of Personality and Social Psychology* 5, n. 1, 1967, pp. 24-31.

4. W. Mischel, *Personality and Assessment*. Nova York: Wiley, 1968; M. Lewis, "Models of Development". In: D. Cervone e W. Mischel (orgs.), *Advances in Personality Science*. Nova York: Guilford, 2002, pp. 153-76.

5. W. Mischel, Y. Shoda e P. K. Peake, "The Nature of Adolescent Competencies Predicted by Preschool Delay of Gratification", *Journal of Personality and Social Psychology* 54, n. 4, 1988, pp. 687-99; W. Mischel, Y. Shoda e M. L. Rodriguez, "Delay of Gratification in Children", op. cit., pp. 933-8; W. Mischel, Y. Shoda e P. K. Peake, "Predicting Adolescent Cognitive and Social Competence from Preschool Delay of Gratification: Identifying Diagnostic Conditions", *Developmental Psychology* 26, n. 6, 1990, pp. 978-86.

6. Ibid. Sobre as ligações entre autocontrole e inteligência, ver também A. L. Duckworth e M. E. Seligman, "Self-Discipline Outdoes IQ in Predicting Academic Performance of Adolescents", *Psychological Science* 16, n. 12, 2005, pp. 939-44; e T. E. Moffitt et al., "A Gradient of Childhood Self-Control Predicts Health, Wealth, and Public Safety", *Proceedings of the National Academy of Sciences* 108, n. 7, 2011, pp. 2693-8.

7. Comunicação pessoal de Phil Peake, Smith College, 9 abr. 2012, e conforme relatado em D. Goleman, *Emotional Intelligence: The 10th Anniversary Edition*, op. cit., p. 82.

8. O. Ayduk et al., "Regulating the Interpersonal Self: Strategic Self-Regulation for Coping with Rejection Sensitivity", *Journal of Personality and Social Psychology* 79, n. 5, 2000, pp. 776-92.

9. T. R. Schlam et al., "Preschoolers' Delay of Gratification Predicts Their Body Mass 30 Years Later", *Journal of Pediatrics* 162, n. 1, 2013, pp. 90-3.

10. O. Ayduk et al., "Regulating the Interpersonal Self: Strategic Self-Regulation for Coping with Rejection Sensitivity", op. cit., pp. 776-92.

11. B. J. Casey et al., "Behavioral and Neural Correlates of Delay of Gratification 40 Years Later", *Proceedings of the National Academy of Sciences* 108, n. 36, 2011, pp. 14 998-15 003.

2. COMO ELES CONSEGUEM [PP. 31-41]

1. S. Freud, "Formulations Regarding the Two Principles of Mental Functioning". In: *Collected Papers*. v. 4. trad. de Joane Riviere. Nova York: Basic Books, 1959.

2. D. Rapaport, "Some Metapsychological Considerations Concerning Activity and Passivity". In: Id. *The Collected Papers of David Rapaport*. Nova York: Basic Books, 1967, pp. 530-68.

3. W. Mischel e E. B. Ebbesen, "Attention in Delay of Gratification", *Journal of Personality and Social Psychology* 16, n. 2, 1970, p. 329.

4. W. Mischel, E. B. Ebbesen e A. R. Zeiss, "Cognitive and Attentional Mechanisms in Delay of Gratification", *Journal of Personality and Social Psychology* 21, n. 2, 1972, pp. 204-18.

5. W. Mischel e B. Moore, "Effects of Attention to Symbolically Presented Rewards on Self-Control", *Journal of Personality and Social Psychology* 28, n. 2, 1973, pp. 172-9.

6. B. Moore, W. Mischel e A. Zeiss, "Comparative Effects of the Reward Stimulus and Its Cognitive Representation in Voluntary Delay", *Journal of Personality and Social Psychology* 34, n. 3, 1976, pp. 419-24.

7. D. Berlyne, *Conflict, Arousal and Curiosity*. Nova York: McGraw-Hill, 1980.

8. W. Mischel e N. Baker, "Cognitive Appraisals and Transformations in Delay Behavior", *Journal of Personality and Social Psychology* 31, n. 2, 1975, p. 254.

9. W. Mischel, E. B. Ebbesen e A. R. Zeiss, "Cognitive and Attentional Mechanisms in Delay of Gratification", op. cit.

10. G. Seeman e J. C. Schwarz, "Affective State and Preference for Immediate versus Delayed Reward", *Journal of Research in Personality* 7, n. 4, 1974, pp. 384-94; ver também B. S. Moore, A. Clyburn e B. Underwood, "The Role of Affect in Delay of Gratification", *Child Development* 47, n. 1, 1976, p. 273-6.

11. J. R. Gray, "A Bias toward Short-Term Thinking in Threat-Related Negative Emotional States", *Personality and Social Psychology Bulletin* 25, n. 1, 1999, pp. 65-75.

12. E. H. Wertheim e J. C. Schwarz, "Depression, Guilt, and Self-Management of Pleasant and Unpleasant Events", *Journal of Personality and Social Psychology* 45, n. 4, 1983, pp. 884-9.

13. A. Koriat e M. Nisan, "Delay of Gratification as a Function of Exchange Values and Appetitive Values of the Rewards", *Motivation and Emotion* 2, n. 4, 1978, pp. 375-90.

14. W. Shakespeare, *Hamlet: The New Variorum Edition*. Ato II, cena 2. Org. de H. H. Furness. Toronto: General Publishing Company, 2000, p. 245-6.

15. W. Mischel e R. Metzner, "Preference for Delayed Reward as a Function of Age, Intelligence, and Length of Delay Interval", *Journal of Abnormal and Social Psychology* 64, n. 6, 1962, pp. 425-31.

16. B. T. Yates e W. Mischel, "Young Children's Preferred Attentional Strategies for Delaying Gratification", *Journal of Personality and Social Psychology* 37, n. 2, 1979, pp. 286-300; H. N. Mischel e W. Mischel, "The Development of Children's Knowledge of Self-Control Strategies", *Child Development* 54, n. 3, 1983, pp. 603-19.

17. H. N. Mischel e W. Mischel, "The Development of Children's Knowledge of Self-Control Strategies", op. cit.

18. M. L. Rodriguez, W. Mischel e Y. Shoda, "Cognitive Person Variables in the Delay of Gratification of Older Children at Risk", *Journal of Personality and Social Psychology* 57, n. 2, 1989, pp. 358-67.

3. QUENTE E FRIO: DUAS FORMAS DE PENSAR [PP. 42-8]

1. Sobre como os sistemas quente e frio funcionam, ver J. Metcalfe e W. Mischel, "A Hot/ Cool System Analysis of Delay of Gratification: Dynamics of Willpower", *Psychological Review* 106, n. 1, 1999, pp. 3-19.

2. J. A. Gray, *The Psychology of Fear and Stress*. 2. ed. Nova York: McGraw-Hill, 1987; J. LeDoux, *The Emotional Brain*. Nova York: Simon and Schuster, 1996; J. Metcalfe e W. J. Jacobs, "A Hot-System/Cool-System View of Memory under Stress", *PTSD Research Quarterly* 7, n. 2, 1996, pp. 1-3.

3. S. Freud, "Formulations Regarding the Two Principles of Mental Functioning", op. cit.

4. Embora seja útil falar e pensar em termos de "dois" sistemas, eles são regiões do cérebro estreitamente conectadas e seus circuitos neurais se comunicam uns com os outros em interação contínua.

5. A. F. Arnsten, "Stress Signaling Pathways That Impair Prefrontal Cortex Structure and Function", *Nature Reviews Neuroscience* 10, n. 6, 2009, pp. 410-22.

6. H. N. Mischel e W. Mischel, "The Development of Children's Knowledge of Self-Control Strategies", op. cit., pp. 603-19. Sobre trabalho recente que adapta o Teste do Marshmallow para uso em crianças menores, ver P. D. Zelazo e S. M. Carlson, "Hot and Cool Executive Function in Childhood and Adolescence: Development and Plasticity", *Child Development Perspectives* 6, n. 4, 2012, pp. 354-60.

7. O. Ayduk et al., "Regulating the Interpersonal Self: Strategic Self-Regulation for Coping with Rejection Sensitivity", op. cit., pp. 776-92.
8. A. L. Duckworth e M. E. Seligman, "Self-Discipline Gives Girls the Edge: Gender in Self-Discipline, Grades, and Achievement Test Scores", *Journal of Educational Psychology* 98, n. 1, 2006, pp. 198-208.
9. G. Kochanska, K. C. Coy e K. T. Murray, "The Development of Self-Regulation in the First Four Years of Life", *Child Development* 72, n. 4, 2001, pp. 1091-1111.
10. A. L. Duckworth e M. E. Seligman, "Self-Discipline Gives Girls the Edge: Gender in Self-Discipline, Grades, and Achievement Test Scores", op. cit.
11. I. W. Silverman, "Gender Differences in Delay of Gratification: A Meta-Analysis", *Sex Roles* 49, n. 9/10, 2003, pp. 451-63.
12. A. Prencipe e P. D. Zelazo, "Development of Affective Decision Making for Self and Other Evidence for the Integration of First- and Third-Person Perspectives", *Psychological Science* 16, n. 7, 2005, pp. 501-5.
13. B. S. McEwen, "Protective and Damaging Effects of Stress Mediators: Central Role of the Brain", *Dialogues in Clinical Neuroscience* 8, n. 4, 2006, pp. 283-97.
14. A. F. Arnsten, "Stress Signaling Pathways", op. cit., p. 410; R. M. Sapolsky, "Why Stress Is Bad for Your Brain", *Science* 273, n. 5276, 1996, pp. 749-50.
15. B. S. McEwen e P. J. Gianaros, "Stress- and Allostasis-Induced Brain Plasticity", *Annual Review of Medicine*, n. 62, 2011, pp. 431-45.
16. W. Shakespeare, op. cit.

4. AS RAÍZES DO AUTOCONTROLE [PP. 49-56]
1. M. D. S. Ainsworth et al., *Patterns of Attachment: A Psychological Study of the Strange Situation*. Hillsdale, NJ: Erlbaum, 1978.
2. A. Sethi et al., "The Role of Strategic Attention Deployment in Development of Self--Regulation: Predicting Preschoolers' Delay of Gratification from Mother-Toddler Interactions", *Developmental Psychology* 36, n. 6, 2000, p. 767.
3. G. Kochanska, K. T. Murray e E. T. Harlan, "Effortful Control in Early Childhood: Continuity and Change, Antecedents, and Implications for Social Development", *Developmental Psychology* 36, n. 2, 2000, pp. 220-32; N. Eisenberg et al., "Contemporaneous and Longitudinal Prediction of Children's Social Functioning from Regulation and Emotionality", *Child Development* 68, n. 4, 1997, pp. 642-64.
4. Essa é a versão humana do que fazem as mães ratas quando lambem e limpam os filhotes. Os ratinhos cujas mães os lambem e limpam mais são melhores na execução de tarefas cognitivas e demonstram menos excitação psicológica capaz de torná-los propensos ao

estresse agudo em comparação com aqueles cujas mães os lambem e limpam menos (M. J. Meaney, "Maternal Care, Gene Expression, and the Transmission of Individual Differences in Stress Reactivity across Generations", *Annual Review of Neuroscience* 24, n. 1, 2001, pp. 1161-92.

5. C. Harman, M. K. Rothbart e M. I. Posner, "Distress and Attention Interactions in Early Infancy", *Motivation and Emotion* 21, n. 1, 1997, pp. 27-44; M. I. Posner e M. K. Rothbart, *Educating the Human Brain*. Washington, D.C.: APA Books, 2007. (Human Brain Development Series)

6. L. A. Sroufe, "Attachment and Development: A Prospective, Longitudinal Study from Birth to Adulthood", *Attachment and Human Development* 7, n. 4, 2005, pp. 349-67; M. Mikulincer e P. R. Shaver, *Attachment Patterns in Adulthood: Structure, Dynamics, and Change*. Nova York: Guilford, 2007.

7. A. M. Graham, P. A. Fisher e J. H. Pfeifer, "What Sleeping Babies Hear: A Functional MRI Study of Interparental Conflict and Infants' Emotion Processing", *Psychological Science* 24, n. 5, 2013, pp. 782-9.

8. Center on the Developing Child at Harvard University, *Building the Brain's "Air Traffic Control" System: How Early Experiences Shape the Development of Executive Function*. Trabalho n. 11, 2011.

9. M. I. Posner e M. K. Rothbart, *Educating the Human Brain*, op. cit.

10. Ibid., 79.

11. P. D. Zelazo, "The Dimensional Change Card Sort (DCCS): A Method of Assessing Executive Function in Children", *Nature: Protocols* 1, n. 1, 2006, pp. 297-301.

12. Center on the Developing Child at Harvard University, op. cit.

13. P. D. Zelazo e S. M. Carlson, "Hot and Cool Executive Function in Childhood and Adolescence: Development and Plasticity", op. cit., pp. 354-60.

14. P. Roth, *Portnoy's Complaint*. Nova York: Random House, 1967.

15. Ibid., 16.

16. M. L. Rodriguez et al., "A Contextual Approach to the Development of Self-Regulatory Competencies: The Role of Maternal Unresponsivity and Toddlers' Negative Affect in Stressful Situations", *Social Development* 14, n. 1, 2005, pp. 136-57.

17. A. Bernier, S. M. Carlson e N. Whipple, "From External Regulation to Self-Regulation: Early Parenting Precursors of Young Children's Executive Functioning", *Child Development* 81, n. 1, 2010, pp. 326-39.

18. L. A. Sroufe, "Attachment and Development", op. cit.; A. A. Hane e N. A. Fox, "Ordinary Variations in Maternal Caregiving Influence Human Infants' Stress Reactivity", *Psychological Science* 17, n. 6, 2006, pp. 550-6.

5. OS MELHORES PLANOS [PP. 57-63]

1. S. H. Butcher e A. Lang, *Homer's Odyssey*. Londres: Macmillan, 1928, p. 197.
2. W. Mischel, "Processes in Delay of Gratification". In: L. Berkowitz (org.), *Advances in Experimental Social Psychology*. v. 7. Nova York: Academic Press, 1974, pp. 249-92.
3. W. Mischel e C. J. Patterson, "Substantive and Structural Elements of Effective Plans for Self-Control", *Journal of Personality and Social Psychology* 34, n. 5, 1976, pp. 942-50; C. J. Patterson e W. Mischel, "Effects of Temptation-Inhibiting and Task-Facilitating Plans on Self-Control", *Journal of Personality and Social Psychology* 33, n. 2, 1976, pp. 209-17.
4. Para exemplos de planos de implementação *Se-Então*, ver P. M. Gollwitzer, "Implementation Intentions: Strong Effects of Simple Plans", *American Psychologist* 54, n. 7, 1999, pp. 493-503; P. M. Gollwitzer, C. Gawrilow e G. Oettingen, "The Power of Planning: Self-Control by Effective Goal-Striving". In: R. R. Hassin et al. (org.), *Self-Control in Society, Mind, and Brain*. Nova York: Oxford University Press, 2010, pp. 279-96; G. Stadler, G. Oettingen e P. Gollwitzer, "Intervention Effects of Information and Self-Regulation on Eating Fruits and Vegetables Over Two Years", *Health Psychology* 29, n. 3, 2010, pp. 274-83.
5. P. M. Gollwitzer, "Goal Achievement: The Role of Intentions", *European Review of Social Psychology* 4, n. 1, 1993, pp. 141-85; P. M. Gollwitzer e V. Brandstätter, "Implementation Intentions and Effective Goal Pursuit", *Journal of Personality and Social Psychology* 73, n. 1, 1997, pp. 186-99.
6. Sobre o conceito de dois sistemas, um que "pensa rápido" e outro que "pensa devagar", e é trabalhoso e "preguiçoso", ver D. Kahneman, *Rápido e devagar: Duas formas de pensar*. Trad. de Cássio de Arantes Leite. Rio de Janeiro: Objetiva, 2012.
7. C. Gawrilow, P. M. Gollwitzer e G. Oettingen, "If-Then Plans Benefit Executive Functions in Children with ADHD", *Journal of Social and Clinical Psychology* 30, n. 6, 2011, pp. 616-46; C. Gawrilow e P. M. Gollwitzer, "Implementation Intentions Facilitate Response Inhibition in Children with ADHD", *Cognitive Therapy and Research* 32, n. 2, 2008, pp. 261-80.

6. AS CIGARRAS INDOLENTES E AS FORMIGAS DILIGENTES [PP. 64-70]

1. W. Mischel, "Father Absence and Delay of Gratification: Cross-Cultural Comparisons", op. cit., pp. 116-24.
2. As decisões das crianças pequenas no Teste do Marshmallow são influenciadas por crenças sobre a confiabilidade do ambiente. Ibid.; W. Mischel e E. Staub, "Effects of Expectancy on Working and Waiting for Larger Rewards", op. cit., pp. 625-33; W. Mischel e J. C. Masters, "Effects of Probability of Reward Attainment on Responses to Frustration", *Journal of Personality and Social Psychology* 3, n. 4, 1966, pp. 390-6; W. Mischel e J. Grusec,

"Waiting for Rewards and Punishments: Effects of Time and Probability on Choice", op. cit., pp. 24-31; C. Kidd, H. Palmieri e R. N. Aslin, "Rational Snacking: Young Children's Decision-Making on the Marshmallow Task Is Moderated by Beliefs about Environmental Reliability", *Cognition* 126, n. 1, 2012, pp. 109-14.

3. D. Lattin, *The Harvard Psychedelic Club: How Timothy Leary, Ram Dass, Huston Smith, and Andrew Weil Killed the Fifties and Ushered In a New Age for America*. Nova York: HarperCollins, 2011.

4. W. Mischel e C. Gilligan, "Delay of Gratification, Motivation for the Prohibited Gratification, and Resistance to Temptation", *Journal of Abnormal and Social Psychology* 69, n. 4, 1964, pp. 411-7.

5. Essa foi uma primeira demonstração de que essas preferências nas escolhas podem prever tendências importantes, como engordar, assumir riscos excessivos, usar drogas etc. Os pesquisadores hoje usam com frequência essas escolhas como atalhos quando não podem usar o Teste do Marshmallow.

6. Ver S. M. McClure et al., "Separate Neural Systems Value Immediate and Delayed Monetary Rewards", *Science* 306, n. 5695, 2004, pp. 503-7.

7. B. Figner et al., "Lateral Prefrontal Cortex and Self-Control in Intertemporal Choice", *Nature Neuroscience* 13, n. 5, 2010, pp. 538-9.

8. Para outra interpretação desses resultados, ver J. W. Kable e P. W. Glimcher, "An 'As Soon as Possible' Effect in Human Intertemporal Decision Making: Behavioral Evidence and Neural Mechanisms", *Journal of Neurophysiology* 103, n. 5, 2010, pp. 2513-31.

9. S. M. McClure, "Separate Neural Systems", op. cit., p. 506.

10. E. Tsukayama e A. L. Duckworth, "Domain-Specific Temporal Discounting and Temptation", *Judgment and Decision Making* 5, n. 2, 2010, pp. 72-82.

11. O. Wilde, *Lady Windermere's Fan: A Play about a Good Woman*. Ato I. 1892. Para pesquisas sobre a mesma questão, ver E. Tsukayama, A. L. Duckworth e B. Kim, "Resisting Everything Except Temptation: Evidence and an Explanation for Domain-Specific Impulsivity", *European Journal of Personality* 26, n. 3, 2011, pp. 318-34.

7. SERÁ QUE É INATO? A NOVA GENÉTICA [PP. 71-81]

1. J. D. Watson e A. Berry, *DNA: The Secret of Life*. Nova York: Knopf Doubleday Publishing Group, 2003, p. 361.

2. B. F. Skinner, *Science and Human Behavior*. Nova York: Macmillan, 1953.

3. S. Pinker, *The Blank Slate: The Modern Denial of Human Nature*. Nova York: Penguin, 2003.

4. N. Angier, "Insights from the Youngest Minds", *The New York Times*, 3 maio 2012; F. Xu, E. S. Spelke e S. Goddard, "Number Sense in Human Infants", *Developmental Science* 8, n. 1, 2005, pp. 88-101.

5. M. K. Rothbart, L. K. Ellis e M. I. Posner, "Temperament and Self-Regulation". In: K. D. Vohs e R. F. Baumeister (orgs.), *Handbook of Self-Regulation: Research, Theory, and Applications*. Nova York: Guilford, 2011, pp. 441-60.

6. A. H. Buss e R. Plomin, *Temperament: Early Developing Personality Traits*. Hillsdale, NJ: Erlbaum, 1984; D. Watson e L. A. Clark, "The PANAS-X: Manual for the Positive and Negative Affect Schedule — Expanded Form", *Iowa Research Online* University of Iowa, Iowa, 1999; M. K. Rothbart e S. A. Ahadi, "Temperament and the Development of Personality", *Journal of Abnormal Psychology* 103, n. 1, 1994, pp. 55-66.

7. S. H. Losoya et al., "Origins of Familial Similarity in Parenting: A Study of Twins and Adoptive Siblings", *Developmental Psychology* 33, n. 6, 1997, p. 1012; R. Plomin, "The Role of Inheritance in Behavior", *Science* 248, n. 4952, 1990, pp. 183-8.

8. W. Mischel, Y. Shoda e O. Ayduk, *Introduction to Personality: Toward an Integrative Science of the Person*. 8. ed. Nova York: Wiley, 2008.

9. D. Kaufer e D. Francis, "Nurture, Nature, and the Stress That Is Life". In: M. Brockman (org.), *Future Science: Cutting-Edge Essays from the New Generation of Scientists*. Nova York: Oxford University Press, 2011, pp. 56-71.

10. W. Mischel, Y. Shoda e O. Ayduk, *Introduction to Personality: Toward an Integrative Science of the Person*, op. cit.

11. F. A. Champagne e R. Mashoodh, "Genes in Context: Gene-Environment Interplay and the Origins of Individual Differences in Behavior", *Current Directions in Psychological Science* 18, n. 3, 2009, pp. 127-31.

12. K. M. Radtke et al., "Transgenerational Impact of Intimate Partner Violence on Methylation in the Promoter of the Glucocorticoid Receptor", *Translational Psychiatry* 1, n. 7, 2011, p. 21.

13. D. D. Francis et al., "Maternal Care, Gene Expression, and the Development of Individual Differences in Stress Reactivity", *Annals of the New York Academy of Sciences* 896, n. 1, 1999, pp. 66-84.

14. Ibid.; I. C. Weaver et al., "Epigenetic Programming by Maternal Behavior", *Nature Neuroscience* 7, n. 8, 2004, pp. 847-54.

15. L. A. Schmidt e N. A. Fox, "Individual Differences in Childhood Shyness: Origins, Malleability, and Developmental Course". In: D. Cervone e W. Mischel (orgs.), *Advances in Personality Science*, op. cit., pp. 83-105.

16. D. D. Francis et al, "Epigenetic Sources of Behavioral Differences in Mice", *Nature Neuroscience* 6, n. 5, 2003, pp. 445-6.

17. R. M. Cooper e J. P. Zubek, "Effects of Enriched and Restricted Early Environments on the Learning Ability of Bright and Dull Rats", *Canadian Journal of Psychology/Revue Canadienne de Psychologie* 12, n. 3, 1958, pp. 159-64.

18. M. J. Meaney, "Maternal Care, Gene Expression, and the Transmission of Individual Differences in Stress Reactivity across Generations", op. cit., pp. 1161-92.

19. J. R. Flynn, "The Mean IQ of Americans: Massive Gains 1932 to 1978", *Psychological Bulletin* 95, n. 1, 1984, pp. 29-51; J. R. Flynn, "Massive IQ Gains in 14 Nations: What IQ Tests Really Measure", *Psychological Bulletin* 101, n. 2, 1987, pp. 171-91.

20. J. D. Watson e A. Berry, op. cit., p. 391.

21. A. Caspi et al., "Influence of Life Stress on Depression: Moderation by a Polymorphism in the 5-HTT Gene", *Science* 301, n. 5631, 2003, pp. 386-9.

22. W. Mischel, Y. Shoda e O. Ayduk, *Introduction to Personality: Toward an Integrative Science of the Person*, op. cit.

23. D. Kaufer e D. Francis, "Nurture, Nature, and the Stress That Is Life", op. cit., p. 63.

PARTE II
DO MARSHMALLOW NA CRECHE AO DINHEIRO
NA POUPANÇA [PP. 83-185]

1. B. K. Payne, "Weapon Bias: Split-Second Decisions and Unintended Stereotyping", *Current Directions in Psychological Science* 15, n. 6, 2006, pp. 287-91.

8. O MOTOR DO SUCESSO: "ACHO QUE POSSO!" [PP. 89-104]

1. Fontes do material desta seção: entrevista pessoal com George Ramirez, 14 mar. 2013, na KIPP Academy Middle School, South Bronx; G. Ramirez, autobiografia não publicada, mar. 2013; G. Ramirez, "Changed by the Bell", *Yale Herald*, 17 fev. 2012.

2. D. Remnick, "*New Yorker* Profiles: 'We Are Alive' — Bruce Springsteen at Sixty-Two", *The New Yorker*, 30 jul. 2012, 56.

3. A FE às vezes é denominada controle executivo ou CE.

4. E. T. Berkman, E. B. Falk e M. D. Lieberman, "Interactive Effects of Three Core Goal Pursuit Processes on Brain Control Systems: Goal Maintenance, Performance Monitoring, and Response Inhibition", *PLoS ONE* 7, n. 6, 2012, p. 40 334.

5. P. D. Zelazo e S. M. Carlson, "Hot and Cool Executive Function in Childhood and Adolescence: Development and Plasticity", op. cit., pp. 354-60; B. J. Casey et al., "Behavioral

and Neural Correlates of Delay of Gratification 40 Years Later", op. cit., pp. 14 998-15 003; M. I. Posner e M. K. Rothbart, *Educating the Human Brain*, op. cit.

6. C. Blair, "School Readiness: Integrating Cognition and Emotion in a Neurobiological Conceptualization of Children's Functioning at School Entry", *American Psychologist* 57, n. 2, 2002, pp. 111-27; R. A. Barkley, "The Executive Functions and Self-Regulation: An Evolutionary Neuropsychological Perspective", *Neuropsychology Review* 11, n. 1, 2001, pp. 1-29.

7. K. L. Bierman et al., "Executive Functions and School Readiness Intervention: Impact, Moderation, and Mediation in the Head Start REDI Program", *Development and Psychopathology* 20, n. 3, 2008, pp. 821-43; M. M. McClelland et al., "Links between Behavioral Regulation and Preschoolers' Literacy, Vocabulary, and Math Skills", *Developmental Psychology* 43, n. 3, 2007, p. 947-59.

8. M. I. Posner e M. K. Rothbart, *Educating the Human Brain*, op. cit.

9. N. Eisenberg et al., "The Relations of Emotionality and Regulation to Children's Anger--Related Reactions", *Child Development* 65, n. 1, 1994, pp. 109-28; A. L. Hill et al., "Profiles of Externalizing Behavior Problems for Boys and Girls across Preschool: The Roles of Emotion Regulation and Inattention", *Developmental Psychology* 42, n. 5, 2006, pp. 913-28; G. Kochanska, K. Murray e K. C. Coy, "Inhibitory Control as a Contributor to Conscience in Childhood: From Toddler to Early School Age", *Child Development* 68, n. 2, 1997, pp. 263-77.

10. M. L. Rodriguez, W. Mischel e Y. Shoda, "Cognitive Person Variables in the Delay of Gratification of Older Children at Risk", op. cit., pp. 358-67; O. Ayduk, W. Mischel e G. Downey, "Attentional Mechanisms Linking Rejection to Hostile Reactivity: The Role of 'Hot' versus 'Cool' Focus", pp. 443-8.

11. E. Tsukayama, A. L. Duckworth e B. E. Kim, "Domain-Specific Impulsivity in School-Age Children", *Developmental Science* 16, n. 6, 2013, pp. 879-93.

12. S. M. Carlson e R. F. White, "Executive Function, Pretend Play and Imagination". In: M. Taylor (org.), *The Oxford Handbook of the Development of Imagination*. Nova York: Oxford University Press, 2013.

13. S. M. Carlson e L. J. Moses, "Individual Differences in Inhibitory Control and Children's Theory of Mind", *Child Development* 72, n. 4, 2001, pp. 1032-53.

14. Giacomo Rizzolatti citado em S. Blakeslee, "Cells That Read Minds", *The New York Times*, 10 jan. 2006.

15. S. E. Taylor e A. L. Stanton, "Coping Resources, Coping Processes and Mental Health", *Annual Review of Clinical Psychology* 3, 2007, pp. 377-401.

16. S. Saphire-Bernstein et al., "Oxytocin Receptor Gene (OXTR) Is Related to Psychological Resources", *Proceedings of the National Academy of Sciences* 108, n. 37, 2011, p. 15 118; B.

S. McEwen, "Protective and Damaging Effects of Stress Mediators: Central Role of the Brain", op. cit., pp. 283-97.

17. A. Bandura, *Self-Efficacy: The Exercise of Control*. Nova York: Freeman, 1997; A. Bandura, "Toward a Psychology of Human Agency", *Perspectives on Psychological Science* 1, n. 2, 2006, pp. 164-80.

18. C. Dweck, *Por que algumas pessoas fazem sucesso e outras não*. Rio de Janeiro: Objetiva, 2008.

19. Ibid., p. 57.

20. W. Piper, *The Little Engine That Could*. Nova York: Penguin, 1930.

21. W. Mischel, R. Zeisse e A. Zeiss, "Internal-External Control and Persistence: Validation and Implications of the Stanford Preschool Internal-External Scale", *Journal of Personality and Social Psychology* 29, n. 2, 1974, pp. 265-78.

22. A. Bandura, "Toward a Psychology of Human Agency", op. cit.

23. M. R. Lepper, D. Greene e R. E. Nisbett, "Undermining Children's Intrinsic Interest with Extrinsic Reward: A Test of the 'Overjustification' Hypothesis", *Journal of Personality and Social Psychology* 28, n. 1, 1973, pp. 129-37; e E. L. Deci, R. Koestner e R. M. Ryan, "A Meta-Analytic Review of Experiments Examining the Effects of Extrinsic Rewards on Intrinsic Motivation", *Psychological Bulletin* 125, n. 6, 1999, pp. 627-68.

24. S. E. Taylor e D. A. Armor, "Positive Illusions and Coping with Adversity", *Journal of Personality* 64, n. 4, 1996, pp. 87398; e S. Saphire-Bernstein et al., op. cit. Ver também C. S. Carver, M. F. Scheier e S. C. Segerstrom, "Optimism", *Clinical Psychology Review* 30, n. 7, 2010, pp. 879-89.

25. M. E. Scheier, J. K. Weintraub e C. S. Carver, "Coping with Stress: Divergent Strategies of Optimists and Pessimists", *Journal of Personality and Social Psychology* 51, n. 6, 1986, pp. 1257-64.

26. W. T. Cox et. al., "Stereotypes, Prejudice, and Depression: The Integrated Perspective", *Perspectives on Psychological Science* 7, n. 5, 2012, pp. 427-49.

27. L. Y. Abramson, M. E. Seligman e J. D. Teasdale, "Learned Helplessness in Humans: Critique and Reformulation", *Journal of Abnormal Psychology* 87, n. 1, 1978, pp. 49-74.

28. C. Peterson, M. E. Seligman e G. E. Valliant, "Pessimistic Explanatory Style Is a Risk Factor for Physical Illness: A Thirty-Five-Year Longitudinal Study", *Journal of Personality and Social Psychology* 55, n. 1, 1988, pp. 23-7.

29. C. Peterson e M. E. Seligman. "Explanatory Style and Illness", *Journal of Personality* 55, n. 2, 1987, pp. 237-65.

30. Entrevista com Seligman relatada em D. Goleman, "Research Affirms Power of Positive Thinking", *The New York Times*, 3 fev. 1987. Ver também M. E. Scheier e C. S. Carver,

"Dispositional Optimism and Physical Well-Being: The Influence of Generalized Outcome Expectancies on Health", *Journal of Personality* 55, n. 2, 1987, pp. 169-210; e C. S. Carver, M. F. Scheier e S. C. Segerstrom, "Optimism", op. cit.

31. Citado em D. Goleman, *Emotional Intelligence: 10th Anniversary Edition*, op. cit., pp. 88-9.

9. O EU FUTURO [PP. 105-10]

1. J. P. Kimble (org.), *Shakespeare's As You Like It: A Comedy*. Ato II, cena 7. Londres: S. Gosnell, Printer, 1810, pp. 139-66.

2. H. Ersner-Hershfield et al., "Don't Stop Thinking about Tomorrow: Individual Differences in Future Self-Continuity Account for Saving", *Judgment and Decision Making* 4, n. 4, 2009, pp. 280-6.

3. Essa análise se baseia principalmente na seção "The Face Tool" de S. Benartzi e R. Lewin, *Save More Tomorrow: Practical Behavioral Finance Solutions to Improve 401(k) Plans*, op. cit.

4. H. Ersner-Hershfield, G. E. Wimmer e B. Knutson, "Saving for the Future Self: Neural Measures of Future Self-Continuity Predict Temporal Discounting", *Social Cognitive and Affective Neuroscience* 4, n. 1, 2009, pp. 85-92.

5. H. Ersner-Hershfield et al., "Don't Stop Thinking about Tomorrow: Individual Differences in Future Self-Continuity Account for Saving", op. cit.

6. Idem, "Increasing Saving Behavior through Age-Progressed Renderings of the Future Self", *Journal of Marketing Research: Special Issue* 48, 2011, pp. 23-37.

7. S. Benartzi e R. Lewin, *Save More Tomorrow: Practical Behavioral Finance Solutions to Improve 401(k) Plans*, op. cit., pp. 142-58; H. Ersner-Hershfield et al., "Increasing Saving Behavior through Age-Progressed Renderings of the Future Self", op. cit.; S. M. McClure et al., op. cit., pp. 503-7.

8. H. Ersner-Hershfield, T. R. Cohen e L. Thompson, "Short Horizons and Tempting Situations: Lack of Continuity to Our Future Selves Leads to Unethical Decision Making and Behavior", *Organizational Behavior and Human Decision Processes* 117, n. 2, 2012, pp. 298-310.

10. ALÉM DO AQUI E AGORA [PP. 111-22]

1. Y. Trope e N. Liberman, "Construal Level Theory". In: P. A. M. Van Lange et al. (org.). *Handbook of Theories of Social Psychology*. vol. 1. Nova York: Sage Publications, 2012, pp. 118-34; N. Liberman e Y. Trope, "The Psychology of Transcending the Here and Now", *Science* 322, n. 5905, 2008, pp. 1201-5.

2. D. T. Gilbert e T. D. Wilson, "Prospection: Experiencing the Future", *Science* 317, n. 5843, 2007, pp. 1351-4.

3. D. T. Gilbert e J. E. Ebert, "Decisions and Revisions: The Affective Forecasting of Changeable Outcomes", *Journal of Personality and Social Psychology* 82, n. 4, 2002, pp. 503-14; D. Gilbert, *Stumbling on Happiness*. Nova York: Knopf, 2006; D. Kahneman e J. Snell, "Predicting a Changing Taste: Do People Know What They Will Like?", *Journal of Behavioral Decision Making* 5, n. 3, 1992, pp. 187-200.

4. D. I. Tamir e J. P. Mitchell, "The Default Network Distinguishes Construals of Proximal versus Distal Events", *Journal of Cognitive Neuroscience* 23, n. 10, 2011, pp. 2945-55.

5. O que Metcalfe e Mischel ("A Hot/Cool System Analysis of Delay of Gratification: Dynamics of Willpower", op. cit., pp. 3-19) denominam sistema quente imbrica com o que outros pesquisadores denominam sistema default (D. I. Tamir e J. P. Mitchell, "The Default Network", op. cit.) ou sistema visceral (G. Loewenstein, "Out of Control: Visceral Influences on Behavior", *Organizational Behavior and Human Decision Processes* 65, n. 3, 1996, pp. 272-92) ou Sistema 1 (D. Kahneman, *Rápido e devagar: Duas formas de pensar*, op. cit.).

6. K. Fujita et al., "Construal Levels and Self-Control", *Journal of Personality and Social Psychology* 90, n. 3, 2006, pp. 351-67.

7. Ibid.; W. Mischel and B. Moore, "Effects of Attention to Symbolically Presented Rewards on Self-Control", op. cit., pp. 172-9; W. Mischel e N. Baker, "Cognitive Appraisals and Transformations in Delay Behavior", *Journal of Personality and Social Psychology* 31, n. 2, 1975, p. 254.

8. H. Kober et. al., "Prefrontal-Striatal Pathway Underlies Cognitive Regulation of Craving", *Proceedings of the National Academy of Sciences* 107, n. 33, 2010, pp. 14811-6.

9. J. A. Silvers et al., "Neural Links between the Ability to Delay Gratification and Regulation of Craving in Childhood." *Society for Neuroscience Annual Meeting*, San Diego, CA, 2013.

10. Sobre regulação do anseio mediante estratégias cognitivas pelos fumantes, ver H. Kober et al., "Prefrontal-Striatal Pathway", op. cit.; R. E. Bliss et al., "The Influence of Situation and Coping on Relapse Crisis Outcomes after Smoking Cessation", *Journal of Consulting and Clinical Psychology* 57, n. 3, 1989, pp. 443-9; S. Shiffman et al., "First Lapses to Smoking: Within-Subjects Analysis of Real-Time Reports", *Journal of Consulting and Clinical Psychology* 64, n. 2, 1996, pp. 366-79.

11. Conforme observou George Loewenstein em "Out of Control", os médicos geralmente fumam menos que a maioria das pessoas, mas a diferença é maior entre aqueles que lidam rotineiramente com imagens dos pulmões fuliginosos dos pacientes.

12. W. Mischel, Y. Shoda e O. Ayduk, *Introduction to Personality: Toward an Integrative Science of the Person*, op. cit.

13. Esse trabalho foi realizado em colaboração também com Yuichi Shoda.

14. Y. Shoda et al., "Psychological Interventions and Genetic Testing: Facilitating Informed Decisions about BRCA1/2 Cancer Susceptibility", *Journal of Clinical Psychology in Medical Settings* 5, n. 1, 1998, pp. 3-17. Ver também S. J. Curry e K. M. Emmons, "Theoretical Models for Predicting and Improving Compliance with Breast Cancer Screening", *Annals of Behavioral Medicine* 16, n. 4, 1994, pp. 302-16.

15. S. M. Miller, "Monitoring and Blunting: Validation of a Questionnaire to Assess Styles of Information Seeking under Threat", *Journal of Personality and Social Psychology* 52, n. 2, 1987, pp. 345-53.

16. S. M. Miller e C. E. Mangan, "Interacting Effects of Information and Coping Style in Adapting to Gynecologic Stress: Should the Doctor Tell All?", *Journal of Personality and Social Psychology* 45, n. 1, 1983, pp. 223-36.

17. Ibidem; S. M. Miller, "Monitoring versus Blunting Styles of Coping with Cancer Influence the Information Patients Want and Need about Their Disease: Implications for Cancer Screening and Management", *Cancer* 76, n. 2, 1995, pp. 167-77.

11. PROTEGENDO O EU MAGOADO: AUTODISTANCIAMENTO [PP. 123-31]

1. A. Luerssen e O. Ayduk, "The Role of Emotion and Emotion Regulation in the Ability to Delay Gratification". In: J. J. Gross (org.), *Handbook of Emotion Regulation*. 2. ed., 2014; E. Kross e O. Ayduk, "Facilitating Adaptive Emotional Analysis: Distinguishing Distanced-Analysis of Depressive Experiences from Immersed-Analysis and Distraction", *Personality and Social Psychology Bulletin* 34, n. 7, 2008, pp. 924-38.

2. S. Nolen-Hoeksema, "The Role of Rumination in Depressive Disorders and Mixed Anxiety/Depressive Symptoms", *Journal of Abnormal Psychology* 109, n. 3, 2000, pp. 504-11; S. Nolen-Hoeksema, B. E. Wisco e S. Lyubomirsky, "Rethinking Rumination", *Perspectives on Psychological Science* 3, n. 5, 2008, pp. 400-24.

3. E. Kross, O. Ayduk e W. Mischel, "When Asking 'Why' Does Not Hurt: Distinguishing Rumination from Reflective Processing of Negative Emotions", *Psychological Science* 16, n. 9, 2005, pp. 709-15.

4. O. Ayduk e E. Kross, "From a Distance: Implications of Spontaneous Self-Distancing for Adaptive Self-Reflection", *Journal of Personality and Social Psychology* 98, n. 5, 2010, pp. 809-29.

5. O. Ayduk e E. Kross, "Enhancing the Pace of Recovery: Self-Distanced Analysis of Negative Experiences Reduces Blood Pressure Reactivity", *Psychological Science* 19, n. 3, 2008, pp. 229-31.

6. O. Ayduk e E. Kross, "From a Distance: Implications of Spontaneous Self-Distancing for Adaptive Self-Reflection", op. cit., estudo 3.

7. J. J. Gross e O. P. John, "Individual Differences in Two Emotion Regulation Processes: Implications for Affect, Relationships, and Well-Being", *Journal of Personality and Social Psychology* 85, n. 2, 2003, pp. 348-62; K. N. Ochsner e J. J. Gross, "Cognitive Emotion Regulation Insights from Social Cognitive and Affective Neuroscience", *Current Directions in Psychological Science* 17, n. 2, 2008, pp. 153-8.

8. K. A. Dodge, "Social-Cognitive Mechanisms in the Development of Conduct Disorder and Depression", *Annual Review of Psychology* 44, n. 1, 1993, pp. 559-84; K. L. Bierman et al., "School Outcomes of Aggressive-Disruptive Children: Prediction from Kindergarten Risk Factors and Impact of the Fast Track Prevention Program", *Aggressive Behavior* 39, n. 2, 2013, pp. 114-30.

9. E. Kross et al., "The Effect of Self- Distancing on Adaptive versus Maladaptive Self--Reflection in Children", *Emotion-APA* 11, n. 5, 2011, pp. 1032-9.

10. E. Kross et al., "Social Rejection Shares Somatosensory Representations with Physical Pain", *Proceedings of the National Academy of Sciences* 108, n. 15, 2011, pp. 6270-5.

11. N. I. Eisenberger, M. D. Lieberman e K. D. Williams, "Does Rejection Hurt? An fMRI Study of Social Exclusion", *Science* 302, n. 5643, 2003, pp. 290-2.

12. E. Selcuk et al., "Mental Representations of Attachment Figures Facilitate Recovery Following Upsetting Autobiographical Memory Recall", *Journal of Personality and Social Psychology* 103, n. 2, 2012, pp. 362-78.

12. ESFRIANDO AS EMOÇÕES DOLOROSAS [PP. 132-40]

1. R. Romero-Canyas et al., "Rejection Sensitivity and the Rejection-Hostility Link in Romantic Relationships", *Journal of Personality* 78, n. 1, 2010, pp. 119-48; G. Downey et al., "The Self-Fulfilling Prophecy in Close Relationships: Rejection Sensitivity and Rejection by Romantic Partners", *Journal of Personality and Social Psychology* 75, n. 2, 1998, pp. 545-60.

2. V. Purdie e G. Downey, "Rejection Sensitivity and Adolescent Girls' Vulnerability to Relationship-Centered Difficulties", *Child Maltreatment* 5, n. 4, 2000, pp. 338-49.

3. O. Ayduk, W. Mischel e G. Downey, "Attentional Mechanisms Linking Rejection to Hostile Reactivity: The Role of 'Hot' versus 'Cool' Focus", op. cit., pp. 443-8; O. Ayduk, G. Downey e M. Kim, "Rejection Sensitivity and Depressive Symptoms in Women", *Personality and Social Psychology Bulletin* 27, n. 7, 2001, pp. 868-77.

4. G. Bush, P. Luu e M. I. Posner, "Cognitive and Emotional Influences in Anterior Cingulate Cortex", *Trends in Cognitive Sciences* 4, n. 6, 2000, pp. 215-22. Ver também G. M. Slavich et al., "Neural Sensitivity to Social Rejection Is Associated with Inflammatory Responses to Social Stress", *Proceedings of the National Academy of Sciences* 107, n. 33, 2010, pp. 14 817-22.

5. R. M. Sapolsky, L. M. Romero e A. U. Munck, "How Do Glucocorticoids Influence Stress Responses? Integrating Permissive, Suppressive, Stimulatory, and Preparative Actions", *Endocrine Reviews* 21, n. 1, 2000, pp. 55-89.

6. O. Ayduk et al., "Regulating the Interpersonal Self: Strategic Self- Regulation for Coping with Rejection Sensitivity", op. cit., pp. 776-92.

7. O. Ayduk et al., "Rejection Sensitivity and Executive Control: Joint Predictors of Borderline Personality Features", *Journal of Research in Personality* 42, n. 1, 2008, pp. 151-68.

8. O. Ayduk et al., "Regulating the Interpersonal Self: Strategic Self-Regulation for Coping with Rejection Sensitivity", op. cit., pp. 776-92.

9. Sobre os benefícios de anotar as experiências emocionais, ver J. W. Pennebaker, *Opening Up: The Healing Power of Expressing Emotion*. Nova York: Guilford, 1997, e J. W. Pennebaker, "Writing about Emotional Experiences as a Therapeutic Process", *Psychological Science* 8, n. 3, 1997, pp. 162-6.

10. T. R. Schlam et al., "Preschoolers' Delay of Gratification Predicts Their Body Mass 30 Years Later", op. cit., p. 91.

11. T. E. Moffitt et al., "A Gradient of Childhood Self-Control Predicts Health, Wealth, and Public Safety", *Proceedings of the National Academy of Sciences* 108, n. 7, 2011, pp. 2693-8.

13. O SISTEMA IMUNITÁRIO PSICOLÓGICO [PP. 139-152]

1. Daniel Gilbert analisa os sistemas imunitários psicológico e biológico em *Stumbling on Happiness*, op. cit, p. 162. Sobre como o sistema imunitário psicológico também oferece más previsões da felicidade futura, ver D. T. Gilbert e T. D. Wilson, "Prospection: Experiencing the Future", op. cit., pp. 1351-4; e D. T. Gilbert et al., "Immune Neglect: A Source of Durability Bias in Affective Forecasting", *Journal of Personality and Social Psychology* 75, n. 3, 1998, pp. 617-38.

2. S. E. Taylor e D. A. Armor, "Positive Illusions and Coping with Adversity", op. cit., pp. 873-98; S. E. Taylor e P. M. Gollwitzer, "Effects of Mindset on Positive Illusions", *Journal of Personality and Social Psychology* 69, n. 2, 1995, pp. 213-26.

3. D. G. Myers, "Self-Serving Bias". In: J. Brockman (org.), *This Will Make You Smarter: New Scientific Concepts to Improve Your Thinking*. Nova York: Harper Perennial, 2012, pp. 37-8.

4. S. E. Taylor et al., "Are Self-Enhancing Cognitions Associated with Healthy or Unhealthy Biological Profiles?", *Journal of Personality and Social Psychology* 85, n. 4, 2003, pp. 605-15.

5. S. E. Taylor et al., "Psychological Resources, Positive Illusions, and Health", *American Psychologist* 55, n. 1, 2000, pp. 99-109.

6. D. A. Armor e S. E. Taylor, "When Predictions Fail: The Dilemma of Unrealistic Optimism". In: T. Gilovich, D. Griffin e D. Kahneman (orgs.), *Heuristics and Biases: The Psychology*

of Intuitive Judgment. Nova York: Cambridge University Press, 2002, pp. 334-47; S. E. Taylor e J. D. Brown, "Illusion and Well-Being: A Social Psychological Perspective on Mental Health", *Psychological Bulletin* 103, n. 2, 1988, pp. 193-210.

7. M. D. Alicke, "Global Self-Evaluation as Determined by the Desirability and Controllability of Trait Adjectives", *Journal of Personality and Social Psychology* 49, n. 6, 1985, pp. 1621-30; G. W. Brown et al., "Social Support, Self-Esteem and Depression", *Psychological Medicine* 16, n. 4, 1986, pp. 813-31.

8. D. Gilbert, *Stumbling on Happiness*, op. cit., p. 162.

9. A. T. Beck et al. *Cognitive Therapy of Depression*. Nova York: Guilford, 1979.

10. P. M. Lewinsohn et al., "Social Competence and Depression: The Role of Illusory Self-Perceptions", *Journal of Abnormal Psychology* 89, n. 2, 1980, pp. 203-12.

11. L. B. Alloy e L. Y. Abramson, "Judgment of Contingency in Depressed and Nondepressed Students: Sadder but Wiser?", *Journal of Experimental Psychology: General* 108, n. 4, 1979, pp. 441-85.

12. J. Wright e W. Mischel, "Influence of Affect on Cognitive Social Learning Person Variables", *Journal of Personality and Social Psychology* 43, n. 5, 1982, pp. 901-14; ver também A. M. Isen et al., "Affect, Accessibility of Material in Memory, and Behavior: A Cognitive Loop?", *Journal of Personality and Social Psychology* 36, n. 1, 1978, pp. 1-12.

13. Para saber como regular e esfriar a ansiedade e outras emoções negativas, ver J. Gross, "Emotion Regulation: Taking Stock and Moving Forward", *Emotion* 13, n. 3, 2013, pp. 359-65; e K. N. Ochsner et al., "Rethinking Feelings: An fMRI Study of the Cognitive Regulation of Emotion", *Journal of Cognitive Neuroscience* 14, n. 8, 2002, pp. 1215-29.

14. S. E. Taylor et al., "Portrait of the Self-Enhancer: Well Adjusted and Well Liked or Maladjusted and Friendless?", *Journal of Personality and Social Psychology* 84, n. 1, 2003, pp. 165-76.

15. S. M. Carlson e L. J. Moses, "Individual Differences in Inhibitory Control and Children's Theory of Mind", op. cit., pp. 1032-53.

16. E. Diener e M. E. Seligman, "Very Happy People", *Psychological Science* 13, n. 1, 2002, pp. 81-4; E. L. Deci e R. M. Ryan (orgs.), *Handbook of Self-Determination Research*. Rochester, NY: University of Rochester Press, 2002.

17. D. Kahneman, *Rápido e devagar: Duas formas de pensar*, op. cit.

18. S. Shane e S. G. Stolberg, "A Brilliant Career with a Meteoric Rise and an Abrupt Fall", *The New York Times*, 10 nov. 2012.

19. M. Konnikova, *The Limits of Self-Control: Self-Control, Illusory Control, and Risky Financial Decision Making*. Dissertação de ph.D., Columbia University, 2013.

20. D. Kahneman, *Rápido e devagar: Duas formas de pensar*, op. cit., p. 256.

21. T. Astebro, "The Return to Independent Invention: Evidence of Unrealistic Optimism, Risk Seeking or Skewness Loving?", *Economic Journal* 113, n. 484, 2003, pp. 226-39; T. Astebro e S. Elhedhli, "The Effectiveness of Simple Decision Heuristics: Forecasting Commercial Success for Early-Stage Ventures", *Management Science* 52, n. 3, 2006, pp. 395-409.

22. Relatado em Kahneman, *Rápido e devagar: Duas formas de pensar*, op cit., p. 263, baseado em E. S. Berner e M. L. Graber, "Overconfidence as a Cause of Diagnostic Error in Medicine", *American Journal of Medicine* 121, n. 5, 2008, S2-S23.

23. W. Mischel, *Personality and Assessment*, op. cit.

24. Ibidem; e J. J. Lasky et al., "Post-Hospital Adjustment as Predicted by Psychiatric Patients and by Their Staff", *Journal of Consulting Psychology* 23, n. 3, 1959, pp. 213-8.

25. W. Mischel, "Predicting the Success of Peace Corps Volunteers in Nigeria", *Journal of Personality and Social Psychology* 1, n. 5, 1965, pp. 510-7.

26. D. Kahneman, *Rápido e devagar: Duas formas de pensar*, op. cit.

27. C. Pogash, "A Self-Improvement Quest That Led to Burned Feet", *The New York Times*, 22 jul. 2012.

14. QUANDO PESSOAS INTELIGENTES PARECEM ESTÚPIDAS [PP. 155-61]

1. R. V. Burton, "Generality of Honesty Reconsidered", *Psychological Review* 70, n. 6, 1963, pp. 481-99.

2. J. M. Caher, *King of the Mountain: The Rise, Fall, and Redemption of Chief Judge Sol Wachtler*. Amherst, NY: Prometheus, 1998.

3. J. Surowiecki, "Branded a Cheat", *The New Yorker*, 21 dez. 2009.

4. D. Gilson, "Only Little People Pay Taxes", *Mother Jones*, 18 abr. 2011.

5. W. Mischel, *Personality and Assessment*, op. cit.; W. Mischel, Y. Shoda e O. Ayduk, *Introduction to Personality: Toward an Integrative Science of the Person*, op. cit.

6. D. T. Gilbert e P. S. Malone, "The Correspondence Bias", *Psychological Bulletin* 117, n. 1, 1995, pp. 21-38; M. D. Lieberman et al., "Reflexion and Reflection: A Social Cognitive Neuroscience Approach to Attributional Inference", *Advances in Experimental Social Psychology* 34, 2002, pp. 199-249; W. Mischel, *Personality and Assessment*, op. cit.

7. H. Hartshorne, M. A. May e J. B. Maller, *Studies in the Nature of Character: II Studies in Service and Self-Control*. Nova York: Macmillan, 1929; W. Mischel, *Personality and Assessment*, op. cit.; W. Mischel, "Toward an Integrative Science of the Person (Prefatory Chapter)", *Annual Review of Psychology* 55, 2004, pp. 1-22; T. Newcomb, "The Consistency

of Certain Extrovert-Introvert Behavior Patterns in Fifty-One Problem Boys", *Teachers College Record* 31, n. 3, 1929, pp. 263-5; W. Mischel e P. K. Peake, "Beyond Déjà Vu in the Search for Cross-Situational Consistency", *Psychological Review* 89, n. 6, 1982, pp. 730-55.

8. W. Mischel, *Personality and Assessment*, op. cit.

9. J. Block, "Millennial Contrarianism: The Five-Factor Approach to Personality Description 5 Years Later", *Journal of Research in Personality* 35, n. 1, 2001, pp. 98-107; W. Mischel, "Toward a Cognitive Social Learning Reconceptualization of Personality", *Psychological Review* 80, n. 4, 1973, pp. 252-83; W. Mischel, "From *Personality and Assessment* (1968) to Personality Science", *Journal of Research in Personality* 43, n. 2, 2009, pp. 282-90.

10. I. Van Mechelen, "A Royal Road to Understanding the Mechanisms Underlying Person--in-Context Behavior", *Journal of Research in Personality* 43, n. 2, 2009, pp. 179-86; V. Zayas e Y. Shoda, "Three Decades after the Personality Paradox: Understanding Situations", *Journal of Research in Personality* 43, n. 2, 2009, pp. 280-1.

11. D. Kahneman, *Rápido e devagar: Duas formas de pensar*, op. cit.; W. Mischel, *Personality and Assessment*, op. cit.; I. Van Mechelen, op. cit.

12. J. C. Wright e W. Mischel, "A Conditional Approach to Dispositional Constructs: The Local Predictability of Social Behavior", *Journal of Personality and Social Psychology* 53, n. 6, 1987, pp. 1159-77; W. Mischel e Y. Shoda, "A Cognitive-Affective System Theory of Personality: Reconceptualizing Situations, Dispositions, Dynamics, and Invariance in Personality Structure", *Psychological Review* 102, n. 2, 1995, pp. 246-68.

15. ASSINATURAS DE PERSONALIDADE *SE-ENTÃO* [PP. 162-70]

1. J. C. Wright e W. Mischel, "Conditional Hedges and the Intuitive Psychology of Traits", *Journal of Personality and Social Psychology* 55, n. 3, 1988, pp. 454-69.

2. Ver W. Mischel, *Personality and Assessment*, op. cit.; e W. Mischel, "Toward an Integrative Science of the Person (Prefatory Chapter)", op. cit., pp. 1-22.

3. As principais descobertas e métodos se encontram em Y. Shoda, W. Mischel e J. C. Wright, "Intraindividual Stability in the Organization and Patterning of Behavior: Incorporating Psychological Situations into the Idiographic Analysis of Personality", *Journal of Personality and Social Psychology* 67, n. 4, 1994, pp. 674-87; W. Mischel e Y. Shoda, "A Cognitive--Affective System Theory of Personality: Reconceptualizing Situations, Dispositions, Dynamics, and Invariance in Personality Structure", op. cit., pp. 246-68.

4. A. L. Zakriski, J. C. Wright e M. K. Underwood, "Gender Similarities and Differences in Children's Social Behavior: Finding Personality in Contextualized Patterns of Adaptation", *Journal of Personality and Social Psychology* 88, n. 5, 2005, pp. 844-55; R. E.

Smith et al., "Behavioral Signatures at the Ballpark: Intraindividual Consistency of Adults' Situation-Behavior Patterns and Their Interpersonal Consequences", *Journal of Research in Personality* 43, n. 2, 2009, pp. 187-95.

5. M. A. Fournier, D. S. Moskowitz e D. C. Zuroff, "Integrating Dispositions, Signatures, and the Interpersonal Domain", *Journal of Personality and Social Psychology* 94, n. 3, 2008, pp. 531-45; I. Van Mechelen, "A Royal Road to Understanding the Mechanisms Underlying Person-in-Context Behavior", op. cit.; O. Ayduk et al., "Verbal Intelligence and Self-Regulatory Competencies: Joint Predictors of Boys' Aggression", *Journal of Research in Personality* 41, n. 2, 2007, pp. 374-88.

6. W. Mischel e Y. Shoda, "A Cognitive-Affective System Theory of Personality: Reconceptualizing Situations, Dispositions, Dynamics, and Invariance in Personality Structure", op. cit.

7. W. Mischel e P. K. Peake, "Beyond Déjà Vu in the Search for Cross-Situational Consistency", op. cit., pp. 730-55.

8. W. Mischel e Y. Shoda, "A Cognitive-Affective System Theory of Personality: Reconceptualizing Situations, Dispositions, Dynamics, and Invariance in Personality Structure", op. cit.

9. W. Mischel e P. K. Peake, "Beyond Déjà Vu in the Search for Cross-Situational Consistency", op. cit.

10. W. Mischel, "Continuity and Change in Personality", *American Psychologist* 24, n. 11, 1969, pp. 1012-8.

11. Y. Shoda et al., "Cognitive-Affective Processing System Analysis of Intra-Individual Dynamics in Collaborative Therapeutic Assessment: Translating Basic Theory and Research into Clinical Applications", *Journal of Personality* 81, n. 6, 2013, pp. 554-68.

12. Esses relacionamentos foram muito influenciados pela inteligência da criança. Ver O. Ayduk et al., "Verbal Intelligence and Self-Regulatory Competencies: Joint Predictors of Boys' Aggression", op. cit.

16. PARALISIA DA VONTADE [PP. 171-77]

1. J. Cheever, "The Angel of the Bridge", *The New Yorker*, 21 out. 1961.

2. J. LeDoux, *The Emotional Brain*, op. cit.; J. LeDoux, "Parallel Memories: Putting Emotions Back into the Brain". In: J. Brockman (org.), *The Mind: Leading Scientists Explore the Brain, Memory, Personality, and Happiness*. Nova York: HarperCollins, 2011, pp. 31-47.

3. Para uma análise desse "condicionamento clássico", ver W. Mischel, Y. Shoda e O. Ayduk, *Introduction to Personality: Toward an Integrative Science of the Person*, op. cit., cap. 10.

4. J. Wolpe, *Reciprocal Inhibition Therapy*. Stanford, CA: Stanford University Press, 1958, p. 71.

5. A. Bandura, *Principles of Behavior Modification*. Nova York: Holt, Rinehart e Winston, 1969; G. L. Paul, *Insight vs. Desensitization in Psychotherapy*. Stanford, CA: Stanford University Press, 1966; A. T. Beck et al. *Cognitive Therapy of Depression*, op. cit.

6. A. Bandura, *Principles of Behavior Modification*, op. cit.

7. Ibid.; A. Bandura, J. E. Grusec e F. L. Menlove, "Vicarious Extinction of Avoidance Behavior", *Journal of Personality and Social Psychology* 5, n. 1, 1967, pp. 16-23; A. Bandura e F. L. Menlove, "Factors Determining Vicarious Extinction of Avoidance Behavior through Symbolic Modeling", *Journal of Personality and Social Psychology* 8, n. 2, 1968, pp. 99-108.

8. L. Williams, "Guided Mastery Treatment of Agoraphobia: Beyond Stimulus Exposure". In: M. Hersen, R. M. Eisler e P. M. Miller (orgs.), *Progress in Behavior Modification*. vol. 26. Newbury Park, CA: Sage, 1990, pp. 89-121.

9. A. Bandura, "Albert Bandura". In: G. Lindzey e W. M. Runya (orgs.), *A History of Psychology in Autobiography*. vol. 9. Washington, D.C.: American Psychological Association, 2006, pp. 62-3.

10. G. L. Paul, *Insight vs. Desensitization in Psychotherapy*, op. cit.; G. L. Paul, "Insight versus Desensitization in Psychotherapy Two Years after Termination", *Journal of Consulting Psychology* 31, n. 4, 1967, pp. 333-48.

17. FADIGA DA VONTADE [PP. 178-87]

1. M. Muraven, D. M. Tice e R. F. Baumeister, "Self-Control as Limited Resource: Regulatory Depletion Patterns", *Journal of Personality and Social Psychology* 74, n. 3, 1998, pp. 774-89.

2. R. F. Baumeister et al., "Ego Depletion: Is the Active Self a Limited Resource?", *Journal of Personality and Social Psychology* 74, n. 5, 1998, pp. 1252-65.

3. R. F. Baumeister e J. Tierney, *Willpower: Rediscovering the Greatest Human Strength*. Nova York: Penguin, 2011.

4. M. Inzlicht e B. J. Schmeichel, "What Is Ego Depletion? Toward a Mechanistic Revision of the Resource Model of Self-Control", *Perspectives on Psychological Science* 7, n. 5, 2012, pp. 450-63.

5. M. Muraven e E. Slessareva, "Mechanisms of Self-Control Failure: Motivation and Limited Resources", *Personality and Social Psychology Bulletin* 29, n. 7, 2003, pp. 894-906.

6. C. Martijn et al., "Getting a Grip on Ourselves: Challenging Expectancies about Loss of Energy after Self-Control", *Social Cognition* 20, n. 6, 2002, pp. 441-60.

7. V. Job, C. S. Dweck e G. M. Walton, "Ego Depletion — Is It All in Your Head? Implicit Theories about Willpower Affect Self-Regulation", *Psychological Science* 21, n. 11, 2010, pp. 1686-93.

8. Ver também D. C. Molden et al., "Motivational versus Metabolic Effects of Carbohydrates on Self-Control", *Psychological Science* 23, n. 10, 2012, pp. 1137-44.

9. P. Druckerman, *Crianças francesas não fazem manha*. Trad. de Regiane Winarski. Rio de Janeiro: Objetiva, 2013.

10. A. Chua, *Grito de guerra da mãe-tigre*. Trad. de Adalgisa Campos da Silva. Rio de Janeiro: Intrínseca, 2011.

11. J. R. Harris, *The Nurture Assumption: Why Kids Turn Out the Way They Do*. Londres: Bloomsbury, 1998.

12. A. Bandura, "Vicarious Processes: A Case of No-Trial Learning". In: L. Berkowitz (org.), *Advances in Experimental Social Psychology*. vol. 2. Nova York: Academic Press, 1965, pp. 1-55.

13. W. Mischel and R. M. Liebert, "Effects of Discrepancies between Observed and Imposed Reward Criteria on Their Acquisition and Transmission", *Journal of Personality and Social Psychology* 3, n. 1, 1966, pp. 45-53; W. Mischel e R. M. Liebert, "The Role of Power in the Adoption of Self-Reward Patterns", *Child Development* 38, n. 3, 1967, pp. 673-83.

14. O impacto dos modelos depende de características como afetividade, atenção e poder. Ver J. Grusec e W. Mischel, "Model's Characteristics as Determinants of Social Learning", *Journal of Personality and Social Psychology* 4, n. 2, 1966, pp. 211-5; e W. Mischel e J. Grusec, "Determinants of the Rehearsal and Transmission of Neutral and Aversive Behaviors", *Journal of Personality and Social Psychology* 3, n. 2, 1966, pp. 197-205.

15. Também é grande a influência dos modelos sobre a propensão das crianças para escolher recompensas postergadas maiores em vez de recompensas imediatas menores. Ver A. Bandura e W. Mischel, "Modification of Self-Imposed Delay of Reward Through Exposure to Live and Symbolic Models", *Journal of Personality and Social Psychology* 2, n. 5, 1965, pp. 698-705.

16. M. Owen e K. Maurer, *No Easy Day: The First-Hand Account of the Mission That Killed Osama bin Laden*. Nova York: Dutton, 2012.

17. Ibid., nota do autor, XI.

PARTE III
DO LABORATÓRIO PARA A VIDA [PP. 189-228]

18. MARSHMALLOWS E POLÍTICAS PÚBLICAS [PP. 193-208]

1. W. Mischel, "Walter Mischel". In: G. E. Lindzey e W. M. Runyan (orgs.), *A History of Psychology in Autobiography*. vol. 9. Washington, D.C.: American Psychological Association, 2007, pp. 229-67.

2. B. S. McEwen e P. J. Gianaros, "Stress- and Allostasis-Induced Brain Plasticity", *Annual Review of Medicine* 62, 2011, pp. 431-45; Center on the Developing Child at Harvard University, op. cit.; M. I. Posner e M. K. Rothbart, *Educating the Human Brain*, op. cit.

3. M. R. Rueda et al., "Training, Maturation, and Genetic Influences on the Development of Executive Attention", *Proceedings of the National Academy of Sciences* 102, n. 41, 2005, pp. 14 931-6.

4. A. Diamond et al., "Preschool Program Improves Cognitive Control", *Science* 318, n. 5855, 2007, pp. 1387-8; N. R. Riggs et al., "The Mediational Role of Neurocognition in the Behavioral Outcomes of a Social-Emotional Prevention Program in Elementary School Students: Effects of the PATHS Curriculum", *Prevention Science* 7, n. 1, 2006, pp. 91-102.

5. C. Gawrilow, P. M. Gollwitzer e G. Oettingen, "If-Then Plans Benefit Executive Functions in Children with ADHD", op. cit.; e C. Gawrilow et al., "Mental Contrasting with Implementation Intentions Enhances Self-Regulation of Goal Pursuit in Schoolchildren at Risk for ADHD", *Motivation and Emotion* 37, n. 1, 2013, pp. 134-45.

6. T. Klingberg et al., "Computerized Training of Working Memory in Children with ADHD — a Randomized, Controlled Trial", *Journal of the American Academy of Child and Adolescent Psychiatry* 44, n. 2, 2005, pp. 177-86.

7. Y. Y. Tang et al., "Short-Term Meditation Training Improves Attention and Self-Regulation", *Proceedings of the National Academy of Sciences* 104, n. 43, 2007, pp. 17 152-6; A. P. Jha, J. Krompinger e M. J. Baime, "Mindfulness Training Modifies Subsystems of Attention", *Cognitive, Affective & Behavioral Neuroscience* 7, n. 2, 2007, pp. 109-19. Ver também M. K. Rothbart et al., "Enhancing Self-Regulation in School and Clinic". In: M. R. Gunner e D. Cicchetti (orgs.), *Minnesota Symposia on Child Psychology: Meeting the Challenge of Translational Research in Child Psychology*. vol. 35. Hoboken, NJ: Wiley, 2009, pp. 115-58.

8. M. D. Mrazek et al., "Mindfulness Training Improves Working Memory Capacity and GRE Performance While Reducing Mind Wandering", *Psychological Science* 24, n. 5, 2013, pp. 776-81.

9. S. McEwen e P. J. Gianaros, "Stress- and Allostasis-Induced Brain Plasticity", op. cit.

10. Center on the Developing Child at Harvard University, op. cit.

11. D. Brooks, "When Families Fail", *The New York Times*, 12 fev. 2013.

12. "Sesame Workshop"®, "Sesame Street"® e personagens, marcas e elementos de design são propriedades licenciadas de Sesame Workshop. © 2013 Sesame Workshop. Todos os direitos reservados.

13. S. Fisch e R. Truglio (orgs.), "The Early Window Project: *Sesame Street* Prepares Children for School". In: Id. *"G" Is for Growing: Thirty Years of Research on Sesame Street*. Mahwah, NJ: Erlbaum, 2001, pp. 97-114.

14. N. E. Adler e J. Stewart (orgs.), *The Biology of Disadvantage: Socioeconomic Status and Health*. Boston, MA: Wiley-Blackwell, 2010.

15. O Robin Hood Excellence Program [Programa de Excelência Robin Hood], apoiado por Paul Tudor-Jones, e Schools That Can [Escolas que Podem], de Michael Druckman, são outros exemplos de diversas iniciativas hoje em andamento.

16. Assim consideradas por se qualificarem para o programa de merenda escolar gratuita ou a preços reduzidos.

17. Entrevista pessoal em 14 mar. 2013 na KIPP Academy Middle School, South Bronx, NY.

18. Esses dados são de entrevistas de Mischel com Dave Levin, 22 fev. 2013, e com Mitch Brenner, 17 abr. 2013.

19. Comunicação pessoal de Dave Levin at KIPP com Mischel em 26 dez. 2013.

20. Y. Shoda, W. Mischel e P. K. Peake, "Predicting Adolescent Cognitive and Social Competence from Preschool Delay of Gratification: Identifying Diagnostic Conditions", op. cit.

21. Em alguns Estados, isso reflete o fato de a educação pré-escolar não ser financiada pelo governo.

19. APLICANDO ESTRATÉGIAS CENTRAIS [PP. 209-23]

1. G. Ainslie e R. J. Herrnstein, "Preference Reversal and Delayed Reinforcement", *Animal Learning and Behavior* 9, n. 4, 1981, pp. 476-82.

2. D. Laibson, "Golden Eggs and Hyperbolic Discounting", *Quarterly Journal of Economics* 112, n. 2, 1997, pp. 443-78.

3. P. M. Gollwitzer e G. Oettingen, "Goal Pursuit". In: R. M. Ryan (org.), *The Oxford Handbook of Human Motivation*. Nova York: Oxford University Press, 2012, pp. 208-31.

4. R. W. Jeffery et al., "Long-Term Maintenance of Weight Loss: Current Status", *Health Psychology* 19, n. 1S, 2000, pp. 5-16.

5. M. J. Crockett et al., "Restricting Temptations: Neural Mechanisms of Precommitment", *Neuron* 79, n. 2, 2013, pp. 391-401.

6. Ver, por exemplo, D. Ariely e K. Wertenbroch, "Procrastination, Deadlines, and Performance: Self-Control by Precommitment", *Psychological Science* 13, n. 3, 2002, pp. 219-24.

7. D. Laibson, "Psychological and Economic Voices in the Policy Debate", apresentação em *Psychological Science and Behavioral Economics in the Service of Public Policy*, Casa Branca, Washington, D.C., 22 maio 2013. Ver também R. H. Thaler e C. R. Sunstein, *Nudge: Improving Decisions about Health, Wealth, and Happiness*. Nova York: Penguin, 2008.

8. E. Kross et al., "Asking Why from a Distance: Its Cognitive and Emotional Consequences for People with Major Depressive Disorder", *Journal of Abnormal Psychology* 121, n. 3,

2012, pp. 559-69; E. Kross e O. Ayduk, "Making Meaning out of Negative Experiences by Self-Distancing", *Current Directions in Psychological Science* 20, n. 3, 2011, pp. 187-91.

9. B. A. Alford e A. T. Beck, *The Integrative Power of Cognitive Therapy*. Nova York: Guilford, 1998; A. T. Beck et al. *Cognitive Therapy of Depression*, op. cit.

10. A. M. Graham, P. A. Fisher e J. H. Pfeifer, "What Sleeping Babies Hear: A Functional MRI Study of Interparental Conflict and Infants' Emotion Processing", op. cit., pp. 782-9.

11. Citações de comunicação pessoal com "Elizabeth", em 27 ago. 2013.

12. L. Michaelson et al., "Delaying Gratification Depends on Social Trust", *Frontiers in Psychology* 4, 2013, p. 355; W. Mischel, "Processes in Delay of Gratification", op. cit., pp. 249-92.

13. A. Bandura, D. Ross e S. A. Ross, "Transmission of Aggression Through Imitation of Aggressive Models", *Journal of Abnormal and Social Psychology* 63, n. 3, 1961, pp. 575-82.

20. NATUREZA HUMANA [PP. 224-8]

1. Radiolab, disponível em: <www.radiolab.org/story/96056- your-future-marshmallow>. Acesso em: 11 mar. 2016.

2. P. D. Zelazo e W. A. Cunningham, "Executive Function: Mechanisms Underlying Emotion Regulation". In: J. J. Gross (org.), *Handbook of Emotion Regulation*, op. cit., pp. 135-58; Center on the Developing Child at Harvard University, op. cit.

3. Publicado originalmente em W. G. Bowen e D. Bok, *The Shape of the River: Long-Term Consequences of Considering Race in College and University Admissions*. Princeton, NJ: Princeton University Press, 1998; e C. Nickerson, N. Schwarz e E. Diener, "Financial Aspirations, Financial Success, and Overall Life Satisfaction: Who? And How?", *Journal of Happiness Studies* 8, n. 4, 2007, pp. 467-515. Para um resumo das descobertas essenciais, ver D. Kahneman, *Rápido e devagar: Duas formas de pensar*, op. cit.

4. W. Mischel, "Continuity and Change in Personality", op. cit.; W. Mischel, "Toward an Integrative Science of the Person (Prefatory Chapter)", op. cit, pp. 1-22.

5. C. M. Morf e W. Mischel, "The Self as a Psycho-Social Dynamic Processing System: Toward a Converging Science of Selfhood". In: M. Leary e J. Tangney (orgs.), *Handbook of Self and Identity*. 2. ed. Nova York: Guilford, 2012, pp. 21-49.

6. D. Kaufer e D. Francis, "Nurture, Nature, and the Stress That Is Life", op. cit., p. 63.

7. R. Descartes, *Principles of Philosophy*, Parte I, artigo 7, 1644.

Índice remissivo

Aber, Lawrence, 49

"acho que posso!", mentalidade: capacidade de autocontrole e, 13; desenvolvimento da, 92; domínio e, 97; expectativas otimistas e, 101; fracasso e, 152, 154; função executiva e, 96; maestria e, 99-100

adolescência: autodistanciamento e, 129; diferimento da satisfação e, 65; estudos longitudinais de Stanford sobre diferimento da satisfação e, 27, 40, 207; sistema emocional quente e, 45

adultos: como modelos de autopadrões, 222, 253n; como modelos de autopadrões, 184-6; conhecimento de estratégias de autocontrole, 40; efeito das emoções sobre o diferimento da satisfação, 36; estudos longitudinais de Stanford sobre diferimento da satisfação e, 28; função executiva e, 197; recompensas maiores postergadas *versus* recompensas menores imediatas, 69; *ver também* planos de aposentadoria

agressão, 87, 137-8, 163-4, 165, 166-7, 169, 212, 220

Ainsworth, Mary, 50

akrasia (acrasia, falta de força de vontade), 11

álcool, uso de, 113

ameaça, 42, 70, 94, 143

amígdala, 42, 48, 116, 128, 172, 176

anseios: cura autoinduzida para, 115, 117; distância psicológica e, 113-5; foco no futuro, 211

ansiedade, 105

aquisição da linguagem, 73

Armstrong, Lance, 156

Arnsten, Amy, 47

Aronson, Elliot, 142

arquitetura do cérebro, 48, 52

arrependimento, 112

assinaturas comportamentais de personalidade, 164, 166-9, 213

Astebro, Thomas, 152

atenção: autocontrole e, 180; córtex pré--frontal e, 44, 88; desenvolvimento da, 54; estratégias de controle da atenção, 55, 94, 194-6; função executiva e, 93, 194-6; temperamento e, 73-4

autocontrole: base genética do, 13, 18; condições que dificultam, 31; condições que facilitam, 31, 205, 224; consistência do, 155, 158-61; contexto do, 87, 155-8,

168; desenvolvimento do córtex pré-frontal e, 78, 88; falhas de, 12, 87, 141, 150-2, 155-7, 160, 164, 182; habilidades de caráter e, 206-8; ilusão de controle e, 151; limites do, 14, 88, 178; mecanismos que capacitam, 9, 11-3, 17, 86, 140; modelo de força do, 179-80; objetivos e, 11, 13, 27, 205, 207; relação natureza-educação e, 13, 18, 74, 196; valor preditivo do, 140

autoestima, 142-4

automonitoramento, 168-9

autopadrão, 107

autopromoção, 142-4, 146, 148-50

autoridades de saúde dos EUA, 115

autovalorização, 104, 137

Ayduk, Ozlem, 124, 126, 128, 135

Bandura, Albert, 174

Barnard Toddler Center, 49-51

Baumeister, Roy, 179-80

Beck, Aaron, 145

Berlyne, Daniel, 35

Bernier, Annie, 55

bin Laden, Osama, 186

Bowlby, John, 50

BRCA1, gene, 117-20

BRCA2, gene, 117-20

Brooks, David, 11, 23

Caixa do Palhaço, 57-60, 211-2

câncer de mama, teste de DNA para, 117-20

câncer ovariano, teste de DNA para, 117-20

capacidade de autocontrole: abastecimento de recursos adicionais, 89; atribuições causais e, 99-100; consequências de longo prazo da, 31, 40-1; córtex pré-frontal e, 44;

desenvolvimento da, 55-6, 85, 95; diferenças na, 191-2; expectativas de sucesso e, 103; função executiva e, 95; objetivos e, 13, 156, 158, 226; sensibilidade à rejeição e, 135, 137-9, 192; temperamento e, 74; vulnerabilidade pessoal protegida pelo, 85

Carlson, Stephanie, 53

Carver, Charles, 101

Casey, BJ, 29

Caspi, Avshalom, 139

certeza, 112

Champagne, Frances, 77-8

Cheever, John, 171-4, 218

Chomsky, Noam, 73

Chua, Amy, 183

ciência do desenvolvimento, 87

cigarros: *ver* tabaco, uso de

círculos viciosos, 104

círculos virtuosos, 104

Clinton, Bill, 155-6, 159, 168

colérico, temperamento, 73

comida, anseio por, 113-5, 211

comportamentalismo, 72, 149

comportamento adaptativo, 11

comportamento social, 158-60

confiança, 22, 65-8, 237n

consciência, 87, 166-8

Conselho Científico Nacional para o Desenvolvimento da Criança *ver* National Scientific Council on the Developing Child

consentimento esclarecido, 119-21

consequência: consequências de longo prazo da capacidade de autocontrole, 31, 40-1; consequências de longo prazo do diferimento da satisfação, 9, 11, 13, 21, 26, 70, 117, 191; consequências de longo prazo do uso do tabaco, 114, 116, 211,

244n; das escolhas, 220-1; eu futuro e, 110; KIPP e, 91; preparação para o futuro e, 105

consistência, 155, 158-61, 164, 167

contracondicionamento repulsivo, 116

correlações, 41, 89, 159

córtex cerebral, 107

córtex pré-frontal: desenvolvimento do, 78; efeito do estresse prolongado sobre, 47; esfriamento das tentações quentes com a ativação do, 37; função executiva e, 94, 194; mais dotados de autocontrole e, 29-30; maleabilidade do, 194; reavaliação cognitiva e, 128; recompensas postergadas e, 69-70; sistema cognitivo frio e, 44, 88, 224

crenças, 96-101

criação de filhos, 72, 183-6, 218-23

crianças: adultos como modelos para, 184-6, 222, 253n; anseios e, 114; autodistanciamento e, 128-9; capacidade de autocontrole nas, 49, 64, 78; capacidade de fazer escolhas, 53; confiança e, 65-6; conflitos parentais e, 52, 219; conhecimento de estratégias, 38-40, 140; desenvolvimento do córtex pré-frontal nas, 78; diferimento da satisfação, 32; estado interno das, 52; estresse das, 52, 201, 219; experimento "situação estranha" e, 49-51; fadiga da vontade e, 183; relação natureza-educação e, 72-4; sensibilidade à rejeição e, 133; temperamento das, 73-4; ver também adolescência

crianças pré-escolares: atribuições causais e, 99-100; capacidade de sustentar o diferimento da satisfação, 45, 85, 89, 103-4, 135, 191, 224; confiança e, 66; córtex pré-frontal usado pelas, 38; desenvolvimento das habilidades cognitivas nas, 208; diferenças de gênero no diferimento da satisfação, 45-6; distrações usadas pelas, 24, 33-5, 38, 93, 124, 210, 219; função executiva e, 94-5, 196, 198; mentalidade "Acho que posso!" e, 99; pesquisas sobre autocontrole nas, 31, 85; recompensas postergadas maiores *versus* imediatas menores, 69; representação mental das recompensas e, 32, 34-5, 38, 108, 113; sistema cognitivo frio e, 44, 113; sistema emocional quente e, 44, 113; socialização do Come-Come e, 199-201; teoria da mente e, 148

Crick, Francis, 71

crimes de colarinho branco, 110

DAT1, gene, 195

decisões médicas: questionários de monitoramento-embotamento, 121; testes de DNA e, 117-20

depleção do ego, 179, 181

depressão: autoavaliação de depressivos, 145-6; conceito de, 145; estresse e, 80; pessimismo e, 101-2; preferência pelas recompensas imediatas e, 36; relação natureza educação e, 75; sensibilidade à rejeição e, 133; sistema imunitário psicológico e, 86

desamparo, 104

Descartes, René, 19, 228

desenvolvimento da autorregulação, 53-4, 78, 85-6, 199-201

diagnósticos médicos, 153

Diamond, Adele, 196

diferimento da satisfação: base genética do, 10; como habilidade cognitiva, 9-10, 100; confiança como fator para, 22, 65-8, 237n; consequências de longo prazo, 9, 11, 13, 21, 26, 70, 117,

191; crianças que menos retardavam, 29, 114; diferenças de gênero e, 45-6; distrações para, 32-4, 36, 38-9, 200-1; estudos longitudinais de Stanford, 26; estudos longitudinais do, 26-7, 41, 135; eu futuro e, 108; expectativas otimistas e, 103; formigas, na fábula de Esopo, 64, 68, 70, 105, 182; limites do, 179, 182, 223; mecanismos que possibilitam, 11-3, 25; nas crianças, 32; recompensas postergadas maiores *versus* recompensas imediatas menores, 67-8, 103, 107; sensibilidade à rejeição e, 137; temperamento e, 74

Discurso do Rei, O (filme), 175

distância psicológica, 112-5, 123

distrações: "autodistração" das crianças, 53, 219; "autodistração" de bebês, 55; autodistrações para afastar ansiedades, 105; experimento "situação estranha" e, 51; para diferimento da satisfação, 33-4, 36, 38-9, 200-1; "pensamentos felizes" como, 33, 36; "pensamentos tristes" como, 36; sistema cognitivo frio e, 45, 170; uso de, por crianças pré-escolares, 24, 33-4, 93, 124, 210, 219

DNA: expressão de, 77-8; não codificado, 77; relação natureza-educação, 13, 71, 76, 81, 224; seleção natural e, 86; testes, 117-20

doença celíaca, 216-7

domínio: círculos virtuosos e, 104; controle maternal e, 51, 54-6, 221; expectativas otimistas e, 97, 101, 104; experiências de domínio dirigidas, 174-5; percepção de controle e, 97-101

Downey, Geraldine, 133-4

drogas, uso de, 113, 139

Druckman, Michael, 255n

Duckworth, Angela, 128, 207

Dunedin, Nova Zelândia, 139

Dweck, Carol, 98-9, 181, 222

Ebbesen, Ebbe, 21

educação: autorregulação e, 199-201; função executiva e, 194-7; habilidades de caráter e, 205-8; status socioeconômico e, 201-5

Educational Testing Service, 28

eficácia, 86, 100

Eisenberger, Naomi, 130

eixo hipotalâmico-hipofisário-adrenal, 143

embotadoras, 121-2

emoções: controle das, 11; desenvolvimento da autorregulação e, 53-4, 78, 85-6, 199-201; efeito sobre o diferimento da satisfação, 36; função executiva e, 94; impacto de sentimentos felizes ou tristes sobre a solução de problemas, 146-8; reavaliação cognitiva e, 126-8; rejeição social e, 129-31; superando emoções dolorosas, 123-6; *ver também* sistema emocional quente

empatia, 95-6

empreendedores, 152-3

escolhas: apoio das mães às escolhas dos bebês, 55; autocontrole e, 104, 224; capacidade das crianças de fazer, 53; capacidade de autocontrole e, 13; consequência das, 220-1; de adultos, 69; diferimento de satisfação e, 20, 22-3, 46; escolhas esclarecidas, 88, 120; escolhas hipotéticas, 46; eu futuro e, 108, 122; força de vontade e, 179; ilusão de controle e, 151; natureza humana e, 228; padrões de autorrecompensa e, 182; para outros, 46-7; preferências, 68, 238n; recompensas, 10, 22-3, 37, 65-7,

220; status socioeconômico e, 205; testes de DNA e, 117, 119-20

Esopo, 64, 68, 70, 105

esquizofrenia, 75

estereótipos, 86, 160

estratégias cognitivas: anseios e, 114; diferenças de gênero em, 45-6; função executiva e, 93; para aumentar a capacidade de autocontrole, 9, 85, 93; reavaliação cognitiva, 37, 87, 123

estratégias de autocontrole: aprendizado de, 9, 28, 44, 192; conhecimento das crianças sobre, 139-40; conhecimento das crianças sobre, 38-40; criação de filhos e, 218-23; processos de, 94

estresse: assinaturas de estresse *Se-Então*, 168-9, 213; citocinas inflamatórias e, 134; como influência ambiental durante a gestação, 77, 202, 218; conhecimento do futuro e, 121; de crianças, 52, 201, 219; de mais dotados de autocontrole, 151; depressão e, 80; eixo hipotalâmico-hipofisário-adrenal e, 143; função executiva e, 94-5, 198; otimismo e, 101; percepção de estresse, 96; sensibilidade à rejeição e, 135; sistema cognitivo frio atenuado pelo, 44, 47-8; sistema emocional quente ativado pelo, 44, 62, 94, 171, 217; sistema imunitário psicológico e, 86, 141; treinamento de atenção plena e, 197

estudos de gêmeos, 74

ética, ética de negócios, 110

evolução: córtex pré-frontal e, 69-70; e lidar com o futuro distante, 105; inteligência e, 80; seleção natural e, 86; sistema imunitário psicológico e, 141; sistema límbico e, 42-4

excesso de confiança, 86, 150, 153-4

excitação emocional, 62

exercício físico, 197, 209

expectativas, 91

expectativas otimistas: autocontrole e, 104; crenças invejáveis e, 96; diferimento da satisfação e, 103; domínio e, 97, 101, 104; pessimismo em comparação com, 102; sistema imunitário psicológico e, 86; sucesso e, 101-4; tarefas desafiadoras e, 221; testes de DNA e, 117; tomada de riscos e, 152, 154

experiências de domínio dirigidas, 174

falar em público, 175-6

faz de conta, brincadeiras, 95

FBI, 110, 150

Feinberg, Mike, 203

Ferramentas da Mente, currículo, 196

Figner, Bernd, 69

fleumático, temperamento, 73

flexibilidade mental, 94

Flynn, James R., 80

fobias, 173, 174

força de vontade: como automática e gratificante, 13; fadiga da vontade e, 178-80; falhas de, 19-20, 170-2, 177; genética e, 72; interesse público pela, 11-2; motivação e, 156-7, 180-2, 186-7, 191; padrões de autorrecompensa e, 182-6

fracassos (falhas): de autocontrole, 12, 87, 141, 150-2, 155-7, 160, 164, 182; de força de vontade, 19-20, 170-2, 177; excesso de confiança e, 153; habilidades de caráter e, 206, 222; medo de, 95, 186; otimistas em comparação com pessimistas, 102-4; teoria da entidade da inteligência e, 99

Francis, Darlene, 79, 81, 228

Freud, Sigmund, 21, 32, 34-5, 43, 105, 149

frustrações, 103-4, 206

função executiva: aspectos da, 93-4; atenção e, 93-4, 194-6; crenças invejáveis e, 96-7; desenvolvimento da, 94-5, 170, 194, 196-8, 219, 223; domínio e, 97-101; empatia e, 95-6; imaginação e, 95; monitoramento do progresso e, 93; objetivos e, 93, 225-7; políticas públicas e, 194-6, 198; treinamento de atenção plena e, 197

futuro: conhecimento do, 120-2; decisões éticas para o eu futuro, 110; desconto do futuro, 209, 215, 217; distância psicológica e, 112; eu futuro, 105-8, 215-6; experiência de pré-vivenciamento e, 119-20, 122; plano de aposentadoria e, 105, 108-9, 215-7; preparação para, 105, 111-2; projeção para o mundo futuro, 110, 112, 211; representações mentais do eu futuro, 108-9, 117; sistema imunitário psicológico e, 144; testes de DNA e, 117-20

gênero, 45-6

genética: como base do autocontrole, 13, 18; como base do diferimento da satisfação, 10; controle da atenção e, 195-6; da natureza humana, 72, 227; descobertas, 87; DNA e, 13, 71, 76; estudos de gêmeos e, 75; influências ambientais sobre os genes, 77, 79, 81; temperamentos e, 73-5; teste de DNA e, 117-20; *ver também* DNA

George VI (rei da Inglaterra), 175

Gilbert, Daniel, 141, 144, 247n

Gilligan, Carol, 66-7

Gollwitzer, Peter, 61, 213

Gotlib, Ian, 29

Graduate Record Examination, 197

gratificação imediata, 32; *ver também* sistema emocional quente

Gross, James, 128

hábitos, formação dos, 37

Harris, Judith Rich, 183

Harvard, Universidade de, departamento de relações sociais, 66

Hebb, Donald, 75

Helmsley, Leona, 157

Henry Street Settlement, 193

Hershfield, Hal, 107-9

hipocampo, 48

Homero, 57

húbris, 150-1

humores corporais vitais, 73

ilusão de controle, 151

ilusões positivas, 144

imagens de ressonância magnética: autopadrão e, 107; de crianças dormindo, 52; diferimento da satisfação e, 68; dor emocional comparada com a dor física, 129-30; função executiva e, 194-5; impulsos do apetite e, 114; neurociência social e, 29; resistindo à tentação e, 94

imaginação, 88, 95, 113

impulsos do apetite, 114-5

índice de massa corporal, 10, 28, 139

influências ambientais: sobre a expressão dos genes, 77, 79, 81; sobre a inteligência, 80; *ver também* relação natureza-educação

Insel, Thomas, 79

inteligência: autorregulação e, 251n; inteligência emocional, 11-2; inteligência social, 12, 204, 207; percepção de controle e, 98, 221; relação natureza--educação e, 71, 75, 80-1; sistema

imunitário psicológico e, 142
interações sociais: distância psicológica
e, 112; situações psicológicas "quentes",
168-9, 212-3; situações psicológicas
"quentes", 163-6; *ver também*
relacionamentos

Jonides, John, 29
judias asquenazes, 118
Jung, Carl, 115

Kagan, Jerome, 78
Kahneman, Daniel, 152, 154
Kaufer, Daniela, 81, 228
Kelly, George A., 97, 228
KIPP (Knowledge is Power Program
[Conhecimento é Poder]):
consequências e, 91; efeitos do, 89-93,
97, 138; habilidades de caráter e, 206-8;
status socioeconômico e, 89, 138, 202-5
KIPP Infinity Elementary School, 203
Kober, Hedy, 114
Konnikova, Maria, 151
Kross, Ethan, 124-6, 128-9

Laibson, David, 209
Leary, Timothy, 66
Levin, Dave, 202-3, 205-6, 225
Lewinsohn, Peter, 145
Liberman, Nira, 112
Liebert, Robert, 184
Loewenstein, George, 244n
Lutsky, Neil, 167

Madoff, Bernard, 110
mais dotados de autocontrole, 10, 29-30,
151, 207
McClure, Samuel, 68-70
meditação, 197
medos: de falar em público, 175-6;

força de vontade e, 171-2; modelos
destemidos, 174-5, 177, 222; mudança
de comportamento e, 173; sistema
emocional quente e, 86, 172-3, 176
melancólico, temperamento, 73
memória de trabalho, 197
menos dotados de autocontrole, 10, 29-
30, 114, 151
Miller, Suzanne M., 119
Mischel, Judith, 21, 26
Mischel, Linda, 21, 26
Mischel, Rebecca, 21, 26
Moffitt, Terrie, 139
monitores, 121
Moore, Bert, 21, 34
motivação: autocontrole e, 37, 156-7, 180,
225-6; e tentações quentes, 35; força de
vontade e, 156-7, 180-2, 186-7, 191
mudança autoinduzida, 13, 63
mudanças comportamentais, 173
mudanças de situação, 44
múltiplos eus, 106-10
Munch, Edvard, 105
Myers, David G., 142

National Scientific Council on the
Developing Child, 198
natureza humana: conceitos ocidentais da,
87; genética da, 72, 227; maleabilidade
da, 13-4, 224, 227-8; plasticidade
do cérebro e, 13-4, 224, 227-8;
pressupostos sobre, 164, 166, 192, 227
neurociência cognitiva, 29-30, 41, 87,
149
neurociência social, 29
neurônios espelhos, 96
níveis de atividade, 73-4
Nolen-Hoeksema, Susan, 123

Obama, Barack, 11, 208

obesidade, 139

objetivos: autocontrole e, 11, 13, 27, 205, 207; córtex pré-frontal e, 44, 88; função executiva e, 93, 225-7

Ochsner, Kevin, 113-4, 128

Odisseia, A (Homero), 57

Oettingen, Gabriele, 61, 213

otimismo ilusório, 86

Owen, Mark (pseudônimo), 186, 225

padrões *Se-Então*: de pontos quentes nas interações sociais, 163, 165-6, 168-9, 212-3; padrões estáveis de assinaturas comportamentais de personalidade, 166-9, 213

passado, 112; *ver também* futuro; presente

Patterson, Charlotte, 58-60

Paul, Gordon, 175

Peace Corps, voluntários, 153-4

Peake, Philip K., 26, 167

percepção de controle, 97-101, 104, 221

personalidade limítrofe *ver* transtorno de personalidade limítrofe

perspectiva de autodistanciamento, 124-9, 218

perspectiva de autoimersão, 125-6, 129, 138, 218

pesquisa do cérebro: e autocontrole, 13; e tecnologia de imagem, 29, 32, 41, 68, 94, 107, 114, 128

pesquisas sobre autocontrole: diferenças de gênero e, 46; em crianças pré--escolares, 31, 85; políticas públicas e, 194, 199; teste do Marshmallow e, 9, 12, 17

pessimismo, 101-4, 117

Peterson, Christopher, 102

Petraeus, David, 150-1

pistas externas, 62

pistas internas, 62

pistas situacionais, 62-3

planejamento: córtex pré-frontal e, 88; distância psicológica e, 112; função executiva e, 94; *ver também* planejamento da aposentadoria

planejamento da aposentadoria, 69, 105, 108-9, 215-7

planos de implementação *Se-Então*: anseios e, 114-5; estratégias de pré--compromisso, 214-6; função executiva e, 197; para resistir às tentações, 60-1; pistas situacionais e, 62-3; respostas automáticas e, 211-2; sensibilidade à rejeição e, 138, 213

plasticidade do cérebro, 13-4, 52, 192, 194-7, 224, 227-8

políticas públicas: autocontrole e, 14, 28, 192; educação pré-escolar e, 208, 255n; função executiva e, 194-6, 198; relação natureza-educação e, 72

Posner, Michael, 53, 94, 195

predisposições, 78, 80-1

presente: simulação de acontecimentos futuros no, 113; sistema emocional quente e, 209-10; *ver também* futuro

pressão arterial, 126, 134

previsões de especialistas, 153-4

problemas psicológicos, modelo das doenças físicas aplicado aos, 173

processamento das informações, 112

psicologia da saúde, 149

Rabanete, Experimento do, 180

raciocínio verbal, 94

Ramirez, George: capacidade de autocontrole e, 89, 93, 221; kipp e, 89-93, 97, 137, 202, 205; objetivos de, 225

reatividade emocional, 73-4

reavaliação cognitiva, 37, 87, 123, 125-9, 216-7

recompensas: condição de exposição das recompensas, 32-4, 38; condição de ocultação das recompensas, 32, 38-9; depressão e, 36; escolhas de, 10, 22-3, 37, 64-7, 220; padrões de autorrecompensa e, 182-6; recompensas postergadas maiores *versus* recompensas imediatas menores, 67-8, 103, 107; representações mentais das, 32-5, 37-8, 41, 43, 108, 113, 201; sistema cognitivo frio e, 68, 70; sistema emocional quente e, 43, 68-70, 113-4, 209-10

regulação da emoção, 87, 129-31, 134

relação natureza-educação: autocontrole e, 13, 18, 74, 196; causas do comportamento humano e, 72, 79-80, 228; DNA e, 13, 71, 76, 81, 224; oportunidades e, 92; temperamento e, 73-5, 81

relacionamentos: autodistanciamento e, 127, 218; expectativas otimistas e, 104; rejeição social e, 123-5, 127, 129-31; sensibilidade à rejeição e, 132-5; *ver também* interações sociais

representações mentais: condições de exposição das recompensas, 32-4, 38; condições de ocultação das recompensas, 32, 38-9; das recompensas, 32, 34-5, 37, 41, 43, 108, 113, 201; das tentações, 96; do eu futuro, 108-9, 117; efeitos das qualidades dos estímulos, 35-8

resposta de relaxamento, 173

respostas impulsivas: controle de, 11, 100, 104; fadiga da vontade e, 179; função executiva e, 94, 194; *ver também* sistema emocional quente

Rizzolatti, Giacomo, 96

Robin Hood Excellence Program, 255n

Rodriguez, Monica L., 23-4, 170

roedores, relação natureza-educação, experimentos com, 78-80, 235-6

role-playing, 119

Roth, Philip, 54

Rothbart, Mary, 53, 94

ruminação, 24, 123, 126

sanguíneo, temperamento, 73

SAT, escores, 10, 27, 40

satisfação: *ver* diferimento da satisfação

saúde, 101-2

Schelling, Thomas, 19-20

Schlam, Tanya, 139

Schools That Can [escolas que podem], 255n

Seals da Marinha dos EUA, 186-7, 225

seleção natural, 86

Seligman, Martin, 102

sensibilidade à rejeição: alta sensibilidade à rejeição, 132-5, 137-8; capacidade de autocontrole e, 135, 137-9, 192; *Se--Então*, planos de implementação, 138, 213

serotonina, 80

Sesame Workshop, grupo de educação e pesquisa, 199-201

Sethi, Anita, 50, 54-5

Shakespeare, William, 37, 47, 106, 150

Shoda, Yuichi, 29, 162-3

sistema cognitivo frio: anseios e, 114; autocontrole e, 13, 113; automonitoramento e, 168; desenvolvimento do, 78; distância psicológica e, 112-3, 123; efeitos do estresse sobre, 44, 47-8; esfriando a reação impulsiva ao sistema emocional quente, 37, 40, 47, 85, 87, 93, 108, 113, 123, 127, 194, 204, 210, 224, 244n; estratégias de controle da atenção e, 55; estresse emocional e, 123-4; função executiva e, 93-5; interação do sistema emocional quente com, 44, 70, 88, 94-5, 115-6, 122-3, 182, 234n; nas crianças, 53, 78; perspectiva do autodistanciamento e, 126-7; recompensas postergadas e, 68, 70; representações mentais do, 36, 40; suposições sobre a consistência do comportamento, 159; Teste do Marshmallow e, 35; testes de DNA e, 117-8; uso flexível do, 88, 93; vantagens do, 86

sistema emocional quente: ação instantânea e, 43; adolescência e, 45; anseios e, 114; apetitoso, qualidades das recompensas, 43-4, 69, 114; autocontrole e, 12, 20, 30, 89, 104; cigarra na fábula de Esopo e, 64, 68, 70, 105, 179, 181-2; comportamentos negativos e, 163-6; consequências e, 110; distância psicológica e, 112, 123; eixo hipotalâmico-hipofisário-adrenal, 143; estresse e, 44, 62, 94, 171, 217; interação com o sistema cognitivo frio, 44, 70, 88, 94-5, 115-6, 122-3, 182, 234; medos e, 86, 172-3, 176; nas crianças, 53; perspectiva de autoimersão e, 125-6; planos de inibição da tentação e, 60-3; prazer de viver e vitalidade do, 43, 85, 88; pressupostos de consistência no comportamento, 159; reação impulsiva de esfriamento ao, 37, 40, 47, 85, 87, 93, 108, 113, 123, 127, 194, 204, 210, 224, 244n; recompensas imediatas e, 68-70, 113, 209; representações mentais do, 35-7; sensibilidade à rejeição e, 133; Teste do Marshmallow e, 21-2, 35; testes de DNA e, 117-20

sistema imunitário biológico: função protetora do, 141, 144; interação com

o sistema imunitário psicológico, 141; resposta à rejeição social, 133-4; *ver também* sistema imunitário psicológico

sistema imunitário psicológico: autopromoção e, 142-4, 146, 149-50; avaliação do, 112, 149-50; estresse e, 86, 141; excesso de confiança e, 150, 153-4; função protetora do, 105, 141, 144, 211; *ver também* sistema imunitário biológico

sistema límbico, 42, 44, 69-70

"Situação Estranha", experimento, 49-51, 55

sitzfleisch, 91

Skinner, B. F., 72, 153

sociabilidade, 87

solução de problemas, 88, 94, 126-7, 146-8

South Bronx, escolas públicas, 28, 89, 90, 136-9

Spelke, Elizabeth, 73

Springsteen, Bruce, 91, 225

Stanford, Universidade de: Bing Nursery School, 10, 17, 21-2, 26, 28-9, 41, 222; estudos longitudinais de diferimento da satisfação, 26-7, 41, 135

status socioeconômico, 201-5, 255n

Staub, Ervin, 103

substituição de sintomas, 176

sucesso: expectativas otimistas e, 101-4; pessimismo e, 102-4; sucesso na escola, 94

tabaco, uso de, 41, 113-6, 211, 244n

Tavris, Carol, 142

Taylor, Shelley, 97, 101, 142-3

TDAH *ver* transtorno de déficit de atenção e hiperatividade

temperamentos: conceitos ocidentais dos, 87; estudos de roedores e, 78-80; relação natureza-educação e, 73-5, 81;

tipologia greco-romana, 73

tentações: autocontrole em face da, 86, 108; enfrentar, 104; função executiva e, 93-4; planos de implementação *Se-Então*, para resistir a, 60-1; representações mentais da, 96; resistência, 58-60, 70, 93-5, 113, 122, 157, 199, 209-10; tentações quentes, 13, 20, 22, 60, 62, 70, 86, 110, 113, 116, 157, 211; trapacear e, 67-8; *ver também* sistema emocional quente

teoria da entidade, 98

teoria da mente, 96, 148

teoria psicanalítica, 173, 176

teorias de direitos adquiridos, 157

teorias pessoais, 98

teóricos do crescimento incremental, 98, 221

terapias cognitivo-comportamentais: agressão e, 219-20; autodistanciamento e, 127, 218; depressão e, 145-6; medos e, 173-5; planos de pré-compromisso, 215; reavaliação cognitiva e, 37; sistema imunitário psicológico e, 149

Teste do Marshmallow: "pensamentos felizes", distrações por meio de, 33, 36; adolescência e, 27-8, 40, 207; adultos e, 28; aplicações do, 14; contingência do, 23, 31, 38, 93; desenvolvimento do, 21-3, 32; diferenças de gênero e, 46; história do, 10, 13, 17; interesse do público pelo, 11-2; natureza preditiva do, 25-7; neuroimagens na meia-idade e, 29-30; pesquisas sobre autocontrole e, 9, 12, 17; procedimentos do, 23-7; representações mentais e, 34-8

tipologia greco-romana, dos humores corporais vitais, 73

tomada de decisões: distância psicológica e, 112; escolhas esclarecidas e, 88, 120;

excesso de confiança e, 150; imagem do cérebro e, 69; pesquisa em Trinidad, 20, 64-5, 67-8; sistema cognitivo frio e, 44; sistema emocional quente e, 85

tomada de riscos, 86, 105, 150-2

trabalhar com afinco, 91-3

transtorno de déficit de atenção e hiperatividade (TDAH), 62-3, 95, 195, 197

transtorno de personalidade limítrofe, 135, 139

treinamento de atenção plena, 197

Trinidad, pesquisa em, 20, 64-5, 67-8

Trope, Yaacov, 112-3

Tsukayama, Eli, 128

Tudor-Jones, Paul, 255n

Vila Sésamo, 12, 199-201

vulnerabilidade pessoal, 85

Wachtler, Sol, 155

Watson, James, 71-2, 80

Weber, Elke, 69

Wediko, colônia de férias, estudos, 161-7, 169-70, 212

Wilde, Oscar, 70

Wilson, Timothy, 141

Wolpe, Joseph, 173

Woods, Tiger, 156

Wright, Jack, 147, 162

Zeiss, Antonette, 21, 26

Zeiss, Bob, 26

1ª EDIÇÃO [2016] 5 reimpressões

ESTA OBRA FOI COMPOSTA EM INES LIGHT PELA ABREU'S SYSTEM
E IMPRESSA EM OFSETE PELA LIS GRÁFICA SOBRE PAPEL PÓLEN DA
SUZANO S.A. PARA A EDITORA SCHWARCZ EM ABRIL DE 2025

A marca FSC® é a garantia de que a madeira utilizada na fabricação do papel deste livro provém de florestas que foram gerenciadas de maneira ambientalmente correta, socialmente justa e economicamente viável, além de outras fontes de origem controlada.